중학생이 되기 전,
"유리수의 사칙연산"
개념 동영상과 함께 나 혼자 한다!

KB118815

▶ 무료 개념 동영상 강의와 함께 중등 수학을 쉽고, 빠르게!

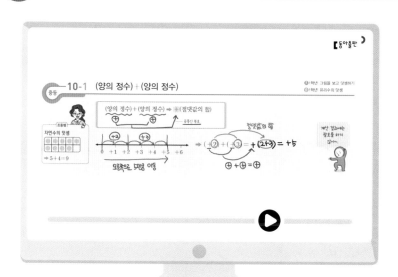

유리수는 초등 수학과 다르게 '+', '−'가
수 앞에 붙어 어렵다고 하지요.

하하하, 초고필 유리수의 사칙연산만
있으면 문제 없소!

중학생이 되기 전인데 괜찮을까요?

무료 스마트러닝에 접속하면
개념이 쉬워지는 동영상 강의가 있어
혼자서도 공부할 수 있답니다.

📶 무료 스마트러닝 접속 방법

방법 1

동아출판 홈페이지 www.bookdonga.com에 접속
하면 초고필 유리수의 사칙연산 무료 스마트러닝을
이용할 수 있습니다.

방법 2

무료 스마트러닝

핸드폰이나 태블릿으로 **교재 표지에 있는 QR코드**를 찍으면 무료 스마트러닝
에서 초고필 유리수의 사칙연산 개념 동영상 강의를 이용할 수 있습니다.

중학생이 되기 전, 동영상 강의와 함께 공부의 힘을 키우는 초등 고학년 필수 초고필 시리즈

국어 독해 지문 해설 강의 / 수능형 문제 풀이 강의

- 지문 해설 강의를 통해 작품을 제대로 이해
- 수능형 문제 풀이를 들으며 어려운 독해 문제도 완벽하게 학습

유리수의 사칙연산 / 방정식 / 도형의 각도
수학 개념 강의

- 25일만에 끝내는 중등 수학 기초 학습
- 초등 수학과 연결하여 쉽게 중등 수학 개념 설명

국어 문법 문법 강의

 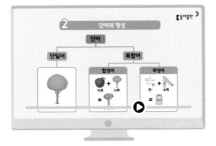

- 어려운 문법 지식도 그림으로 쉽고 재미있게 강의
- 중등 국어 문법을 위한 초등 국어 기초 완성

한국사 자료 분석 강의 / 한국사능력검정시험 대비

 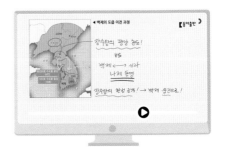

 한국사 개념을 더욱 완벽하게 학습할 수 있는 한국사 자료 분석 강의

국어 어휘 어휘 강의

 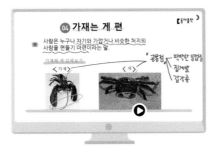

- 관용 표현과 한자어의 뜻이 한 번에 이해되는 강의
- 각 어휘의 유래와 배경 지식을 들으며 재미있게 이해

- 개념 학습, 기출 문제, 모의 평가로 구성된 한국사능력검정시험 대비 특강
- 효과적인 10일 스케줄 강의 구성

중학생이 되기 전, 반드시 "초고필 수학 시리즈" 해야 할 때

◼ 중학생이 되기 전에 중등 수학을 어떻게 공부해야 하나요?

초등학생과 중학생은 학습 연령이 다르기 때문에 학습 이해도가 다를 수밖에 없습니다. 그래서 초등학생에게는 중등 개념서의 설명이 어렵게 느껴집니다. 반면 중등 연산서로 학습하면 쉽게 이해할 수 있으나, 단순한 유형의 문제를 반복 학습하는 것이기 때문에 중등 수학의 기초를 다지기에는 부족합니다. 중등 수학은 학습 내용도 어려워지고 문자나 기호, 한자 용어 등이 등장하기 때문에 단순 반복 학습보다는 깊이 있는 학습이 필요합니다.

따라서 초등학교 때는 초등학생 눈높이에 맞게 중등 수학을 공부하는 것이 중요합니다. 초등과 중등의 수학 개념을 연결하여 쉽게 이해할 수 있는 문제집, 빠르게 이해할 수 있도록 동영상 강의가 제공되는 문제집으로 중등 수학을 공부해야 합니다.

◼ 왜 유리수의 사칙연산, 방정식, 도형의 각도를 미리 공부해야 할까요?

❶ 유리수의 사칙연산

초등 수학과 중등 수학은 사용하는 수의 범위가 다릅니다. 중등 수학에서 다루는 수의 범위는 음수가 포함된 유리수이기 때문에 중등 수학을 시작하는 첫 번째 필수 단계로 유리수는 꼭 학습해야 합니다.

특히 초등학생들은 수 앞에 붙은 플러스(+), 마이너스(−) 부호와 덧셈, 뺄셈 기호가 혼동되어 양수와 음수의 연산이 어렵게 느껴집니다. 따라서 유리수의 개념을 확실하게 다지고 유리수의 사칙연산을 학습해 두어야 중학교에 가서도 수학과 친해질 수 있습니다.

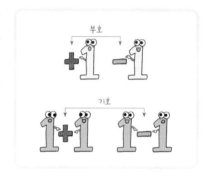

❷ 방정식

방정식 용어는 중등부터 사용하지만 초등학교 때 이미 '□가 있는 식'으로 방정식을 공부했습니다. 즉, 방정식은 식을 세우고 미지수(= 모르는 수)를 구하는 과정으로 향후 모든 수학 공부에서 가장 기본이 되는 영역입니다. 특히, 중등 수학의 방정식은 수의 범위가 유리수로 확장되고 미지수를 x라는 기호로 사용하기 때문에 낯설게 느낄 수밖에 없습니다. 따라서 초등학교 때 방정식 준비부터 활용까지 미리 공부해야 합니다.

❸ 도형의 각도

중등부터 도형은 문자와 기호를 사용하여 표현하고, 도형의 성질을 증명하게 되면서 초등학교에 비해 내용이 어려워집니다. 특히 도형의 성질은 각도를 포함하고 있기 때문에 도형 학습 중 도형의 각도가 가장 중요합니다. 따라서 초등학교 때 학습한 도형 개념을 중등과 연결하여 도형의 각도를 학습하면 어려운 중등 수학에 자신감을 가질 수 있습니다.

초고필 유리수의 사칙연산

초고필

지금
유리수의
사칙연산
을 해야 할 때

구성과 특징

이번에 학습할 용어

이번 학습 주제에서 처음 나오는 용어 목록입니다.

초등 개념과 중등 개념 연결

중등 개념과 연결된 초등 개념을 통해 중등 개념을 쉽게 이해할 수 있습니다.

잠깐만!

강조할 개념, 보충 개념, 복습 개념입니다.

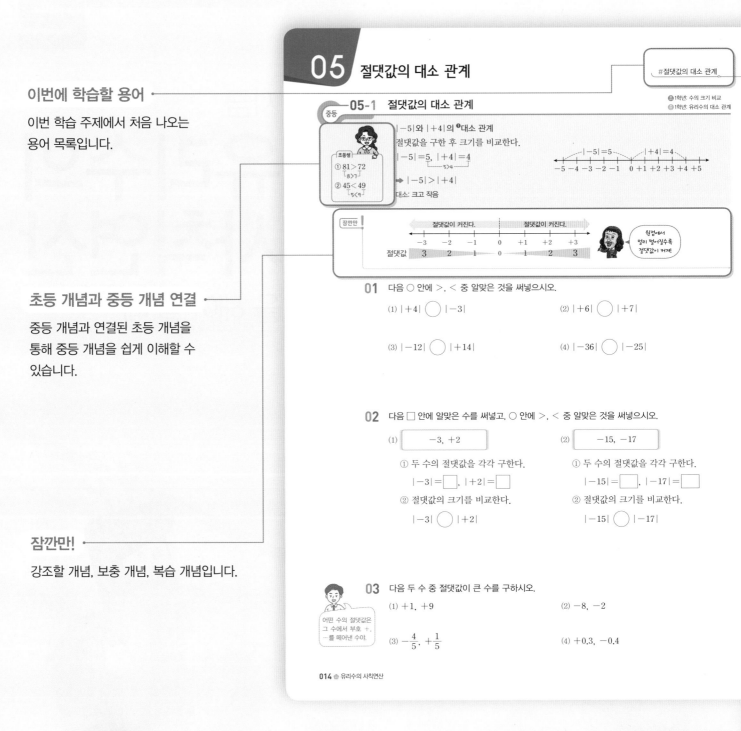

05 절댓값의 대소 관계

#절댓값의 대소 관계

ⓐ 1학년: 수의 크기 비교
ⓐ 1학년: 유리수의 대소 관계

05-1 절댓값의 대소 관계

01 다음 ○ 안에 >, < 중 알맞은 것을 써넣으시오.

(1) $|+4|$ ○ $|-3|$　　　　(2) $|+6|$ ○ $|+7|$

(3) $|-12|$ ○ $|+14|$　　　　(4) $|-36|$ ○ $|-25|$

02 다음 □ 안에 알맞은 수를 써넣고, ○ 안에 >, < 중 알맞은 것을 써넣으시오.

(1) $-3, +2$

① 두 수의 절댓값을 각각 구한다.

$|-3|=$ □ , $|+2|=$ □

② 절댓값의 크기를 비교한다.

$|-3|$ ○ $|+2|$

(2) $-15, -17$

① 두 수의 절댓값을 각각 구한다.

$|-15|=$ □ , $|-17|=$ □

② 절댓값의 크기를 비교한다.

$|-15|$ ○ $|-17|$

03 다음 두 수 중 절댓값이 큰 수를 구하시오.

어떤 수의 절댓값은 그 수에서 부호 +, −를 떼어낸 수야.

(1) $+1, +9$　　　　(2) $-8, -2$

(3) $-\dfrac{4}{5}, +\dfrac{1}{5}$　　　　(4) $+0.3, -0.4$

초고필 수학으로 중등 수학을 쉽게 공부하는 방법은?

첫째, 25일 완성 계획 세우기
둘째, 개념이 쉬워지는 동영상 강의로 개념 이해하기
셋째, 문제 풀기
넷째, TEST로 실력 확인하기

중등 수학은 문자, 기호, 용어를
많이 사용하기 때문에 어렵습니다. 중학교 가기 전에
미리, 쉽고, 빠르게 초고필 유리수의 사칙연산으로 공부하세요.

빠른 정답 01쪽, 풀이 07쪽

중등 **01-2** 양수와 음수

초1, 3학년: 자연수 / 분수 / 소수
중1학년: 정수와 유리수

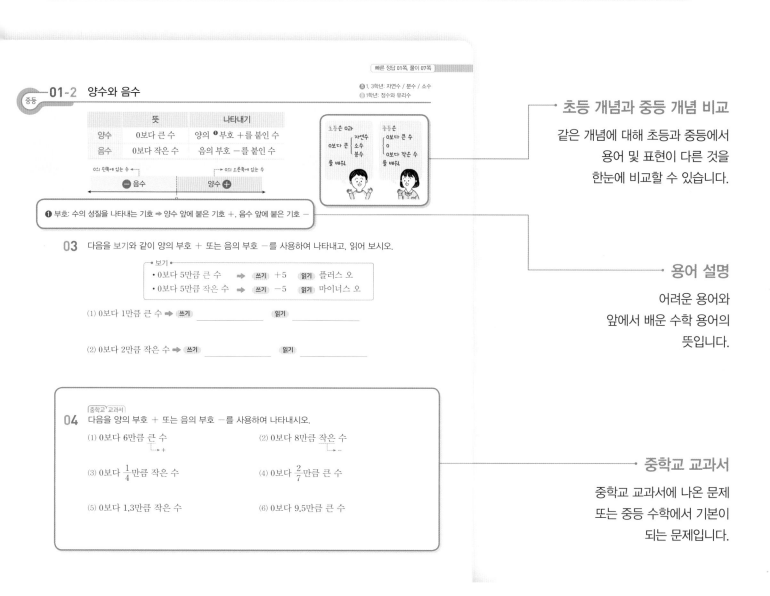

	뜻	나타내기
양수	0보다 큰 수	양의 **①**부호 +를 붙인 수
음수	0보다 작은 수	음의 부호 −를 붙인 수

① 부호: 수의 성질을 나타내는 기호 ➡ 양수 앞에 붙은 기호 +, 음수 앞에 붙은 기호 −

03 다음을 보기와 같이 양의 부호 + 또는 음의 부호 −를 사용하여 나타내고, 읽어 보시오.

─ 보기 ─
• 0보다 5만큼 큰 수 ➡ **쓰기** +5 **읽기** 플러스 오
• 0보다 5만큼 작은 수 ➡ **쓰기** −5 **읽기** 마이너스 오

(1) 0보다 1만큼 큰 수 ➡ **쓰기** _____ **읽기** _____

(2) 0보다 2만큼 작은 수 ➡ **쓰기** _____ **읽기** _____

중학교 교과서
04 다음을 양의 부호 + 또는 음의 부호 −를 사용하여 나타내시오.

(1) 0보다 6만큼 큰 수

(2) 0보다 8만큼 작은 수

(3) 0보다 $\frac{1}{4}$만큼 작은 수

(4) 0보다 $\frac{2}{7}$만큼 큰 수

(5) 0보다 1.3만큼 작은 수

(6) 0보다 9.5만큼 큰 수

● 초등 개념과 중등 개념 비교
같은 개념에 대해 초등과 중등에서
용어 및 표현이 다른 것을
한눈에 비교할 수 있습니다.

● 용어 설명
어려운 용어와
앞에서 배운 수학 용어의
뜻입니다.

● 중학교 교과서
중학교 교과서에 나온 문제
또는 중등 수학에서 기본이
되는 문제입니다.

무료 스마트러닝 ▶ 개념 동영상 강의

교재의 표지 또는 단계별 시작 페이지에 있는
QR코드를 찍으면 개념이 쉬워지는 동영상 강
의를 볼 수 있습니다.

확인 학습

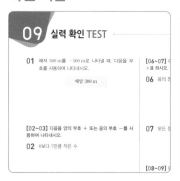

실력 확인 TEST
각 단계의 학습이 끝난 후 해당 단
계를 잘 공부했는지 점검합니다.

성취도 확인 평가 (4회)
모든 학습이 끝난 후 잘 공부했
는지 성취도를 확인합니다.

차례

1단계

정수와 유리수

개념 동영상 강의

학습 내용		공부 계획
01	부호가 붙은 수	
02	정수	1일차 ☐ 월 ☐ 일
03	유리수	
04	절댓값	
05	절댓값의 대소 관계	2일차 ☐ 월 ☐ 일
06	절댓값의 계산	
07	유리수의 대소 관계	
08	부등호를 사용하여 나타내기	3일차 ☐ 월 ☐ 일
09	**실력 확인 TEST**	4일차 ☐ 월 ☐ 일

01 부호가 붙은 수

중등 01-1 양의 부호 또는 음의 부호로 나타내기

초 1, 3학년: 자연수 / 분수 / 소수
중 1학년: 정수와 유리수

서로 반대되는 성질을 가지는 양을 0을 기준으로 [한쪽: 양의 부호 + / 다른 쪽: 음의 부호 −] 를 사용하여 나타낼 수 있다.

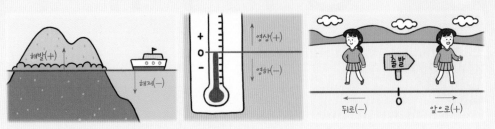

잠깐만!

 플러스
+
양의 부호

 마이너스
−
음의 부호

 양의 부호 +, 음의 부호 −는 덧셈, 뺄셈 기호와 모양은 같지만 의미는 달라!

덧셈, 뺄셈 기호와 모양이 똑같아.

01 다음 □ 안에 양의 부호 + 또는 음의 부호 −를 써넣으시오.

(1) 5점 득점: +5점

4점 실점: □4점

(2) 10 kg 감소: −10 kg

30 kg 증가: □30 kg

(3) 영하 9 ℃: −9 ℃

영상 12 ℃: □12 ℃

(4) 2000원 수입: +2000원

1000원 지출: □1000원

(5) 해발 400 m: +400 m

해저 150 m: □150 m

(6) 지하 2층: −2층

지상 8층: □8층

중학교 교과서

02 다음을 양의 부호 + 또는 음의 부호 −를 사용하여 나타내시오.

한쪽을 양의 부호 +로 나타내면 다른 쪽은 음의 부호 −로 나타내.

(1) 출발 1시간 후를 +1시간으로 나타낼 때, 출발 5시간 전

(2) 7년 전을 −7년으로 나타낼 때, 4년 후

(3) 동쪽으로 5 km 떨어진 곳을 +5 km로 나타낼 때, 서쪽으로 5 km 떨어진 곳

(4) 600원 이익을 +600원으로 나타낼 때, 700원 손해

중등 01-2 양수와 음수

초 1, 3학년: 자연수 / 분수 / 소수
중 1학년: 정수와 유리수

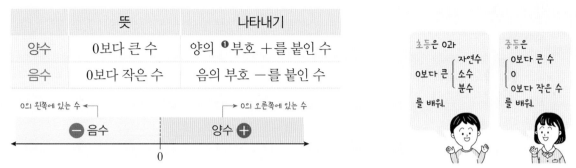

	뜻	나타내기
양수	0보다 큰 수	양의 ❶부호 ＋를 붙인 수
음수	0보다 작은 수	음의 부호 －를 붙인 수

❶ 부호: 수의 성질을 나타내는 기호 ➡ 양수 앞에 붙은 기호 ＋, 음수 앞에 붙은 기호 －

03 다음을 보기와 같이 양의 부호 ＋ 또는 음의 부호 －를 사용하여 나타내고, 읽어 보시오.

• 보기 •
• 0보다 5만큼 큰 수 ➡ 쓰기 ＋5 읽기 플러스 오
• 0보다 5만큼 작은 수 ➡ 쓰기 －5 읽기 마이너스 오

(1) 0보다 1만큼 큰 수 ➡ 쓰기 _____ 읽기 _____

(2) 0보다 2만큼 작은 수 ➡ 쓰기 _____ 읽기 _____

중학교 교과서

04 다음을 양의 부호 ＋ 또는 음의 부호 －를 사용하여 나타내시오.

• 0보다 ~만큼 큰 수: ＋
• 0보다 ~만큼 작은 수: －

(1) 0보다 6만큼 큰 수 ⌐→ ＋

(2) 0보다 8만큼 작은 수 ⌐→ －

(3) 0보다 $\frac{1}{4}$만큼 작은 수

(4) 0보다 $\frac{2}{7}$만큼 큰 수

(5) 0보다 1.3만큼 작은 수

(6) 0보다 9.5만큼 큰 수

05 다음 수가 양수이면 '양', 음수이면 '음'을 쓰시오.

(1) 0보다 4만큼 큰 수

(2) 0보다 7만큼 작은 수

(3) 0보다 $\frac{1}{3}$만큼 작은 수

(4) 0보다 $\frac{2}{5}$만큼 큰 수

02 정수

중등 **02-1 정수**

초등쌤

자연수: 1부터 시작하여 2, 3, 4…로 이어지는 수

정수 {
양의 정수: 자연수에 양의 부호를 붙인 수 ➡ +(자연수)
0: 양의 정수도 음의 정수도 아닌 수
음의 정수: 자연수에 음의 부호를 붙인 수 ➡ −(자연수)
}

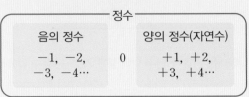

┌─────── 정수 ───────┐

음의 정수		양의 정수(자연수)
-1, -2, -3, -4…	0	$+1$, $+2$, $+3$, $+4$…

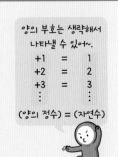

양의 부호는 생략해서 나타낼 수 있어~.

$+1 = 1$
$+2 = 2$
$+3 = 3$
⋮   ⋮

(양의 정수) = (자연수)

01 다음 수를 보기에서 모두 고르시오.

┌─ 보기 ─────────────────────────┐
$+4$, 0, $+9$, -1, 7, -8, $+5$
└────────────────────────────────┘

(1) 양의 정수   (2) 음의 정수

02 다음 표에서 주어진 수가 양수, 음수, 자연수, 정수에 각각 해당하면 ○표, 해당하지 않으면 ×표를 하시오.

수	$+2.5$	$+10$	$-\dfrac{1}{2}$	0	$+3$
양수					
음수					
자연수					
정수					

03 다음 중 옳은 것에는 ○표, 옳지 않은 것에는 ×표를 하시오.

정수 {
양의 정수(자연수)
0
음의 정수
}

(1) 0은 정수가 아니다.   (   )

(2) 모든 자연수는 정수이다.   (   )

(3) 자연수에 양의 부호 +를 붙인 수는 양의 정수이다.   (   )

(4) 정수는 양의 정수와 음의 정수를 말한다.   (   )

중등 02-2 정수를 수직선 위에 나타내기

최 1학년: 자연수
중 1학년: 정수와 유리수

(1) 수직선: 직선 위에 기준이 되는 점 0을 정하고 그 점의 오른쪽에 양의 정수,
   왼쪽에 음의 정수를 ❶대응시켜서 만든 직선

(2) 원점: 수직선에서 기준점 0

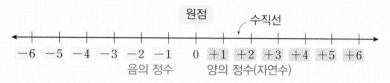

0을 기준으로
양의 정수: 오른쪽(→)
음의 정수: 왼쪽(←)

❶ 대응: 두 대상이 주어진 어떤 관계에 의하여 서로 짝이 되는 것

잠깐만

0은 양의 정수와
음의 정수를 구분하는
기준이야.

➕ 0 (×) ➖ 0 (×)

그래서 0에는
부호를 붙이지 않아!

---

04 다음 수직선 위의 세 점 A, B, C가 나타내는 수를 구하시오.

(1)
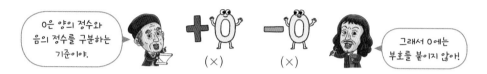

A: (　　　　　　), B: (　　　　　　), C: (　　　　　　)

(2)
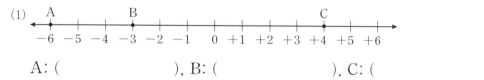

A: (　　　　　　), B: (　　　　　　), C: (　　　　　　)

---

05 다음 수를 수직선 위에 점으로 나타내시오.

(1) A: -5, B: -2, C: $+2$

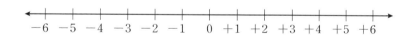

(2) A: -1, B: $+5$, C: $+6$

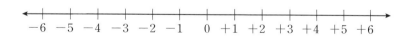

중학교 교과서

06 다음 수를 수직선 위에 나타낼 때, 가장 오른쪽에 있는 수는?

① -6　　　　　② $+5$　　　　　③ -4

④ $+1$　　　　　⑤ 0

03 유리수

중등 03-1 유리수

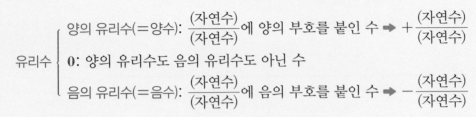

유리수
- 양의 유리수(＝양수): $\dfrac{(자연수)}{(자연수)}$에 양의 부호를 붙인 수 ➡ $+\dfrac{(자연수)}{(자연수)}$
- 0: 양의 유리수도 음의 유리수도 아닌 수
- 음의 유리수(＝음수): $\dfrac{(자연수)}{(자연수)}$에 음의 부호를 붙인 수 ➡ $-\dfrac{(자연수)}{(자연수)}$

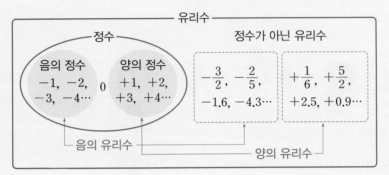

┌─────────── 유리수 ───────────┐

정수
- 음의 정수 $-1,\ -2,\ -3,\ -4\cdots$
- 0
- 양의 정수 $+1,\ +2,\ +3,\ +4\cdots$

정수가 아닌 유리수
- $-\dfrac{3}{2},\ -\dfrac{2}{5},\ -1.6,\ -4.3\cdots$
- $+\dfrac{1}{6},\ +\dfrac{5}{2},\ +2.5,\ +0.9\cdots$

음의 유리수 ── 양의 유리수

정수는 $+2=+\dfrac{2}{1}$, $-3=-\dfrac{3}{1}$과 같이 분수로 나타낼 수 있어. 따라서 모든 정수는 유리수야.

잠깐만!

 $+\dfrac{6}{3}=+2$로 약분 되므로 정수야.

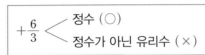 $+\dfrac{6}{3}$ ┌ 정수 (○)
└ 정수가 아닌 유리수 (×)

 분수는 약분해서 정수가 되는지 꼭 확인해!

---

01 다음 수를 보기에서 모두 고르시오.

정수가 아닌 유리수는 유리수 중에서 정수를 제외하면 돼.

┌─ 보기 ─────────────────────────────┐
$-\dfrac{1}{3},\quad 0,\quad +\dfrac{1}{4},\quad -6,\quad +3.8,\quad 0.7,\quad -2$
└────────────────────────────────────┘

(1) 양의 유리수

(2) 음의 유리수

(3) 정수가 아닌 유리수

(4) 양의 유리수도 음의 유리수도 아닌 수

---

02 다음 수에 대한 설명으로 옳은 것은?

┌──┐
$+4.7,\quad -\dfrac{3}{2},\quad 0,\quad +5,\quad -\dfrac{8}{2},\quad \dfrac{9}{4},\quad -1$
└──┘

① 양수는 4개이다.

② 음수는 4개이다.

③ 정수는 3개이다.

④ 정수가 아닌 유리수는 3개이다.

⑤ 양의 유리수는 2개이다.

03-2 유리수를 수직선 위에 나타내기

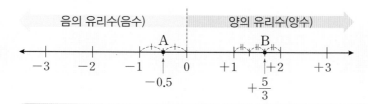

> 모든 유리수는 수직선 위에 점으로 나타낼 수 있어.

$\langle$ A: -0.5, B: $+\dfrac{5}{3}$ 를 수직선 위에 나타내기 $\rangle$

- $-0.5 = -\dfrac{1}{2}$ 이므로 A는 0과 -1 사이를 2등분한 점에 나타낸다.

- $+\dfrac{5}{3} = +1\dfrac{2}{3}$ 이므로 B는 $+1$과 $+2$ 사이를 3등분한 점 중 $+1$에서 오른쪽으로 둘째 점에 나타낸다.

---

03 다음 수직선 위의 두 점 A, B가 나타내는 수를 각각 구하시오.

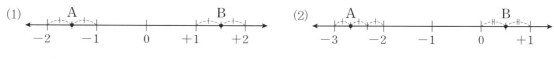

(1) A: (　　　　　　　), B: (　　　　　　　)　(2) A: (　　　　　　　), B: (　　　　　　　)

04 다음 □ 안에 알맞은 수를 써넣고, 수를 수직선 위에 점으로 나타내시오.

> 수를 수직선 위에 나타낼 때에는 대분수로 바꿔서 생각하면 편리해.

(1) A: $+\dfrac{7}{3}$

➡ $+\dfrac{7}{3} = +2\dfrac{1}{3}$ 이므로

□ 에서 오른쪽으로 $\dfrac{1}{□}$ 만큼 이동

(2) A: $-\dfrac{5}{2}$

➡ $-\dfrac{5}{2} = -2\dfrac{1}{2}$ 이므로

□ 에서 왼쪽으로 $\dfrac{1}{□}$ 만큼 이동

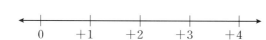

05 다음 중 수직선 위의 점 A, B, C, D, E가 나타내는 수로 옳지 <u>않은</u> 것은?

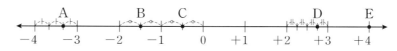

① A: $-\dfrac{10}{3}$　　　　② B: $-\dfrac{3}{2}$　　　　③ C: -0.5

④ D: $+\dfrac{8}{3}$　　　　⑤ E: $+4$

04 절댓값

중등 04-1 절댓값

1학년: 유리수의 대소 관계

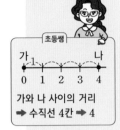

초등쌤

가와 나 사이의 거리
➡ 수직선 4칸 ➡ 4

• 절댓값: 수직선 위에서 어떤 수를 나타내는 점과 원점 사이의 거리
  ➡ 절댓값 기호: | |
  예 -3의 절댓값 ➡ $|-3|=3$, $+3$의 절댓값 ➡ $|+3|=3$

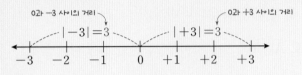

절댓값은 거리이므로
항상 0보다
크거나 같아!

잠깐만!

 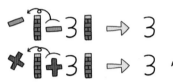

어떤 수의 절댓값은 어떻게 구해?

어떤 수의 절댓값은 그 수에서 부호를 떼어내면 돼.

---

01 다음 □ 안에 알맞은 수를 써넣으시오.

(1)
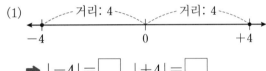
➡ $|-4|=\boxed{}$, $|+4|=\boxed{}$

(2)
거리: 2.5   거리: 2.5
-2.5 0 $+2.5$
➡ $|-2.5|=\boxed{}$, $|+2.5|=\boxed{}$

(3)
거리: $\boxed{}$ 거리: $\boxed{}$
$-\dfrac{3}{2}$ 0 $+\dfrac{3}{2}$
➡ $\left|-\dfrac{3}{2}\right|=\boxed{}$, $\left|+\dfrac{3}{2}\right|=\boxed{}$

(4)
거리: $\boxed{}$ 거리: $\boxed{}$
$-\dfrac{9}{2}$ 0 $+\dfrac{9}{2}$
➡ $\left|-\dfrac{9}{2}\right|=\boxed{}$, $\left|+\dfrac{9}{2}\right|=\boxed{}$

---

02 다음 수의 절댓값을 기호를 사용하여 나타내고, 그 값을 구하시오.

(1) $+7$ ➡ $|+7|=\boxed{}$

(2) -2 ➡ _____

(3) $+\dfrac{3}{8}$ ➡ _____

(4) $-\dfrac{5}{3}$ ➡ _____

---

03 다음을 구하시오.

(1) $|+9|$

(2) $|-8|$

(3) $\left|+\dfrac{4}{5}\right|$

(4) $|-1.3|$

04-2 절댓값이 $a(a>0)$인 수

중등

1학년: 유리수의 대소 관계

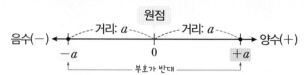

수직선 위에서 원점과의 거리가 절댓값이야.

절댓값이 a인 두 수 ── 수직선 위에 나타내면 원점과의 거리가 같다.
└── 부호가 반대이다. ➡ $+a$, $-a$

원점

음수$(-)$ ◀── 거리: a 거리: a ──▶ 양수$(+)$
$-a$　　0　　$+a$
└────── 부호가 반대 ──────┘

04 다음 □ 안에 알맞은 수를 써넣으시오.

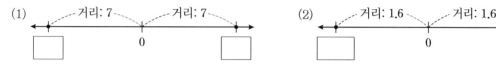

(1) 거리: 7　거리: 7

□　0　□

(2) 거리: 1.6　거리: 1.6

□　0　□

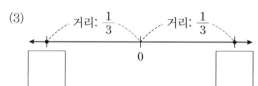

(3) 거리: $\dfrac{1}{3}$　거리: $\dfrac{1}{3}$

□　0　□

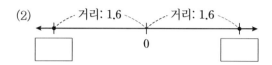 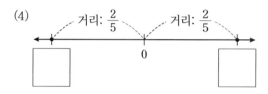

(4) 거리: $\dfrac{2}{5}$　거리: $\dfrac{2}{5}$

□　0　□

05 다음 수를 모두 구하시오.

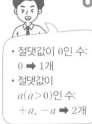

• 절댓값이 0인 수:
0 ➡ 1개
• 절댓값이
$a(a>0)$인 수:
$+a$, $-a$ ➡ 2개

(1) 절댓값이 5인 수

(2) 절댓값이 3인 수

(3) 절댓값이 $\dfrac{1}{2}$인 수

(4) 절댓값이 $\dfrac{1}{4}$인 수

(5) 절댓값이 2.3인 수

(6) 절댓값이 4.9인 수

06 다음 수를 모두 구하시오.

(1) 절댓값이 1인 양수
└─▶ 0보다 큰 수

(2) 절댓값이 3.5인 음수
└─▶ 0보다 작은 수

(3) 원점으로부터 거리가 8인 수

(4) 원점으로부터 거리가 $\dfrac{3}{4}$인 수

07 절댓값이 2인 수를 다음 수직선 위에 모두 점으로 나타내시오.

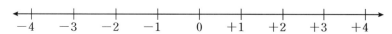

-4　-3　-2　-1　0　$+1$　$+2$　$+3$　$+4$

05 절댓값의 대소 관계

중등 05-1 절댓값의 대소 관계

초등생

① $81 > 72$
$8 > 7$

② $45 < 49$
$5 < 9$

- $|-5|$와 $|+4|$의 ❶대소 관계
  절댓값을 구한 후 크기를 비교한다.
  $|-5| = 5, \ |+4| = 4$
  $5 > 4$
  ➡ $|-5| > |+4|$

❶ 대소: 크고 작음

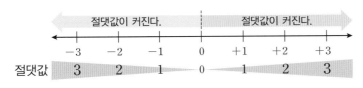

$|-5| = 5 \qquad |+4| = 4$

$-5 \ -4 \ -3 \ -2 \ -1 \quad 0 \quad +1 \ +2 \ +3 \ +4 \ +5$

잠깐만!

절댓값이 커진다. ← → 절댓값이 커진다.

$-3 \quad -2 \quad -1 \quad 0 \quad +1 \quad +2 \quad +3$

절댓값 $3 \quad 2 \quad 1 \quad 0 \quad 1 \quad 2 \quad 3$

원점에서 멀리 떨어질수록 절댓값이 커져!

---

01 다음 ○ 안에 $>$, $<$ 중 알맞은 것을 써넣으시오.

(1) $|+4|$ ○ $|-3|$

(2) $|+6|$ ○ $|+7|$

(3) $|-12|$ ○ $|+14|$

(4) $|-36|$ ○ $|-25|$

---

02 다음 □ 안에 알맞은 수를 써넣고, ○ 안에 $>$, $<$ 중 알맞은 것을 써넣으시오.

(1) $-3, +2$

① 두 수의 절댓값을 각각 구한다.

$|-3| = \boxed{}, \ |+2| = \boxed{}$

② 절댓값의 크기를 비교한다.

$|-3|$ ○ $|+2|$

(2) $-15, -17$

① 두 수의 절댓값을 각각 구한다.

$|-15| = \boxed{}, \ |-17| = \boxed{}$

② 절댓값의 크기를 비교한다.

$|-15|$ ○ $|-17|$

어떤 수의 절댓값은 그 수에서 부호 $+$, $-$를 떼어낸 수야.

03 다음 두 수 중 절댓값이 큰 수를 구하시오.

(1) $+1, +9$

(2) $-8, -2$

(3) $-\dfrac{4}{5}, +\dfrac{1}{5}$

(4) $+0.3, -0.4$

05-2 절댓값을 이용하여 수 구하기

• 절댓값이 2 ❶이하인 정수 구하기

절댓값이 2 이하인 정수는 절댓값이 0, 1, 2인 정수야.

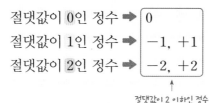
절댓값이 0인 정수 ➡ $\boxed{0}$

절댓값이 1인 정수 ➡ $\boxed{-1, \ +1}$

절댓값이 2인 정수 ➡ $\boxed{-2, \ +2}$
↑
절댓값이 2 이하인 정수

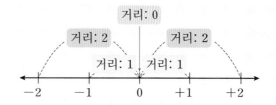

❶ 이하: ~와 같거나 작은 수

---

04 다음 수를 모두 구하시오.

• 이하: ~와 같거나 작은 수
• 미만: ~보다 작은 수

(1)   절댓값이 1 이하인 정수

절댓값이 0인 정수: $\boxed{}$

절댓값이 1인 정수: $\boxed{}$, $\boxed{}$

➡ 절댓값이 1 이하인 정수:

-1, $\boxed{}$, $\boxed{}$

(2)   절댓값이 3보다 작은 정수

➡ _____

(3)   절댓값이 4보다 작은 정수

➡ _____

(4)   절댓값이 2 미만인 정수

➡ _____

---

05 다음 수의 개수를 구하시오.

(1) 절댓값이 5 미만인 정수

(2) 절댓값이 3 이하인 정수

(3) 절댓값이 2.5보다 작은 정수

(4) 절댓값이 $\dfrac{7}{2}$ 미만인 정수

중학교 교과서

06 절댓값이 1 이상 4 미만인 정수는 모두 몇 개인가?

먼저 1 이상 4 미만인 정수를 구해 봐!

① 3개   ② 4개   ③ 5개

④ 6개   ⑤ 7개

06 절댓값의 계산

중등 06-1 절댓값의 합

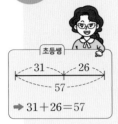

• $|-6|$, $|+5|$의 합 구하기

절댓값을 구한 후 합을 구한다.

$|-6|=6$, $|+5|=5$

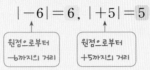

원점으로부터 −6까지의 거리

원점으로부터 +5까지의 거리

➡ 절댓값의 합: $6+5=11$

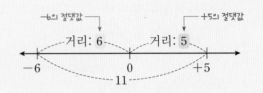

01 다음을 계산하시오.

(1) $|+1|+|+2|$

(2) $|-5|+|+7|$

(3) $\left|-\dfrac{1}{3}\right|+\left|-\dfrac{1}{3}\right|$

(4) $\left|+\dfrac{2}{7}\right|+\left|-\dfrac{2}{7}\right|$

02 절댓값의 합을 구하시오.

(1) $|-3|$, $|+2|$

➡ 합: $\boxed{}+\boxed{}=\boxed{}$

(2) $|+4|$, $|+9|$

➡ 합: $\boxed{}+\boxed{}=\boxed{}$

(3) $|+12|$, $|-4|$

➡ 합: $\boxed{}+\boxed{}=\boxed{}$

(4) $|-0.3|$, $|-0.4|$

➡ 합: $\boxed{}+\boxed{}=\boxed{}$

03 절댓값의 합을 구하시오.

(1) $|-6|$, $|-1|$

(2) $|+7|$, $|+3|$

(3) $\left|-\dfrac{2}{5}\right|$, $\left|+\dfrac{1}{5}\right|$

(4) $\left|+\dfrac{1}{2}\right|$, $\left|-\dfrac{3}{4}\right|$

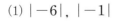

분모가 다른 분수의 덧셈은 통분한 후 계산해. 중등에서는 가분수를 대분수로 고치지 않아.

중학교 교과서

04 -17의 절댓값을 a, $+4$의 절댓값을 b라고 할 때, $a+b$의 값은?

① 4 　　　　② 13 　　　　③ 17

④ 21 　　　　⑤ 25

06-2 절댓값의 차

중등

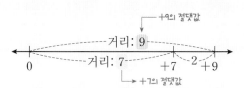

- $|+9|$, $|+7|$의 차 구하기

  절댓값을 구한 후 차를 구한다.

  $|+9| = 9$, $|+7| = 7$

  ➡ 절댓값의 크기 비교: $9 > 7$

  ➡ 절댓값의 차: $9 - 7 = 2$

초등쌤

➡ $64 - 40 = 24$

잠깐만!

차는 큰 수에서 작은 수를 빼는 거지?

(절댓값의 차)
= (절댓값이 큰 수) − (절댓값이 작은 수)

맞아. 절댓값의 차도 절댓값이 큰 수에서 작은 수를 빼면 돼.

---

05 다음을 계산하시오.

(1) $|+8| - |-2|$

(2) $|+3| - |+1|$

(3) $\left|-\dfrac{5}{11}\right| - \left|-\dfrac{1}{11}\right|$

(4) $\left|-\dfrac{4}{9}\right| - \left|+\dfrac{3}{9}\right|$

---

06 절댓값의 차를 구하시오.

두 수의 절댓값의 크기를 비교한 다음 절댓값의 차를 구해.

(1) $|-7|$, $|+4|$

➡ 차: $\boxed{} - \boxed{} = \boxed{}$

(2) $|-2|$, $|-5|$

➡ 차: $\boxed{} - \boxed{} = \boxed{}$

(3) $|+2|$, $|-6|$

➡ 차: $\boxed{} - \boxed{} = \boxed{}$

(4) $|+1.3|$, $|+0.5|$

➡ 차: $\boxed{} - \boxed{} = \boxed{}$

---

07 절댓값의 차를 구하시오.

(1) $|+1|$, $|-8|$

(2) $|+3|$, $|-6|$

(3) $\left|-\dfrac{2}{3}\right|$, $\left|+\dfrac{7}{3}\right|$

(4) $\left|-\dfrac{5}{7}\right|$, $\left|-\dfrac{1}{14}\right|$

중학교 교과서

08 절댓값이 10인 양수를 a, -6의 절댓값을 b라고 할 때, $a-b$의 값을 구하시오.

07 유리수의 대소 관계

07-1 부호가 다른 두 수의 대소 관계

중등

초 1학년: 수의 크기 비교
중 1학년: 유리수의 대소 관계

$-2, +2 \Rightarrow$ (음수) < (양수) $\Rightarrow -2 < +2$

음수 양수   0보다 작다. 0보다 크다.

나는 0보다 작아. 기준! 난 0보다 커!

01 다음 ○ 안에 >, < 중 알맞은 것을 써넣으시오.

양수는 음수보다 커.

(1) $-3 \bigcirc +5$

(2) $-4 \bigcirc +7$

(3) $+\dfrac{1}{4} \bigcirc -\dfrac{3}{4}$

(4) $-5.5 \bigcirc +3.4$

07-2 부호가 같은 두 수의 대소 관계 – 양수

중등

초 1학년: 수의 크기 비교
중 1학년: 유리수의 대소 관계

초등쌤

<분수> <소수>

5>4   5>4
$\dfrac{5}{7} > \dfrac{4}{7}$ 0.5 > 0.4

$+1, +3 \Rightarrow$ 양수끼리는 절댓값이 큰 수가 크다.
$|+1|=1, |+3|=3$
1<3
$\Rightarrow +1 < +3$

양수 양수

+1, +3의 크기 비교는 자연수의 크기 비교와 같아~.

잠깐만!

3<4

$\left(+\dfrac{1}{2}, +\dfrac{2}{3}\right) \xrightarrow{\text{통분}} \left(+\dfrac{3}{6}, +\dfrac{4}{6}\right) \xrightarrow{\text{비교}} \left(+\dfrac{1}{2} < +\dfrac{2}{3}\right)$

부호가 같은 분수의 대소 관계는 통분한 후에 비교해!

02 다음 ○ 안에 >, < 중 알맞은 것을 써넣으시오.

(1) $+11 \bigcirc +8$

(2) $+2 \bigcirc +9$

03 다음 □ 안에는 알맞은 수를, ○ 안에는 >, < 중 알맞은 것을 써넣으시오.

분수와 소수의 대소는 분수 또는 소수로 통일하여 나타낸 후 비교하면 돼.

(1) $+\dfrac{1}{4}, +\dfrac{2}{5} \xrightarrow{\text{통분}} +\dfrac{\square}{20}, +\dfrac{\square}{20}$

$\xrightarrow{\text{비교}} +\dfrac{1}{4} \bigcirc +\dfrac{2}{5}$

(2) $+1.7, +\dfrac{7}{5} \xrightarrow{\text{통분}} +\dfrac{\square}{10}, +\dfrac{\square}{10}$

$\xrightarrow{\text{비교}} +1.7 \bigcirc +\dfrac{7}{5}$

07-3 부호가 같은 두 수의 대소 관계 – 음수

초 1학년: 수의 크기 비교
중 1학년: 유리수의 대소 관계

 ➡ 음수끼리는 절댓값이 큰 수가 작다.
$|-2|=2$, $|-1|=1$
➡ $-2 < -1$

 음수는 원점에서 멀리 떨어질수록 작은 수야.

잠깐만! 수의 대소 관계는 수직선 위에 나타내면 쉬워!

 커진다.
작아진다.

수직선에서 오른쪽에 있는 수가 왼쪽에 있는 수보다 커.

04 다음 ○ 안에 >, < 중 알맞은 것을 써넣으시오.

(1) $-12 \bigcirc -7$

(2) $-5 \bigcirc -14$

(3) $-\dfrac{2}{9} \bigcirc -\dfrac{4}{9}$

(4) $-0.7 \bigcirc -0.1$

05 다음 □ 안에는 알맞은 수를, ○ 안에는 >, < 중 알맞은 것을 써넣으시오.

(1) $-\dfrac{1}{4}$, $-\dfrac{1}{3}$ 통분 ➡ $-\dfrac{\square}{12}$, $-\dfrac{\square}{12}$

비교 ➡ $-\dfrac{1}{4} \bigcirc -\dfrac{1}{3}$

(2) $-\dfrac{8}{5}$, -2.3 통분 ➡ $-\dfrac{\square}{10}$, $-\dfrac{\square}{10}$

비교 ➡ $-\dfrac{8}{5} \bigcirc -2.3$

06 다음 두 수의 대소 관계를 >, <를 사용하여 나타내시오.

(1) -6, -7

(2) $+\dfrac{1}{2}$, $-\dfrac{3}{4}$

 부호가 같은 두 수의 대소 관계는 절댓값을 이용하여 비교해.

중학교 교과서
07 다음 중 대소 관계가 옳은 것은?

① $+6 < -5.5$

② $+\dfrac{9}{4} < +\dfrac{3}{2}$

③ $\dfrac{5}{4} < 0$

④ $-\dfrac{7}{2} > -1$

⑤ $-1 < 0$

08 부등호를 사용하여 나타내기

중등 08-1 부등호

초5학년: 수의 범위와 어림하기
중1학년: 유리수의 대소 관계

• 부등호: >, <, ≥, ≤

부등호 >, <, ≥, ≤를 사용하여 수의 대소 관계를 나타낼 수 있어.

a는 3 초과이다. a는 3보다 크다.		a는 3 미만이다. a는 3보다 작다.
	$a>3$ $a<3$	
	$a\geq3$ $a\leq3$	
a는 3 이상이다. a는 3보다 크거나 같다. a는 3보다 작지 않다.		a는 3 이하이다. a는 3보다 작거나 같다. a는 3보다 크지 않다.

우리를 잘 구분해서 써.

잠깐만!

기호 ≥, ≤는 무슨 의미야?

기호 ≥ ➡ > 또는 =
기호 ≤ ➡ < 또는 =

≥, ≤와 같이 등호를 두 줄로 써도 의미는 같지만 중등에서는 한 줄로 써!

01 다음 ○ 안에 부등호 >, <, ≥, ≤ 중 알맞은 것을 써넣으시오.

(1) a는 4보다 크다.

➡ a ◯ 4

(2) a는 −2 미만이다.

➡ a ◯ −2

(3) a는 $-\dfrac{5}{3}$보다 작거나 같다.

➡ a ◯ $-\dfrac{5}{3}$

(4) a는 −5보다 크거나 같고 $\dfrac{1}{2}$ 이하이다.

➡ -5 ◯ a ◯ $\dfrac{1}{2}$

02 다음을 부등호를 사용하여 나타내시오.

한 가지 부등호를 사용할 때는 a를 왼쪽에 쓰고, 두 가지 부등호를 사용할 때는 a를 가운데 써.

(1) a는 −5 이상이다.

(2) a는 9 초과이다.

(3) a는 −1보다 작지 않다.

(4) a는 −4보다 크고 7보다 작거나 같다.

중학교 교과서

03 다음 중 부등호를 사용하여 바르게 나타낸 것을 찾아 기호를 쓰시오.

㉠ a는 1보다 크거나 같다. ➡ $a>1$
㉡ a는 −3보다 크고 7 이하이다. ➡ $-3<a\leq7$
㉢ a는 8보다 크지 않다. ➡ $a<8$

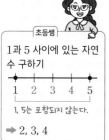

08-2 주어진 범위에 속하는 정수 구하기

초등쌤

1과 5 사이에 있는 자연수 구하기

1 2 3 4 5

1, 5는 포함되지 않는다.

➡ 2, 3, 4

• $-\dfrac{9}{2}$보다 크거나 같고 $+3$보다 작은 정수 구하기

유리수 $-\dfrac{9}{2}$와 $+3$을 수직선 위에 나타낸다.

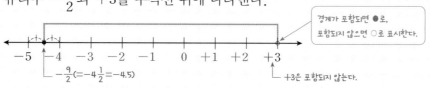

경계가 포함되면 ●로, 포함되지 않으면 ○로 표시한다.

$-5 \quad -4 \quad -3 \quad -2 \quad -1 \quad 0 \quad +1 \quad +2 \quad +3$

$-\dfrac{9}{2}(=-4\dfrac{1}{2}=-4.5)$

$+3$은 포함되지 않는다.

$-\dfrac{9}{2}$보다 크거나 같고 $+3$보다 작은 정수 ➡ $-\dfrac{9}{2} \leq a < +3$

➡ $-\dfrac{9}{2}$보다 크거나 같고 $+3$보다 작은 정수: $-4, -3, -2, -1, 0, +1, +2$

---

04 아래의 수직선을 이용하여 다음을 모두 구하시오.

(1) -3보다 크고 $+2$ 이하인 정수

$-5 \quad -4 \quad -3 \quad -2 \quad -1 \quad 0 \quad +1 \quad +2 \quad +3 \quad +4 \quad +5$

(2) $-\dfrac{7}{2}$보다 크고 $+1$보다 작은 정수

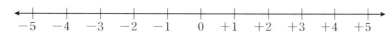

$-5 \quad -4 \quad -3 \quad -2 \quad -1 \quad 0 \quad +1 \quad +2 \quad +3 \quad +4 \quad +5$

(3) -1 이상이고 $+2.5$보다 작은 정수

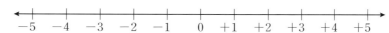

$-5 \quad -4 \quad -3 \quad -2 \quad -1 \quad 0 \quad +1 \quad +2 \quad +3 \quad +4 \quad +5$

---

05 다음을 만족시키는 정수 a의 개수를 구하시오.

경계에 있는 수가 포함될 때 그 수가 정수인지 확인해!

(1) $+1 \leq a < +3$

(2) $-2 < a < 4$

(3) $-6 \leq a \leq -1$

(4) $-\dfrac{5}{3} < a < +3$

---

06 【중학교 교과서】 두 유리수 $-\dfrac{7}{4}$과 $+\dfrac{9}{4}$ 사이에 있는 정수는 모두 몇 개인가?

유리수를 대분수나 소수로 나타내면 사이에 있는 정수를 구하기 쉬워!

① 1개

② 2개

③ 3개

④ 4개

⑤ 5개

01 해저 500 m를 −500 m로 나타낼 때, 다음을 부호를 사용하여 나타내시오.

해발 300 m

[02~03] 다음을 양의 부호 + 또는 음의 부호 −를 사용하여 나타내시오.

02 0보다 7만큼 작은 수

03 0보다 $\frac{1}{4}$만큼 큰 수

[04~05] 보기의 수를 보고 물음에 답하시오.

보기

$$-4, \quad +10, \quad +\frac{9}{3}, \quad 0, \quad 6, \quad -5$$

04 양의 정수를 모두 고르시오.

05 음의 정수를 모두 고르시오.

0은 양의 정수도 아니고 음의 정수도 아니야.

[06~07] 다음 중 옳은 것에는 ○표, 옳지 않은 것에는 ×표 하시오.

06 음의 정수가 아닌 정수는 양의 정수이다.

( )

07 모든 정수는 유리수이다. ( )

[08~09] 다음 수를 보기에서 모두 고르시오.

보기

$$-2.5, \quad +\frac{1}{4}, \quad +8, \quad -5, \quad +3, \quad -\frac{2}{5}$$

08 양의 유리수

09 정수가 아닌 유리수

10 다음 수직선 위의 두 점 A, B가 나타내는 수를 구하시오.

```
        A         B
 ──┼──┼──●──┼──┼──●──┼──┼──┼──
  −4 −3 −2 −1  0 +1 +2 +3 +4
```

A: ( ), B: ( )

11 다음 수를 수직선 위에 점으로 나타내시오.

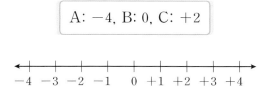

12 다음 수직선 위의 두 점 A, B가 나타내는 수를 구하시오.

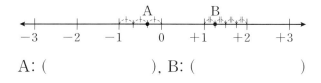

A: (   ), B: (   )

13 다음 □ 안에 알맞은 수를 써넣으시오.

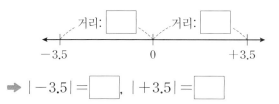

➡ $|-3.5| = \boxed{}$, $|+3.5| = \boxed{}$

[14~15] 다음 수를 모두 구하시오.

14 절댓값이 10인 수

15 절댓값이 $\dfrac{1}{3}$인 수

절댓값이
$a(a>0)$인 수는
2개야.

16 다음 보기에서 옳지 않은 것을 고르시오.

> **보기**
> ㉠ $+3$의 절댓값은 3이다.
> ㉡ $\left|-\dfrac{1}{2}\right| = -\dfrac{1}{2}$
> ㉢ -1.4의 절댓값은 1.4이다.

[17~18] 다음 두 수 중 절댓값이 큰 수를 구하시오.

17 $+5, +7$

18 $-\dfrac{13}{9}, -\dfrac{4}{9}$

19 다음 수를 모두 구하시오.

절댓값이 $\dfrac{8}{3}$ 이하인 정수

[20~21] 다음을 계산하시오.

20 $|-8| + |-6|$

21 $\left|+\dfrac{4}{7}\right| + \left|-\dfrac{1}{7}\right|$

[22~23] 절댓값의 차를 구하시오.

22 $|+2|, |+5|$

23 $\left|+\dfrac{6}{5}\right|, \left|-\dfrac{2}{5}\right|$

[24~26] 다음 ○ 안에 >, < 중 알맞은 것을 써넣으시오.

24 $+4 \bigcirc -6$

25 $+\dfrac{1}{2} \bigcirc +\dfrac{3}{4}$

26 $-\dfrac{2}{3} \bigcirc -\dfrac{1}{2}$

27 다음 ○ 안에 부등호 >, <, ≥, ≤ 중 알맞은 것을 써넣으시오.

a는 $\dfrac{15}{4}$ 이상이다. ➡ $a \bigcirc \dfrac{15}{4}$

28 다음을 부등호를 사용하여 나타내시오.

a는 0보다 크고 3보다 작거나 같다.

[29~30] 다음을 만족시키는 정수 a의 값을 모두 구하시오.

29 -5보다 크거나 같고 $+1$보다 크지 않은 정수 a

30 $-1 \leq a < +4$

두 유리수 사이에 있는 정수를 모두 구해.

2 단계

유리수의 덧셈

개념 동영상 강의

10 부호가 같은 정수의 덧셈

중등 10-1 (양의 정수)+(양의 정수)

초1학년: 그림을 보고 덧셈하기
중1학년: 유리수의 덧셈

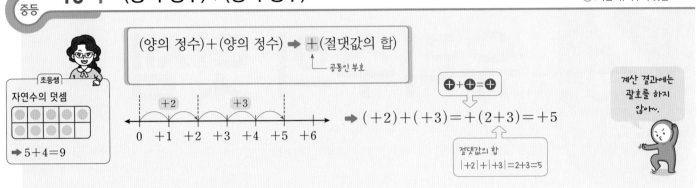

(양의 정수)+(양의 정수) ➡ +(절댓값의 합)
└ 공통인 부호

초등쌤
자연수의 덧셈
➡ 5+4=9

⊕+⊕=⊕

$(+2)+(+3)=+(2+3)=+5$

절댓값의 합
$|+2|+|+3|=2+3=5$

계산 결과에는 괄호를 하지 않아~

---

01 다음 수직선을 보고 □ 안에 알맞은 수를 써넣으시오.

(1)
+4

0 +1 +2 +3 +4 +5 +6 +7

➡ $(+4)+(+3)=$ □

(2)
+2

0 +1 +2 +3 +4 +5 +6 +7

➡ $(+2)+(+4)=$ □

---

02 다음 ○ 안에는 +, − 중 알맞은 부호를, □ 안에는 알맞은 수를 써넣으시오.

계산 결과의 부호를 먼저 결정해.

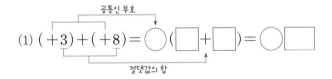

(1) 공통인 부호
$(+3)+(+8)=$ ○ (□ + □) = ○ □
절댓값의 합

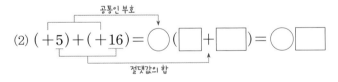

(2) 공통인 부호
$(+5)+(+16)=$ ○ (□ + □) = ○ □
절댓값의 합

중학교 교과서
03 다음을 계산하시오.

답이 양수인 경우 + 는 생략할 수 있어.

(1) $(+9)+(+2)$　　　　　　　(2) $(+12)+(+3)$

(3) $(+7)+(+3)$　　　　　　　(4) $(+6)+(+1)$

(5) $(+3)+(+11)$　　　　　　(6) $(+4)+(+9)$

10-2 (음의 정수)+(음의 정수)

1학년: 유리수의 덧셈

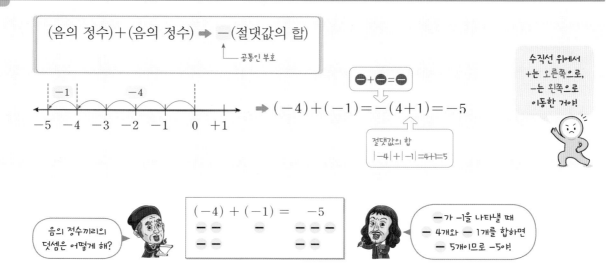

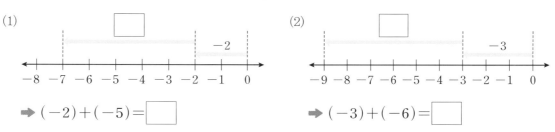

04 다음 수직선을 보고 ☐ 안에 알맞은 수를 써넣으시오.

수직선에서 화살표의 길이는 절댓값을, 화살표의 방향은 부호를 나타내.

(1) ➡ (−2)+(−5)= ☐

(2) ➡ (−3)+(−6)= ☐

05 다음 ○ 안에는 +, − 중 알맞은 부호를, ☐ 안에는 알맞은 수를 써넣으시오.

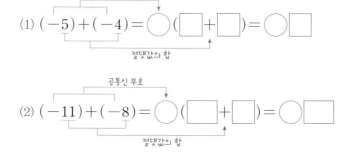

(1) (−5)+(−4)= ○(☐+☐)= ○☐

(2) (−11)+(−8)= ○(☐+☐)= ○☐

중학교 교과서

06 다음을 계산하시오.

(1) (−7)+(−6)

(2) (−4)+(−2)

(3) (−1)+(−5)

(4) (−9)+(−3)

(5) (−3)+(−4)

(6) (−6)+(−10)

11 부호가 다른 정수의 덧셈

중등 11-1 (양의 정수)+(음의 정수)

1학년: 유리수의 덧셈

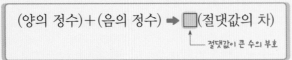

(양의 정수)+(음의 정수) ➡ ☐(절댓값의 차)
└─ 절댓값이 큰 수의 부호

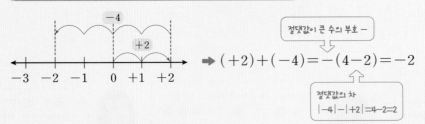

절댓값이 큰 수의 부호 −

➡ $(+2)+(-4)=-(4-2)=-2$

절댓값의 차
$|-4|-|+2|=4-2=2$

절댓값의 크기에 따라 계산 결과의 부호가 달라져.

잠깐만!

 절댓값의 차는 어떻게 구하지?

① $|+2|=2,\ |-4|=4$
2<4
② $|-4|-|+2|=4-2=2$

 먼저 절댓값의 크기를 비교해. 그 다음 절댓값이 큰 수에서 작은 수를 빼면 돼.

01 다음 수직선을 보고 ☐ 안에 알맞은 수를 써넣으시오.

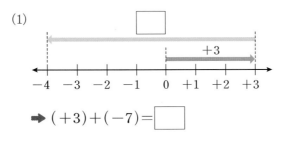

(1)
➡ $(+3)+(-7)=$ ☐

(2)
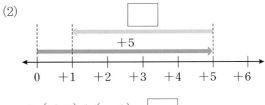
➡ $(+5)+(-4)=$ ☐

02 다음 ○ 안에는 +, − 중 알맞은 부호를, ☐ 안에는 알맞은 수를 써넣으시오.

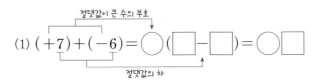

절댓값이 큰 수의 부호
(1) $(+7)+(-6)=$ ○ (☐ − ☐) $=$ ○ ☐
절댓값의 차

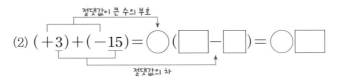

절댓값이 큰 수의 부호
(2) $(+3)+(-15)=$ ○ (☐ − ☐) $=$ ○ ☐
절댓값의 차

중학교 교과서
03 다음을 계산하시오.

(1) $(+3)+(-9)$　　　　　(2) $(+6)+(-2)$

(3) $(+1)+(-4)$　　　　　(4) $(+8)+(-13)$

(5) $(+2)+(-1)$　　　　　(6) $(+4)+(-8)$

중등 11-2 (음의 정수)+(양의 정수)

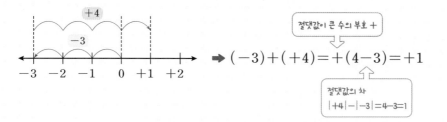

$$(-3)+(+4)=+(4-3)=+1$$

04 다음 수직선을 보고 □ 안에 알맞은 수를 써넣으시오.

(1)

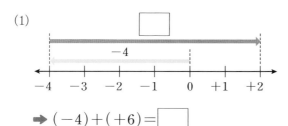

➡ $(-4)+(+6)=$ □

(2)

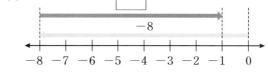

➡ $(-8)+(+7)=$ □

05 다음 ○ 안에는 +, − 중 알맞은 부호를, □ 안에는 알맞은 수를 써넣으시오.

(절댓값의 차)
=(절댓값이 큰 수)
−(절댓값이 작은 수)

(1)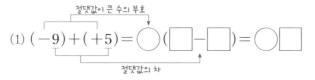

(2)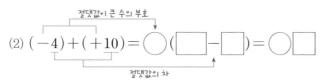

06 다음을 계산하시오.

(1) $(-1)+(+3)$

(2) $(-5)+(+11)$

(3) $(-7)+(+2)$

(4) $(-6)+(+5)$

(5) $(-2)+(+9)$

(6) $(-3)+(+8)$

12 부호가 같은 유리수의 덧셈

중등 12-1 (양수)+(양수)

두 수의 절댓값의 합에 공통인 부호 $+$를 붙인다.

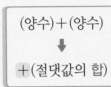

(양수)+(양수)
$\downarrow$
$+$(절댓값의 합)

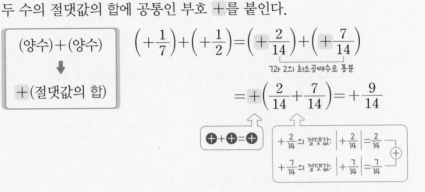

$$\left(+\frac{1}{7}\right)+\left(+\frac{1}{2}\right)=\left(+\frac{2}{14}\right)+\left(+\frac{7}{14}\right)$$

7과 2의 최소공배수로 통분

$$=+\left(\frac{2}{14}+\frac{7}{14}\right)=+\frac{9}{14}$$

$\oplus+\oplus=\oplus$

$+\frac{2}{14}$의 절댓값 $\left|+\frac{2}{14}\right|=\frac{2}{14}$
$+\frac{7}{14}$의 절댓값 $\left|+\frac{7}{14}\right|=\frac{7}{14}$

분모의 최소공배수로 통분한 후 계산해.

잠깐만!

양수인 두 소수의 덧셈도 공통인 부호를 붙이고 절댓값의 합을 구하면 끝!

공통인 부호
$$(+0.2)+(+0.9)=+(0.2+0.9)=+1.1$$
절댓값의 합

절댓값의 합을 구할 때 소수점의 자리를 잘 맞추어 계산해~!

---

01 다음 ○ 안에는 $+$, $-$ 중 알맞은 부호를, □ 안에는 알맞은 수를 써넣으시오.

답이 가분수인 경우 대분수로 고치지 않아도 돼.

(1) 공통인 부호
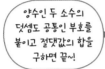
$$\left(+\frac{7}{3}\right)+\left(+\frac{1}{3}\right)=\bigcirc\left(\frac{\square}{3}+\frac{1}{3}\right)=\bigcirc\frac{\square}{3}$$
절댓값의 합

(2) $$\left(+\frac{1}{5}\right)+\left(+\frac{1}{7}\right)=\left(+\frac{\square}{35}\right)+\left(+\frac{\square}{35}\right)=\bigcirc\left(\frac{\square}{35}+\frac{\square}{35}\right)=\bigcirc\frac{\square}{35}$$
5와 7의 최소공배수로 통분

(3) $(+5.1)+(+2.8)=\bigcirc(5.1+\boxed{})=\bigcirc\boxed{}$

중학교 교과서
02 다음을 계산하시오.

(1) $\left(+\dfrac{2}{5}\right)+\left(+\dfrac{4}{5}\right)$

(2) $\left(+\dfrac{1}{9}\right)+\left(+\dfrac{7}{9}\right)$

(3) $\left(+\dfrac{3}{4}\right)+\left(+\dfrac{9}{8}\right)$

(4) $\left(+\dfrac{2}{9}\right)+\left(+\dfrac{1}{3}\right)$

(5) $(+0.4)+(+1.8)$

(6) $(+1.5)+(+2.3)$

중등 12-2 (음수)+(음수)

초 5학년: 분수의 덧셈
중 1학년: 유리수의 덧셈

두 수의 절댓값의 합에 공통인 부호 −를 붙인다.

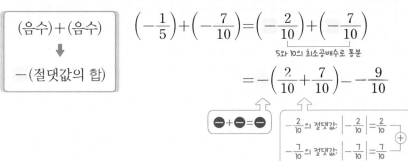

5와 10의 최소공배수는 10이야!

---

03 다음 ○ 안에는 +, − 중 알맞은 부호를, ☐ 안에는 알맞은 수를 써넣으시오.

분모가 다른 분수의 덧셈은 통분한 후 계산해.

(1) $\left(-\dfrac{4}{7}\right)+\left(-\dfrac{2}{7}\right)=\bigcirc\left(\dfrac{4}{7}+\dfrac{\square}{7}\right)=\bigcirc\dfrac{\square}{7}$

(2) $\left(-\dfrac{3}{4}\right)+\left(-\dfrac{1}{3}\right)=\left(-\dfrac{9}{12}\right)+\left(-\dfrac{\square}{12}\right)=\bigcirc\left(\dfrac{\square}{12}+\dfrac{\square}{12}\right)=\bigcirc\dfrac{\square}{12}$

(3) $(-4.6)+(-2.2)=\bigcirc\left(\boxed{}+2.2\right)=\bigcirc\boxed{}$

---

04 다음을 계산하시오.

(1) $\left(-\dfrac{8}{5}\right)+\left(-\dfrac{3}{5}\right)$

(2) $\left(-\dfrac{1}{3}\right)+\left(-\dfrac{4}{3}\right)$

(3) $\left(\dfrac{3}{2}\right)+\left(-\dfrac{2}{5}\right)$

(4) $\left(-\dfrac{1}{4}\right)+\left(-\dfrac{1}{7}\right)$

(5) $(-3.7)+(-4.1)$

(6) $(-0.9)+(-2.6)$

중학교 교과서

05 다음 보기와 같이 문장을 식으로 나타내고, 그 값을 구하시오.

'~만큼 큰 수'는 덧셈으로 계산해.

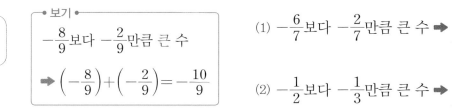

• 보기 •

$-\dfrac{8}{9}$보다 $-\dfrac{2}{9}$만큼 큰 수

➡ $\left(-\dfrac{8}{9}\right)+\left(-\dfrac{2}{9}\right)=-\dfrac{10}{9}$

(1) $-\dfrac{6}{7}$보다 $-\dfrac{2}{7}$만큼 큰 수 ➡ _____

(2) $-\dfrac{1}{2}$보다 $-\dfrac{1}{3}$만큼 큰 수 ➡ _____

13 부호가 다른 유리수의 덧셈

중등 13-1 (양수)+(음수)

두 수의 절댓값의 차에 절댓값이 큰 수의 부호를 붙인다.

$$(양수)+(음수)$$
$$\downarrow$$
$$\square(절댓값의 차)$$
└ 절댓값이 큰 수의 부호

$$\left(+\frac{1}{8}\right)+\left(-\frac{5}{4}\right)=\left(+\frac{1}{8}\right)+\left(-\frac{10}{8}\right)$$

8과 4의 최소공배수로 통분

$$=-\left(\frac{10}{8}-\frac{1}{8}\right)=-\frac{9}{8}$$

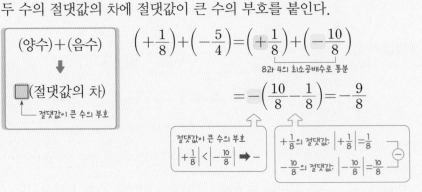

절댓값이 큰 수의 부호
$$\left|+\frac{1}{8}\right|<\left|-\frac{10}{8}\right| \Rightarrow -$$

$+\frac{1}{8}$의 절댓값: $\left|+\frac{1}{8}\right|=\frac{1}{8}$
$-\frac{10}{8}$의 절댓값: $\left|-\frac{10}{8}\right|=\frac{10}{8}$

부호가 다른 두 수의
덧셈은 절댓값의 차를
구해야 해.

---

01 다음 ○ 안에는 +, − 중 알맞은 부호를, □ 안에는 알맞은 수를 써넣으시오.

절댓값이 큰 수를 알아야 계산 결과의 부호를 결정할 수 있어.

(1) $\left(+\frac{3}{5}\right)+\left(-\frac{12}{5}\right)=\bigcirc\left(\frac{12}{5}-\frac{3}{5}\right)=\bigcirc\dfrac{\square}{5}$

(2) $\left(+\frac{1}{7}\right)+\left(-\frac{1}{9}\right)=\left(+\dfrac{\square}{63}\right)+\left(-\frac{7}{63}\right)=\bigcirc\left(\dfrac{\square}{63}-\dfrac{\square}{63}\right)=\bigcirc\dfrac{\square}{63}$

(3) $(+6.5)+(-3.2)=\bigcirc(\square-3.2)=\bigcirc\square$

---

02 다음을 계산하시오.

(1) $\left(+\frac{6}{7}\right)+\left(-\frac{1}{7}\right)$

(2) $\left(+\frac{4}{3}\right)+\left(-\frac{5}{3}\right)$

(3) $\left(+\frac{3}{4}\right)+\left(-\frac{1}{2}\right)$

(4) $\left(+\frac{1}{8}\right)+\left(-\frac{2}{9}\right)$

(5) $(+3.1)+(-5.8)$

(6) $(+7.9)+(-2.4)$

중학교 교과서

03 다음 중 계산 결과가 옳은 것은?

① $\left(+\frac{1}{3}\right)+\left(-\frac{11}{3}\right)=-4$

② $(-8)+(-5)=+13$

③ $\left(+\frac{1}{4}\right)+\left(+\frac{1}{8}\right)=-\frac{3}{8}$

④ $\left(+\frac{1}{3}\right)+\left(-\frac{2}{7}\right)=+\frac{1}{21}$

⑤ $(-3.5)+(-1.2)=+4.7$

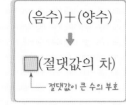

13-2 (음수)＋(양수)

😊5학년: 분수의 덧셈
😊1학년: 유리수의 덧셈

두 수의 절댓값의 차에 절댓값이 큰 수의 부호를 붙인다.

$$\left(-\frac{1}{3}\right)+\left(+\frac{3}{2}\right)=\left(-\frac{2}{6}\right)+\left(+\frac{9}{6}\right)$$

3과 2의 최소공배수로 통분

$$=+\left(\frac{9}{6}-\frac{2}{6}\right)=+\frac{7}{6}$$

(음수)＋(양수)
↓
□(절댓값의 차)
└ 절댓값 큰 수의 부호

절댓값이 큰 수의 부호 $\left|-\frac{2}{6}\right|<\left|+\frac{9}{6}\right|$ ➡ ＋

$-\frac{2}{6}$의 절댓값: $\left|-\frac{2}{6}\right|=\frac{2}{6}$
$+\frac{9}{6}$의 절댓값: $\left|+\frac{9}{6}\right|=\frac{9}{6}$

절댓값이 큰 수의 부호가 나오는 마술!

04 다음 ○ 안에는 ＋, － 중 알맞은 부호를, □ 안에는 알맞은 수를 써넣으시오.

(1) $\left(-\frac{10}{3}\right)+\left(+\frac{2}{3}\right)=○\left(\frac{10}{3}-\frac{2}{3}\right)=○\frac{□}{3}$

(2) $\left(-\frac{1}{4}\right)+\left(+\frac{2}{5}\right)=\left(-\frac{□}{20}\right)+\left(+\frac{□}{20}\right)=○\left(\frac{□}{20}-\frac{□}{20}\right)=○\frac{□}{20}$

(3) $(-7.5)+(+4.1)=○(\boxed{}-4.1)=○\boxed{}$

05 다음을 계산하시오.

(1) $\left(-\frac{5}{7}\right)+\left(+\frac{3}{7}\right)$ (2) $\left(-\frac{2}{9}\right)+\left(+\frac{4}{9}\right)$

(3) $\left(-\frac{3}{4}\right)+\left(+\frac{7}{8}\right)$ (4) $\left(-\frac{6}{5}\right)+\left(+\frac{1}{3}\right)$

(5) $(-8.6)+(+6.2)$ (6) $(-1.3)+(+4.5)$

[중학교 교과서]

06 다음 중 계산 결과가 가장 큰 것은?

① $(+6)+(-5)$ ② $\left(-\frac{3}{2}\right)+\left(+\frac{1}{4}\right)$ ③ $\left(+\frac{1}{3}\right)+\left(+\frac{1}{2}\right)$

④ $(-1.2)+(-2.3)$ ⑤ $(-3)+(+7)$

계산 결과를 각각 구해서 크기를 비교해 봐~.

14 덧셈의 교환법칙, 결합법칙

중등 14-1 덧셈의 교환법칙

초 1학년: 두 수를 바꾸어 더하기
중 1학년: 유리수의 덧셈

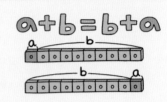

• 덧셈의 교환법칙: 유리수 a, b에 대하여 $a+b=b+a$

➡ 두 수의 순서를 바꾸어 더하여도 그 결과는 같다.

$$(-2)+(+6)=+(6-2)=\boxed{+4}$$
$$(+6)+(-2)=+(6-2)=\boxed{+4}$$ → 결과는 같다.

초등쌤
$6+7=13$
$7+6=13$ 같다.

01 다음을 계산하시오.

(1) ① $(+3)+(-8)$
　② $(-8)+(+3)$

(2) ① $(-5)+(+2)$
　② $(+2)+(-5)$

(3) ① $(+6)+(+5)$
　② $(+5)+(+6)$

(4) ① $(-2)+(+9)$
　② $(+9)+(-2)$

중등 14-2 덧셈의 결합법칙

초 1학년: 두 수를 바꾸어 더하기
중 1학년: 유리수의 덧셈

• 덧셈의 결합법칙: 세 유리수 a, b, c에 대하여 $(a+b)+c=a+(b+c)$

세 개 이상의 수를 더할 때 더하는 순서를 바꾸거나 어느 두 수를 먼저 더하면 편리한 경우가 있어~!

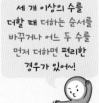

$$\{(+2)+(-3)\}+(-6)=(-1)+(-6)=\boxed{-7}$$
$$(+2)+\{(-3)+(-6)\}=(+2)+(-9)=\boxed{-7}$$ → 결과는 같다.

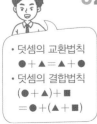

02 다음 계산 과정 ㉠, ㉡에서 이용한 덧셈의 계산 법칙을 쓰시오.

• 덧셈의 교환법칙
　●+▲=▲+●
• 덧셈의 결합법칙
　(●+▲)+■
　=●+(▲+■)

$$(-8)+(+5)+(-12)$$
$$=(+5)+(-8)+(-12)$$
$$=(+5)+\{(-8)+(-12)\}$$
$$=(+5)+(-20)=-15$$

㉠ 덧셈의 ☐ 법칙
㉡ 덧셈의 ☐ 법칙

03 덧셈의 교환법칙과 결합법칙을 이용하여 다음을 계산하시오.

어느 두 수를 먼저 더해야 계산이 편리한 지 생각해 봐!

(1) $(+3)+(-16)+(+4)$

$=(-16)+(\boxed{})+(+4)$ ← 부호가 같은 수끼리 먼저 계산

$=(-16)+\{(\boxed{})+(+4)\}$

$=(-16)+(\boxed{})=\boxed{}$

(2) $(-8)+(+26)+(-2)$

(3) $(-5)+(+19)+(-3)$

(4) $(+6)+(-7)+(+2)+(-8)$

04 덧셈의 교환법칙과 결합법칙을 이용하여 다음을 계산하시오.

(1) $(-4.5)+(+1)+(-2.5)$

$=(-4.5)+(\boxed{})+(+1)$ ← 소수끼리 먼저 계산

$=\{(-4.5)+(\boxed{})\}+(+1)$

$=(\boxed{})+(+1)=\boxed{}$

(2) $(-1.8)+(+5)+(-4.9)$

(3) $(-2.7)+(+4)+(-3.3)$

(4) $(-4)+(+3.8)+(-5)+(+3.2)$

중학교 교과서

05 덧셈의 교환법칙과 결합법칙을 이용하여 다음을 계산하시오.

부호가 같은 수끼리, 분모가 같은 수끼리 모으면 계산이 편리해.

(1) $\left(-\dfrac{1}{5}\right)+\left(+\dfrac{1}{6}\right)+\left(-\dfrac{4}{5}\right)$

$=\left(+\dfrac{1}{6}\right)+\left(\boxed{}\right)+\left(-\dfrac{4}{5}\right)$ ← 분모가 같은 수끼리 먼저 계산

$=\left(+\dfrac{1}{6}\right)+\left\{\left(\boxed{}\right)+\left(\boxed{}\right)\right\}$

$=\left(+\dfrac{1}{6}\right)+\left(\boxed{}\right)=\boxed{}$

(2) $\left(+\dfrac{5}{9}\right)+\left(-\dfrac{1}{18}\right)+\left(+\dfrac{2}{9}\right)$

(3) $\left(+\dfrac{5}{6}\right)+\left(-\dfrac{2}{3}\right)+\left(+\dfrac{1}{6}\right)$

(4) $\left(-\dfrac{1}{4}\right)+\left(+\dfrac{5}{3}\right)+\left(-\dfrac{1}{2}\right)$

[01~05] 다음 ○ 안에는 +, − 중에서 알맞은 부호를, □ 안에는 알맞은 수를 써넣으시오.

01 $(+7)+(+1)=\bigcirc(7+\square)$
$=\bigcirc\square$

02 $(-6)+(-8)=\bigcirc(\square+8)$
$=\bigcirc\square$

03 $(+4)+(-5)=\bigcirc(\square-\square)$
$=\bigcirc\square$

04 $(-3)+(+9)=\bigcirc(\square-\square)$
$=\bigcirc\square$

05 $(+8)+(-2)=\bigcirc(\square-\square)$
$=\bigcirc\square$

[06~10] 다음을 계산하시오.

06 $(+2)+(+7)$

07 $(-3)+(-1)$

08 $(+5)+(-6)$

09 $(-8)+(+4)$

10 $(-9)+(-3)$

부호가 같은 정수의 덧셈은 절댓값의 합을, 부호가 다른 정수의 덧셈은 절댓값의 차를 이용해.

[11~14] 다음 ○ 안에는 +, − 중에서 알맞은 부호를,
□ 안에는 알맞은 수를 써넣으시오.

11 $\left(+\dfrac{5}{9}\right)+\left(+\dfrac{2}{9}\right)=\bigcirc\left(\dfrac{\square}{9}+\dfrac{2}{9}\right)$

$=\bigcirc\dfrac{\square}{9}$

12 $\left(-\dfrac{3}{11}\right)+\left(-\dfrac{7}{11}\right)=\bigcirc\left(\dfrac{3}{11}+\dfrac{\square}{11}\right)$

$=\bigcirc\dfrac{\square}{11}$

13 $\left(+\dfrac{3}{2}\right)+\left(-\dfrac{5}{4}\right)=\left(+\dfrac{\square}{4}\right)+\left(-\dfrac{\square}{4}\right)$

$=\bigcirc\left(\dfrac{\square}{4}-\dfrac{\square}{4}\right)$

$=\bigcirc\dfrac{\square}{4}$

14 $\left(-\dfrac{1}{3}\right)+\left(+\dfrac{5}{12}\right)=\left(-\dfrac{\square}{12}\right)+\left(+\dfrac{\square}{12}\right)$

$=\bigcirc\left(\dfrac{\square}{12}-\dfrac{\square}{12}\right)$

$=\bigcirc\dfrac{\square}{12}$

[15~19] 다음을 계산하시오.

15 $\left(+\dfrac{3}{5}\right)+\left(+\dfrac{1}{4}\right)$

16 $\left(+\dfrac{4}{21}\right)+\left(-\dfrac{1}{7}\right)$

17 $(-2.9)+(-0.5)$

18 $(-2.6)+(+5.4)$

19 $(+3)+(+4.8)$

15 실력 확인 TEST

[20~23] 다음을 계산하시오.

20 $+9$보다 $+4$만큼 큰 수

21 -5보다 $+1$만큼 큰 수

22 $+\dfrac{11}{5}$보다 $-\dfrac{2}{5}$만큼 큰 수

23 $-\dfrac{4}{9}$보다 $-\dfrac{1}{9}$만큼 큰 수

[24~25] 다음을 계산하시오.

24 ① $(+7)+(-3)$
② $(-3)+(+7)$

25 ① $(-13)+(+15)$
② $(+15)+(-13)$

26 다음 계산 과정 ㉠, ㉡에서 이용한 덧셈의 계산 법칙을 각각 쓰시오.

$$(+7)+(-11)+(+2)$$
$$=(-11)+(+7)+(+2) \quad \rangle ㉠$$
$$=(-11)+\{(+7)+(+2)\} \quad \rangle ㉡$$
$$=(-11)+(+9)$$
$$=-(11-9)=-2$$

[27~30] 덧셈의 교환법칙과 결합법칙을 이용하여 다음을 계산하시오.

27 $(-9)+(+23)+(-7)$

28 $(+3)+(-4)+(+5)+(-6)$

29 $(+1.4)+(-4)+(+5.7)$

30 $\left(-\dfrac{1}{3}\right)+\left(+\dfrac{5}{6}\right)+\left(-\dfrac{2}{3}\right)$

두 수의 순서를
바꾸어 더해!

3 단계 유리수의 뺄셈

개념 동영상 강의

16 부호가 같은 정수의 뺄셈

 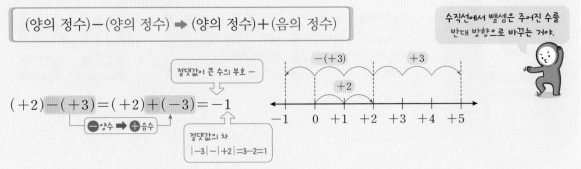

중등 16-1 (양의 정수)−(양의 정수)

초 1학년: 그림을 보고 뺄셈하기
중 1학년: 유리수의 뺄셈

(양의 정수)−(양의 정수) ➡ (양의 정수)+(음의 정수)

초등쌤
자연수의 뺄셈
○ⵔⵔⵔⵔ
➡ 5−4=1

절댓값이 큰 수의 부호 −

$(+2)-(+3)=(+2)+(-3)=-1$

−양수 ➡ +음수

절댓값의 차
$|-3|-|+2|=3-2=1$

수직선에서 뺄셈은 주어진 수를
반대 방향으로 바꾸는 거야.

---

01 다음 ○ 안에는 +, − 중 알맞은 부호를, □ 안에는 알맞은 수를 써넣으시오.

뺄셈을 덧셈으로 고칠 때 빼는 수의 부호를 바꾸는 것도 잊지 마!

(1) $(+5)-(+3)$

$=(+5)+(\bigcirc\square)$

$=\bigcirc(\square-\square)=\bigcirc\square$

절댓값이 큰 수의 부호   절댓값의 차

(2) $(+1)-(+9)$

$=(+1)+(\bigcirc\square)$

$=\bigcirc(\square-\square)=\bigcirc\square$

절댓값이 큰 수의 부호   절댓값의 차

(3) $(+6)-(+2)$

$=(+6)+(\bigcirc\square)$

$=\bigcirc(\square-\square)=\bigcirc\square$

(4) $(+7)-(+8)$

$=(+7)+(\bigcirc\square)$

$=\bigcirc(\square-\square)=\bigcirc\square$

중학교 교과서

02 다음을 계산하시오.

(1) $(+2)-(+7)$

(2) $(+4)-(+10)$

(3) $(+8)-(+6)$

(4) $(+13)-(+5)$

(5) $(+9)-(+4)$

(6) $(+6)-(+7)$

---

03 다음을 계산하여 빈칸에 알맞은 수를 써넣으시오.

(1) ⊖➡

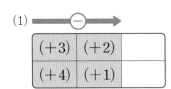

$(+3)$	$(+2)$	
$(+4)$	$(+1)$	

(2) ➡⊖➡

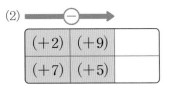

$(+2)$	$(+9)$	
$(+7)$	$(+5)$	

16-2 (음의 정수)−(음의 정수)

중등

1학년: 유리수의 뺄셈

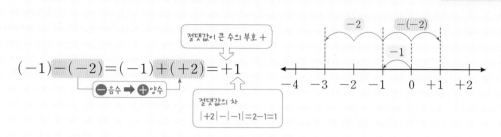

(음의 정수)−(음의 정수) ➡ (음의 정수)＋(양의 정수)

왼쪽으로 2만큼을 반대 방향으로 바꾸면 오른쪽으로 2만큼과 같아.

$$(-1) - (-2) = (-1) + (+2) = +1$$

절댓값이 큰 수의 부호 ＋

➖음수 ➡ ➕양수

절댓값의 차
$|+2|-|-1|=2-1=1$

04 다음 ○ 안에는 ＋, − 중 알맞은 부호를, □ 안에는 알맞은 수를 써넣으시오.

(1) $(-4) - (-2)$
$= (-4) + (\bigcirc \square)$
$= \bigcirc (\square - \square) = \bigcirc \square$
절댓값이 큰 수의 부호 / 절댓값의 차

(2) $(-1) - (-8)$
$= (-1) + (\bigcirc \square)$
$= \bigcirc (\square - \square) = \bigcirc \square$
절댓값이 큰 수의 부호 / 절댓값의 차

(3) $(-3) - (-7)$
$= (-3) + (\bigcirc \square)$
$= \bigcirc (\square - \square) = \bigcirc \square$

(4) $(-5) - (-4)$
$= (-5) + (\bigcirc \square)$
$= \bigcirc (\square - \square) = \bigcirc \square$

05 다음을 계산하시오.

(1) $(-6) - (-1)$

(2) $(-9) - (-5)$

(3) $(-7) - (-4)$

(4) $(-12) - (-3)$

(5) $(-2) - (-6)$

(6) $(-8) - (-9)$

중학교 교과서

06 다음 중 계산 결과가 옳은 것은?

① $(+2) - (+1) = +3$

② $(-3) - (-6) = -9$

③ $(-5) - (-10) = +5$

④ $(-8) - (-3) = +5$

⑤ $(+4) - (+7) = +11$

부호가 다른 정수의 뺄셈

중등 17-1 (양의 정수)−(음의 정수)

중 1학년: 유리수의 뺄셈

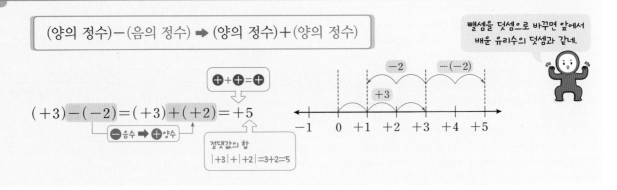

뺄셈을 덧셈으로 바꾸면 앞에서 배운 유리수의 덧셈과 같네.

01 다음 ○ 안에는 +, − 중 알맞은 부호를, □ 안에는 알맞은 수를 써넣으시오.

(1) $(+4)-(-1)$
$=(+4)+(\bigcirc\square)$
$=\bigcirc(\square+\square)=\bigcirc\square$

공통인 부호   절댓값의 합

(2) $(+3)-(-5)$
$=(+3)+(\bigcirc\square)$
$=\bigcirc(\square+\square)=\bigcirc\square$

공통인 부호   절댓값의 합

(3) $(+2)-(-9)$
$=(+2)+(\bigcirc\square)$
$=\bigcirc(\square+\square)=\bigcirc\square$

(4) $(+6)-(-4)$
$=(+6)+(\bigcirc\square)$
$=\bigcirc(\square+\square)=\bigcirc\square$

02 다음을 계산하시오.

(1) $(+4)-(-5)$

(2) $(+1)-(-7)$

(3) $(+6)-(-2)$

(4) $(+1)-(-8)$

(5) $(+15)-(-10)$

(6) $(+13)-(-3)$

중학교 교과서

03 다음 보기와 같이 문장을 식으로 나타내고, 그 값을 구하시오.

●보다 ▲만큼 작은
수 ➡ ● − ▲

● 보기 ●

$+9$보다 -3만큼 작은 수

➡ $(+9)-(-3)=+12$

(1) $+4$보다 -7만큼 작은 수 ➡ _____

(2) $+7$보다 -6만큼 작은 수 ➡ _____

17-2 (음의 정수)−(양의 정수)

중등

중1학년: 유리수의 뺄셈

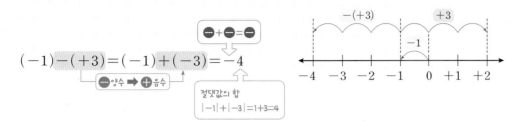

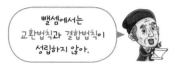

04 다음 ○ 안에는 +, − 중 알맞은 부호를, □ 안에는 알맞은 수를 써넣으시오.

(1) $(-6)-(+2)$

$= (-6)+(\bigcirc\square)$

$= \bigcirc(\square+\square) = \bigcirc\square$

공통인 부호   절댓값의 합

(2) $(-1)-(+5)$

$= (-1)+(\bigcirc\square)$

$= \bigcirc(\square+\square) = \bigcirc\square$

공통인 부호   절댓값의 합

(3) $(-3)-(+7)$

$= (-3)+(\bigcirc\square)$

$= \bigcirc(\square+\square) = \bigcirc\square$

(4) $(-8)-(+1)$

$= (-8)+(\bigcirc\square)$

$= \bigcirc(\square+\square) = \bigcirc\square$

05 다음을 계산하시오.

(1) $(-5)-(+8)$

(2) $(-4)-(+7)$

(3) $(-6)-(+2)$

(4) $(-3)-(+9)$

(5) $(-9)-(+1)$

(6) $(-5)-(+4)$

중학교 교과서

06 다음 중 계산 결과가 가장 큰 것은?

① $(+1)-(+3)$ ② $(+8)-(-1)$ ③ $(-2)-(-9)$

④ $(-6)-(+7)$ ⑤ $(+4)-(-6)$

18 부호가 같은 유리수의 뺄셈

중등 **18-1** (양수)−(양수)

초등쌤

$$\frac{1}{3} - \frac{1}{5}$$
$$= \frac{1 \times 5}{3 \times 5} - \frac{1 \times 3}{5 \times 3}$$
$$= \frac{5}{15} - \frac{3}{15} = \frac{2}{15}$$

(양수)−(양수)
↓
(양수)+(음수)

－양수 ➡ ＋음수

$$\left(+\frac{1}{2}\right) - \left(+\frac{1}{5}\right) = \left(+\frac{1}{2}\right) + \left(-\frac{1}{5}\right)$$

통분

$$= \left(+\frac{5}{10}\right) + \left(-\frac{2}{10}\right)$$

부호가 다른 유리수의 덧셈

$$= +\left(\frac{5}{10} - \frac{2}{10}\right) = +\frac{3}{10}$$

분모가 다른 분수는 분모의 최소공배수로 통분하여 계산해.

$$\left(\frac{1}{2}, \frac{1}{5}\right) \rightarrow \left(\frac{1 \times 5}{2 \times 5}, \frac{1 \times 2}{5 \times 2}\right)$$
$$\rightarrow \left(\frac{5}{10}, \frac{2}{10}\right)$$

절댓값이 큰 수의 부호
$$\left|+\frac{5}{10}\right| > \left|-\frac{2}{10}\right| \Rightarrow +$$

절댓값의 차
$$\left|+\frac{5}{10}\right| - \left|-\frac{2}{10}\right| = \frac{5}{10} - \frac{2}{10} = \frac{3}{10}$$

잠깐만!

소수의 뺄셈도 같은 방법으로 계산해.

$$(+0.8) - (+0.2) = (+0.8) + (-0.2)$$
$$= +(0.8 - 0.2)$$
$$= +0.6$$

절댓값의 차를 구할 때는 소수점의 자리를 잘 맞추어야 해.

01 다음 ○ 안에는 +, − 중 알맞은 부호를, □ 안에는 알맞은 수를 써넣으시오.

(1) $\left(+\frac{3}{4}\right)$ ■ $\left(+\frac{1}{2}\right)$

$$= \left(+\frac{3}{4}\right) + \left(\bigcirc \frac{1}{2}\right)$$

$$= \left(+\frac{3}{4}\right) + \left(\bigcirc \frac{\square}{4}\right)$$ 통분

$$= \bigcirc \left(\frac{\square}{4} - \frac{\square}{4}\right) = \bigcirc \frac{\square}{4}$$

절댓값이 큰 수의 부호   절댓값의 차

(2) $\left(+\frac{1}{3}\right)$ ■ $\left(+\frac{7}{6}\right)$

$$= \left(+\frac{1}{3}\right) + \left(\bigcirc \frac{7}{6}\right)$$

$$= \left(+\frac{\square}{6}\right) + \left(\bigcirc \frac{\square}{6}\right)$$ 통분

$$= \bigcirc \left(\frac{\square}{6} - \frac{\square}{6}\right) = \bigcirc \frac{\square}{6}$$

절댓값이 큰 수의 부호   절댓값의 차

중학교 교과서

02 다음을 계산하시오.

(1) $\left(+\frac{2}{11}\right) - \left(+\frac{9}{11}\right)$

(2) $\left(+\frac{1}{5}\right) - \left(+\frac{2}{5}\right)$

(3) $\left(+\frac{1}{4}\right) - \left(+\frac{1}{3}\right)$

(4) $\left(+\frac{1}{3}\right) - \left(+\frac{7}{9}\right)$

(5) $(+1.4) - (+2.9)$

(6) $(+3.5) - (+1.2)$

18-2 (음수)−(음수)

초 5학년: 분수의 뺄셈
중 1학년: 유리수의 뺄셈

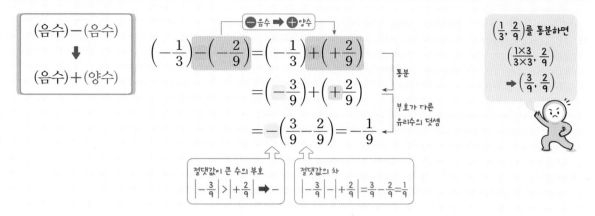

$$\boxed{\begin{array}{c}(음수)-(음수)\\ \downarrow \\ (음수)+(양수)\end{array}}$$

$$\left(-\frac{1}{3}\right)-\left(-\frac{2}{9}\right)=\left(-\frac{1}{3}\right)+\left(+\frac{2}{9}\right)$$

$$=\left(-\frac{3}{9}\right)+\left(+\frac{2}{9}\right)$$ 통분

$$=-\left(\frac{3}{9}-\frac{2}{9}\right)=-\frac{1}{9}$$ 부호가 다른 유리수의 덧셈

절댓값이 큰 수의 부호
$$\left|-\frac{3}{9}\right|>\left|+\frac{2}{9}\right| \Rightarrow -$$

절댓값의 차
$$\left|-\frac{3}{9}\right|-\left|+\frac{2}{9}\right|=\frac{3}{9}-\frac{2}{9}=\frac{1}{9}$$

$\left(\frac{1}{3}, \frac{2}{9}\right)$를 통분하면
$\left(\frac{1\times3}{3\times3}, \frac{2}{9}\right)$
$\Rightarrow \left(\frac{3}{9}, \frac{2}{9}\right)$

03 다음 ○ 안에는 +, − 중 알맞은 부호를, □ 안에는 알맞은 수를 써넣으시오.

(1) $$\left(-\frac{1}{2}\right)\bigcirc\left(-\frac{1}{8}\right)$$

$$=\left(-\frac{1}{2}\right)+\left(\bigcirc\frac{1}{8}\right)$$

$$=\left(-\frac{\square}{8}\right)+\left(\bigcirc\frac{\square}{8}\right)$$ 통분

$$=\bigcirc\left(\frac{\square}{8}-\frac{\square}{8}\right)=\bigcirc\frac{\square}{8}$$

절댓값이 큰 수의 부호 / 절댓값의 차

(2) $$\left(-\frac{2}{3}\right)\bigcirc\left(-\frac{1}{5}\right)$$

$$=\left(-\frac{2}{3}\right)+\left(\bigcirc\frac{1}{5}\right)$$

$$=\left(-\frac{10}{15}\right)+\left(\bigcirc\frac{\square}{15}\right)$$ 통분

$$=\bigcirc\left(\frac{\square}{15}-\frac{\square}{15}\right)=\bigcirc\frac{\square}{15}$$

절댓값이 큰 수의 부호 / 절댓값의 차

04 다음을 계산하시오.

뺄셈을 덧셈으로 고치고 빼는 수의 부호를 반대로 바꾸면 돼.

(1) $$\left(-\frac{9}{7}\right)-\left(-\frac{4}{7}\right)$$

(2) $$\left(-\frac{1}{4}\right)-\left(-\frac{3}{8}\right)$$

(3) $$(-5.6)-(-2.1)$$

(4) $$(-1.6)-(-4.3)$$

05 다음 보기와 같이 문장을 식으로 나타내고, 그 값을 구하시오.

보기
$-\frac{2}{9}$보다 $-\frac{4}{9}$만큼 작은 수
$\Rightarrow \left(-\frac{2}{9}\right)-\left(-\frac{4}{9}\right)=+\frac{2}{9}$

(1) $-\frac{3}{2}$보다 $-\frac{1}{3}$만큼 작은 수 ➡ _____

(2) $-\frac{5}{6}$보다 $-\frac{11}{12}$만큼 작은 수 ➡ _____

중등 ── **19-1** (양수)−(음수)

초 5학년: 분수의 뺄셈
중 1학년: 유리수의 뺄셈

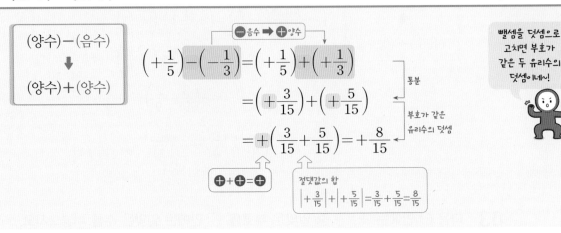

01 다음 ○ 안에는 +, − 중 알맞은 부호를, □ 안에는 알맞은 수를 써넣으시오.

(1) $\left(+\dfrac{3}{4}\right) \bigcirc \left(-\dfrac{1}{5}\right)$

$= \left(+\dfrac{3}{4}\right) + \left(\bigcirc \dfrac{1}{5}\right)$

$= \left(+\dfrac{\square}{20}\right) + \left(\bigcirc \dfrac{\square}{20}\right)$ ← 통분

$= \bigcirc \left(\dfrac{\square}{20} + \dfrac{\square}{20}\right) = \bigcirc \dfrac{\square}{20}$

공통인 부호   절댓값의 합

(2) $\left(+\dfrac{2}{3}\right) \bigcirc \left(-\dfrac{1}{6}\right)$

$= \left(+\dfrac{2}{3}\right) + \left(\bigcirc \dfrac{1}{6}\right)$

$= \left(+\dfrac{\square}{6}\right) + \left(\bigcirc \dfrac{\square}{6}\right)$ ← 통분

$= \bigcirc \left(\dfrac{\square}{6} + \dfrac{\square}{6}\right) = \bigcirc \dfrac{\square}{6}$

공통인 부호   절댓값의 합

02 다음을 계산하시오.

(1) $\left(+\dfrac{6}{5}\right) - \left(-\dfrac{2}{5}\right)$

(2) $\left(+\dfrac{8}{3}\right) - \left(-\dfrac{5}{3}\right)$

(3) $\left(+\dfrac{2}{5}\right) - \left(-\dfrac{3}{2}\right)$

(4) $\left(+\dfrac{1}{2}\right) - \left(-\dfrac{5}{7}\right)$

(5) $(+5.9) - (-1.4)$

(6) $(+3.7) - (-2.2)$

중학교 교과서

03 $-\dfrac{3}{2}$ 보다 $-\dfrac{1}{3}$ 만큼 큰 수를 a, $+\dfrac{5}{6}$ 보다 $-\dfrac{1}{3}$ 만큼 작은 수를 b 라 할 때, $b-a$ 의 값을 구하시오.

 **19-2 (음수)−(양수)**

(음수)−(양수)
↓
(음수)+(음수)

━양수 ➡ ＋음수

$$\left(-\frac{3}{4}\right)-\left(+\frac{1}{8}\right)=\left(-\frac{3}{4}\right)+\left(-\frac{1}{8}\right)$$

통분

$$=\left(-\frac{6}{8}\right)+\left(-\frac{1}{8}\right)$$

부호가 같은
유리수의 덧셈

$$=-\left(\frac{6}{8}+\frac{1}{8}\right)=-\frac{7}{8}$$

➖+➖=➖

절댓값의 합
$\left|-\frac{6}{8}\right|+\left|-\frac{1}{8}\right|=\frac{6}{8}+\frac{1}{8}=\frac{7}{8}$

 이제 뺄셈도 어렵지 않아!

잠깐만!

━ ＋ 가 ＋ ━ 로

△−(＋□)＝△+(−□)

━ ━ 가 ＋ ＋ 로

△−(−□)＝△+(＋□)

---

04 다음 ○ 안에는 +, − 중 알맞은 부호를, □ 안에는 알맞은 수를 써넣으시오.

(1)
$$\left(-\frac{3}{8}\right)-\left(+\frac{1}{4}\right)$$
$$=\left(-\frac{3}{8}\right)+\left(\bigcirc\frac{1}{4}\right)$$
$$=\left(-\frac{\square}{8}\right)+\left(\bigcirc\frac{\square}{8}\right)$$ 통분
$$=\bigcirc\left(\frac{\square}{8}+\frac{\square}{8}\right)=\bigcirc\frac{\square}{8}$$

공통인 부호 ↑   ↑ 절댓값의 합

(2)
$$\left(-\frac{4}{5}\right)-\left(+\frac{1}{10}\right)$$
$$=\left(-\frac{4}{5}\right)+\left(\bigcirc\frac{1}{10}\right)$$
$$=\left(-\frac{\square}{10}\right)+\left(\bigcirc\frac{\square}{10}\right)$$ 통분
$$=\bigcirc\left(\frac{\square}{10}+\frac{\square}{10}\right)=\bigcirc\frac{\square}{10}$$

공통인 부호 ↑   ↑ 절댓값의 합

---

05 다음을 계산하시오.

(1) $\left(-\frac{5}{3}\right)-\left(+\frac{2}{3}\right)$

(2) $\left(-\frac{2}{9}\right)-\left(+\frac{2}{3}\right)$

(3) $(-4.8)-(+2.5)$

(4) $(-1.4)-(+1.9)$

중학교 교과서

06 다음 중 계산 결과가 옳지 <u>않은</u> 것은?

① $\left(-\frac{9}{8}\right)-\left(-\frac{1}{8}\right)=-1$

② $\left(-\frac{1}{4}\right)-\left(-\frac{2}{9}\right)=-\frac{1}{36}$

③ $\left(+\frac{4}{13}\right)-\left(-\frac{17}{13}\right)=+\frac{21}{13}$

④ $\left(-\frac{4}{17}\right)-\left(+\frac{10}{17}\right)=-\frac{6}{17}$

⑤ $(+3.1)-(+2.9)=+0.2$

20 정수의 덧셈과 뺄셈의 혼합 계산

중등 20-1 정수의 덧셈과 뺄셈의 혼합 계산

초 5학년: 자연수의 혼합 계산
중 1학년: 유리수의 뺄셈

빼는 수의 부호를 바꾸어 뺄셈을 덧셈으로 고친 다음 계산이 편리하도록 덧셈의 계산 법칙을 이용한다.

└→ 덧셈의 교환법칙, 결합법칙

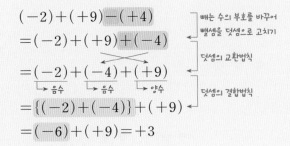

$(-2)+(+9)-(+4)$

$=(-2)+(+9)+(-4)$ ← 빼는 수의 부호를 바꾸어 뺄셈을 덧셈으로 고치기

$=(-2)+(-4)+(+9)$ ← 덧셈의 교환법칙
　음수　　음수　　양수

$=\{(-2)+(-4)\}+(+9)$ ← 덧셈의 결합법칙

$=(-6)+(+9)=+3$

덧셈의 교환법칙과 결합법칙을 이용하여 부호가 같은 수끼리 모으면 계산을 편리하게 할 수 있어.

01 다음 ○ 안에는 +, − 중 알맞은 부호를, □ 안에는 알맞은 수를 써넣으시오.

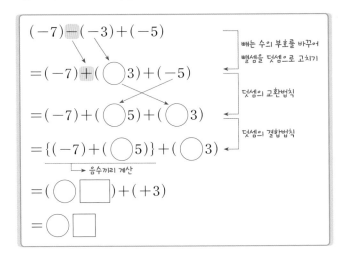

$(-7)-(-3)+(-5)$

$=(-7)+(○3)+(-5)$ ← 빼는 수의 부호를 바꾸어 뺄셈을 덧셈으로 고치기

$=(-7)+(○5)+(○3)$ ← 덧셈의 교환법칙

$=\{(-7)+(○5)\}+(○3)$ ← 덧셈의 결합법칙

└→ 음수끼리 계산

$=(○□)+(+3)$

$=○□$

02 다음을 계산하시오.

수의 위치를 바꿀 때에는 부호도 함께 이동해.

(1) $(+3)+(-6)-(-8)$

$=(+3)+(-6)+(□)$ ← 빼는 수의 부호를 바꾸어 뺄셈을 덧셈으로 고치기

$=(+3)+(□)+(-6)$ ← 덧셈의 교환법칙

$=\{(+3)+(□)\}+(-6)$ ← 덧셈의 결합법칙

$=(□)+(-6)=□$

(2) $(-1)+(+5)-(+7)$

$=(-1)+(+5)+(□)$ ← 빼는 수의 부호를 바꾸어 뺄셈을 덧셈으로 고치기

$=(-1)+(□)+(+5)$ ← 덧셈의 교환법칙

$=\{(-1)+(□)\}+(+5)$ ← 덧셈의 결합법칙

$=(□)+(+5)=□$

(3) $(+2)+(-5)-(+6)$

(4) $(+4)+(-2)-(-15)$

(5) $(-12)+(-8)-(-7)$

(6) $(-2)-(-5)+(+11)$

03 다음 ○ 안에는 +, − 중 알맞은 부호를, □ 안에는 알맞은 수를 써넣으시오.

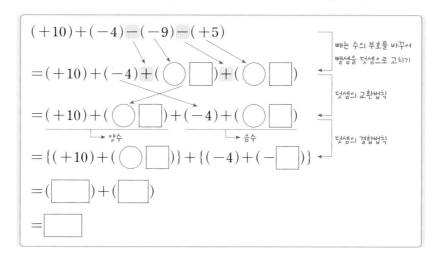

$$(+10)+(-4)-(-9)-(+5)$$
$$=(+10)+(-4)+(\bigcirc\ \boxed{})+(\bigcirc\ \boxed{})$$
$$=(+10)+(\bigcirc\ \boxed{})+(-4)+(\bigcirc\ \boxed{})$$
$$\underset{\text{양수}}{}\qquad\underset{\text{음수}}{}$$
$$=\{(+10)+(\bigcirc\ \boxed{})\}+\{(-4)+(-\boxed{})\}$$
$$=(\boxed{})+(\boxed{})$$
$$=\boxed{}$$

빼는 수의 부호를 바꾸어
뺄셈을 덧셈으로 고치기

덧셈의 교환법칙

덧셈의 결합법칙

04 다음을 계산하시오.

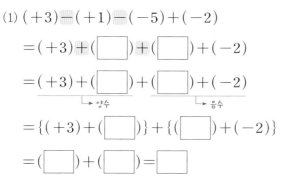

뺄셈을 모두 덧셈으로 고친 후, 양수는 양수끼리, 음수는 음수끼리 모아서 계산해.

(1) $(+3)-(+1)-(-5)+(-2)$
$$=(+3)+(\boxed{})+(\boxed{})+(-2)$$
$$=(+3)+(\boxed{})+(\boxed{})+(-2)$$
$$\underset{\text{양수}}{}\qquad\underset{\text{음수}}{}$$
$$=\{(+3)+(\boxed{})\}+\{(\boxed{})+(-2)\}$$
$$=(\boxed{})+(\boxed{})=\boxed{}$$

(2) $(+4)+(-8)-(-7)-(+1)$
$$=(+4)+(-8)+(\boxed{})+(\boxed{})$$
$$=(+4)+(\boxed{})+(-8)+(\boxed{})$$
$$\underset{\text{양수}}{}\qquad\underset{\text{음수}}{}$$
$$=\{(+4)+(\boxed{})\}+\{(-8)+(\boxed{})\}$$
$$=(\boxed{})+(\boxed{})=\boxed{}$$

(3) $(+7)-(+3)+(-8)-(-2)$

(4) $(+12)+(-6)-(-4)-(+2)$

(5) $(-9)+(+2)-(+5)-(-10)$

(6) $(-5)-(-3)-(+6)+(+7)$

중학교 교과서

05 $(-1)-(-3)-(+4)$와 계산 결과가 같은 것은?

① $(+2)-(-6)-(+3)$

② $(-4)-(-9)+(+2)$

③ $(-8)+(+1)-(+2)$

④ $(+3)-(+5)+(+2)$

⑤ $(+1)+(+5)-(+8)$

21 유리수의 덧셈과 뺄셈의 혼합 계산

중등 21-1 유리수의 덧셈과 뺄셈의 혼합 계산

초5학년: 자연수의 혼합 계산
중1학년: 유리수의 뺄셈

빼는 수의 부호를 바꾸어 뺄셈을 덧셈으로 고친 다음 계산이 편리하도록 덧셈의 계산 법칙을 이용한다.

$$\left(+\frac{1}{2}\right)+(-5)-\left(-\frac{3}{2}\right)$$

빼는 수의 부호를 바꾸어
뺄셈을 덧셈으로 고치기

$$=\left(+\frac{1}{2}\right)+(-5)+\left(+\frac{3}{2}\right)$$

덧셈의 교환법칙

$$=\left(+\frac{1}{2}\right)+\left(+\frac{3}{2}\right)+(-5)$$

└─ 분수끼리 먼저 계산

덧셈의 결합법칙

$$=\left\{\left(+\frac{1}{2}\right)+\left(+\frac{3}{2}\right)\right\}+(-5)$$

$$=(+2)+(-5)=-3$$

덧셈의 교환법칙과
결합법칙을 이용하여
분수끼리 모아서
먼저 계산해 봐.

01 다음 ○ 안에는 +, − 중 알맞은 부호를, □ 안에는 알맞은 수를 써넣으시오.

식에 분수와 정수가
있으면 먼저 분수끼
리 모아서 계산해.

$$\left(-\frac{6}{7}\right)+(+5)\!\!-\!\!\left(+\frac{1}{7}\right)$$

빼는 수의 부호를 바꾸어
뺄셈을 덧셈으로 고치기

$$=\left(-\frac{6}{7}\right)+(+5)+\left(\bigcirc\frac{1}{7}\right)$$

덧셈의 교환법칙

$$=\left(-\frac{6}{7}\right)+\left(\bigcirc\frac{1}{7}\right)+\left(\bigcirc\Box\right)$$

덧셈의 결합법칙

$$=\left\{\left(-\frac{6}{7}\right)+\left(\bigcirc\frac{1}{7}\right)\right\}+\left(\bigcirc\Box\right)$$

└─ 분수끼리 먼저 계산

$$=\left(\bigcirc\Box\right)+\left(\bigcirc5\right)=\bigcirc\Box$$

02 다음 중 계산이 처음 잘못된 곳을 찾아 기호를 쓰시오.

$$\left(-\frac{1}{2}\right)-\left(+\frac{1}{5}\right)+\left(-\frac{7}{5}\right)-\left(-\frac{3}{2}\right)$$

$$=\left(-\frac{1}{2}\right)+\left(-\frac{1}{5}\right)+\left(-\frac{7}{5}\right)+\left(+\frac{3}{2}\right)$$ ─ㄱ

$$=\left\{\left(-\frac{1}{2}\right)+\left(-\frac{3}{2}\right)\right\}+\left\{\left(+\frac{1}{5}\right)+\left(-\frac{7}{5}\right)\right\}$$ ─ㄴ

$$=(-2)+\left(-\frac{6}{5}\right)$$ ─ㄷ

$$=\left(-\frac{10}{5}\right)+\left(-\frac{6}{5}\right)$$ ─ㄹ

$$=-\frac{16}{5}$$ ─ㅁ

03 다음을 계산하시오.

빨셈을 덧셈으로 고친 후 분모가 같은 수끼리 모으면 계산이 편리해.

(1) $\left(+\dfrac{1}{4}\right)+\left(-\dfrac{5}{2}\right)-\left(-\dfrac{3}{2}\right)$

$=\left(+\dfrac{1}{4}\right)+\left(-\dfrac{5}{2}\right)+\left(\boxed{}\right)$

$=\left(+\dfrac{1}{4}\right)+\left\{\left(-\dfrac{5}{2}\right)+\left(\boxed{}\right)\right\}$

$=\left(+\dfrac{1}{4}\right)+\left(\boxed{}\right)=\left(\boxed{}\right)$

(2) $\left(+\dfrac{2}{3}\right)+\left(-\dfrac{4}{9}\right)-\left(+\dfrac{1}{9}\right)$

(3) $\left(+\dfrac{7}{5}\right)-\left(-\dfrac{3}{4}\right)+\left(+\dfrac{2}{5}\right)$

(4) $\left(+\dfrac{5}{6}\right)-\left(-\dfrac{5}{3}\right)+\left(-\dfrac{7}{2}\right)$

(5) $\left(+\dfrac{1}{3}\right)-\left(+\dfrac{2}{5}\right)+\left(-\dfrac{7}{15}\right)$

(6) $\left(-\dfrac{3}{7}\right)-\left(-\dfrac{2}{3}\right)+\left(-\dfrac{1}{21}\right)$

04 다음을 계산하시오.

(1) $(-2.7)+(+3.8)-(-1.4)$

(2) $(+1.9)-(-3.6)+(-5.1)$

(3) $(+3.5)-(+6.2)+(+0.5)$

(4) $(-2.1)+(+4.6)-(-6.5)$

중학교 교과서

05 다음 중 계산 결과가 옳지 <u>않은</u> 것은?

① $\left(-\dfrac{2}{3}\right)+\left(+\dfrac{1}{2}\right)-\left(-\dfrac{5}{6}\right)=+\dfrac{2}{3}$

② $\left(+\dfrac{3}{7}\right)+\left(-\dfrac{1}{3}\right)-\left(+\dfrac{1}{7}\right)=+\dfrac{1}{21}$

③ $(+10)-(-1)+(-17)=-6$

④ $(+3.2)-(-1.3)-(+4.5)=0$

⑤ $\left(-\dfrac{4}{3}\right)+\left(+\dfrac{7}{5}\right)-\left(+\dfrac{5}{3}\right)+\left(-\dfrac{2}{5}\right)=-2$

22 부호가 생략된 수의 혼합 계산

중등 22-1 부호가 생략된 두 수의 계산

⊛1학년: 유리수의 뺄셈

부호가 생략된 계산은 괄호를 사용하여 양의 부호 +를 살려서 계산한다.

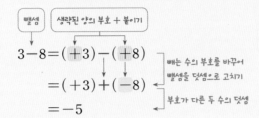

$$3-8=(+3)-(+8)$$
$$=(+3)+(-8)$$
$$=-5$$

빼는 수의 부호를 바꾸어
뺄셈을 덧셈으로 고치기

부호가 다른 두 수의 덧셈

> 모든 수에
> 양의 부호 +가
> 생략된 것으로 보고
> +를 붙여.

01 다음 □ 안에 부호를 붙여 알맞은 수를 써넣으시오.

> 식의 맨 앞에 있는 +는 생략할 수 있지만 −는 생략할 수 없어.

(1) $4+5=(+4)+(\boxed{})=\boxed{}$

(2) $-2+7=(-2)+(\boxed{})=\boxed{}$

(3) $3-4=(+3)-(\boxed{})$
$=(+3)+(\boxed{})=\boxed{}$

(4) $-1-9=(-1)-(\boxed{})$
$=(-1)+(\boxed{})=\boxed{}$

중등 22-2 부호가 생략된 덧셈과 뺄셈의 혼합 계산

⊛1학년: 유리수의 뺄셈

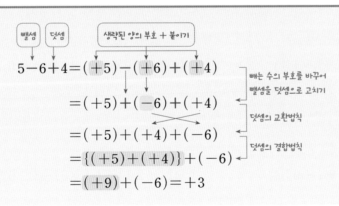

$$5-6+4=(+5)-(+6)+(+4)$$
$$=(+5)+(-6)+(+4)$$
$$=(+5)+(+4)+(-6)$$
$$=\{(+5)+(+4)\}+(-6)$$
$$=(+9)+(-6)=+3$$

빼는 수의 부호를 바꾸어
뺄셈을 덧셈으로 고치기

덧셈의 교환법칙

덧셈의 결합법칙

> 생략된
> 양의 부호 +를
> 살려서 계산해.

02 다음 ○ 안에는 +, − 중 알맞은 부호를, □ 안에는 알맞은 수를 써넣으시오.

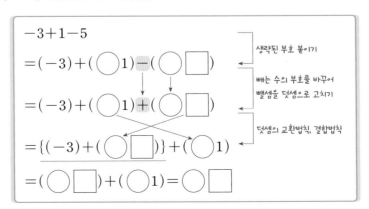

$$-3+1-5$$
$$=(-3)+(\bigcirc1)\text{▬}(\bigcirc\Box)$$
$$=(-3)+(\bigcirc1)+(\bigcirc\Box)$$
$$=\{(-3)+(\bigcirc\Box)\}+(\bigcirc1)$$
$$=(\bigcirc\Box)+(\bigcirc1)=\bigcirc\Box$$

생략된 부호 붙이기

빼는 수의 부호를 바꾸어
뺄셈을 덧셈으로 고치기

덧셈의 교환법칙, 결합법칙

03 다음을 계산하시오.

생략된 양의 부호
$+$를 붙여서 계산해.

(1) $9-5-7$
$\longrightarrow (+9)-(+5)-(+7)$

(2) $-6+5-4$
$\longrightarrow (-6)+(+5)-(+4)$

(3) $-10-2+11$

(4) $8-17+14$

04 다음을 계산하시오.

(1) $3.7-4.9+2.3$

(2) $-2.8+5.4-6.1$

(3) $-1.3+4.8-2.6$

(4) $0.6-1-0.2$

05 다음을 계산하시오.

분모가 다른 분수의
혼합 계산은 통분한
후 계산해.

(1) $-\dfrac{1}{2}+\dfrac{4}{3}-\dfrac{1}{4}$

(2) $2-\dfrac{1}{7}-\dfrac{1}{2}$

(3) $\dfrac{8}{9}-\dfrac{11}{9}+\dfrac{4}{9}$

(4) $-\dfrac{1}{5}+\dfrac{2}{3}-\dfrac{8}{15}$

[중학교 교과서]

06 다음 식을 계산하시오.

$$-\dfrac{4}{3}+\dfrac{7}{4}+1-\dfrac{5}{12}$$

[01~05] 다음 ○ 안에는 +, − 중에서 알맞은 부호를,
□ 안에는 알맞은 수를 써넣으시오.

01 $(+4)-(+7)=(+4)+(○7)$

$=○(7-□)=○□$

02 $(-3)-(-9)=(-3)+(○9)$

$=○(□-□)=○□$

03 $(+1)-(-8)=(+1)+(○8)$

$=○(1+□)=○□$

04 $(-5)-(+2)=(-5)+(○2)$

$=○(□+□)=○□$

05 $(-7)-(+5)=(-7)+(○5)$

$=○(□+□)=○□$

[06~10] 다음을 계산하시오.

06 $(+6)-(+10)$

07 $(-5)-(-4)$

08 $(+12)-(-4)$

09 $(-15)-(+3)$

10 $(+8)-(+9)$

뺄셈을 덧셈으로 바꾸면
유리수의 덧셈과 같아.

[11~14] 다음 ○ 안에는 +, − 중에서 알맞은 부호를, □ 안에는 알맞은 수를 써넣으시오.

11

$$\left(+\frac{3}{2}\right)-\left(+\frac{1}{3}\right)=\left(+\frac{3}{2}\right)+\left(\bigcirc\frac{\square}{3}\right)$$

$$=\left(+\frac{\square}{6}\right)+\left(\bigcirc\frac{\square}{6}\right)$$

$$=\bigcirc\left(\frac{\square}{6}-\frac{\square}{6}\right)$$

$$=\bigcirc\frac{\square}{6}$$

12

$$\left(-\frac{1}{4}\right)-\left(-\frac{2}{9}\right)=\left(-\frac{1}{4}\right)+\left(\bigcirc\frac{2}{9}\right)$$

$$=\left(-\frac{\square}{36}\right)+\left(\bigcirc\frac{\square}{36}\right)$$

$$=\bigcirc\left(\frac{\square}{36}-\frac{\square}{36}\right)$$

$$=\bigcirc\frac{\square}{36}$$

13

$$\left(+\frac{2}{7}\right)-\left(-\frac{1}{3}\right)=\left(+\frac{2}{7}\right)+\left(\bigcirc\frac{1}{3}\right)$$

$$=\left(+\frac{\square}{21}\right)+\left(\bigcirc\frac{\square}{21}\right)$$

$$=\bigcirc\left(\frac{\square}{21}+\frac{\square}{21}\right)$$

$$=\bigcirc\frac{\square}{21}$$

14

$$\left(-\frac{1}{2}\right)-\left(+\frac{7}{8}\right)=\left(-\frac{1}{2}\right)+\left(\bigcirc\frac{7}{8}\right)$$

$$=\left(-\frac{\square}{8}\right)+\left(\bigcirc\frac{\square}{8}\right)$$

$$=\bigcirc\left(\frac{\square}{8}+\frac{\square}{8}\right)$$

$$=\bigcirc\frac{\square}{8}$$

[15~17] 다음을 계산하시오.

15 $\left(+\frac{4}{3}\right)-\left(-\frac{3}{4}\right)$

16 $(-6.5)-(-8.7)$

17 $(-2.4)-(+5.9)$

[18~19] 다음을 구하시오.

18 $-\frac{8}{3}$보다 $+\frac{3}{5}$만큼 작은 수

19 $+\frac{4}{7}$보다 $+\frac{3}{14}$만큼 작은 수

[20~23] 다음을 계산하시오.

20 $(+2)-(-6)+(-9)$

21 $(-3)+(+7)-(+5)$

22 $(+8)+(-2)-(-4)-(+1)$

23 $(+3)-(+4)-(-7)+(-1)$

24 다음 ○ 안에는 $+$, $-$ 중 알맞은 부호를, □ 안에 는 알맞은 수를 써넣으시오.

$$\left(-\frac{11}{9}\right)+(+3)-\left(+\frac{7}{9}\right)$$

$$=\left(-\frac{11}{9}\right)+(+3)+\left(\bigcirc\frac{7}{9}\right)$$

$$=\left(-\frac{11}{9}\right)+\left(\bigcirc\frac{7}{9}\right)+\left(\bigcirc\Box\right)$$

$$=\left\{\left(-\frac{11}{9}\right)+\left(\bigcirc\frac{7}{9}\right)\right\}+\left(\bigcirc\Box\right)$$

$$=\left(\bigcirc\Box\right)+\left(\bigcirc3\right)=\bigcirc\Box$$

덧셈의 교환법칙과 결합법칙을 이용해서 계산해.

[25~27] 다음을 계산하시오.

25 $\left(+\frac{2}{3}\right)-\left(-\frac{5}{4}\right)+\left(-\frac{7}{3}\right)$

26 $\left(-\frac{9}{5}\right)+\left(+\frac{1}{10}\right)-\left(+\frac{2}{5}\right)$

27 $(+4.8)-(-2.2)+(-1.9)$

[28~30] 다음을 계산하시오.

28 $-2-3-10$

29 $2.4-8.7+5.3$

30 $-\frac{7}{8}+\frac{3}{4}-\frac{9}{8}$

4 단계

유리수의 곱셈

개념 동영상 강의

24 부호가 같은 유리수의 곱셈

중등 24-1 (양수)×(양수)

초 5학년: 분수의 곱셈
중 1학년: 유리수의 곱셈

두 수의 절댓값의 곱에 양의 부호 $+$를 붙인다.

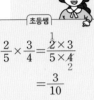

초등쌤

$$\frac{2}{5} \times \frac{3}{4} = \frac{2 \times 3}{5 \times 4} = \frac{3}{10}$$

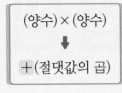

(양수)×(양수)
↓
$+$(절댓값의 곱)

$\oplus \times \oplus = \oplus$

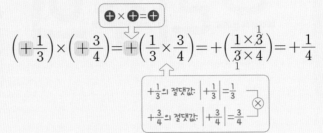

$$\left(+\frac{1}{3}\right) \times \left(+\frac{3}{4}\right) = +\left(\frac{1}{3} \times \frac{3}{4}\right) = +\left(\frac{1 \times 3}{3 \times 4}\right) = +\frac{1}{4}$$

$+\frac{1}{3}$의 절댓값 $\left|+\frac{1}{3}\right| = \frac{1}{3}$ ⊗
$+\frac{3}{4}$의 절댓값 $\left|+\frac{3}{4}\right| = \frac{3}{4}$

분수의 곱셈은 약분이 되면 약분을 하여 계산 결과를 기약분수로 나타내!

---

01 다음 수직선을 보고 □ 안에 알맞은 수를 써넣으시오.

(1)

➡ $(+1) \times (+2) = \boxed{}$

(2)

➡ $(+1) \times (+3) = \boxed{}$

---

02 다음 ○ 안에는 $+$, $-$ 중 알맞은 부호를, □ 안에는 알맞은 수를 써넣으시오.

두 수의 곱셈에서 두 수의 부호가 같으면
➡ 양의 부호 $+$

(1) $(+2) \times (+3) = \bigcirc (2 \times \boxed{})$
$\quad = \bigcirc \boxed{}$

(2) $(+9) \times (+4) = \bigcirc (\boxed{} \times 4)$
$\quad = \bigcirc \boxed{}$

(3) $\left(+\frac{1}{5}\right) \times \left(+\frac{1}{6}\right) = \bigcirc \left(\frac{1}{5} \times \boxed{}\right)$
$\quad = \bigcirc \boxed{}$

(4) $\left(+\frac{1}{3}\right) \times \left(+\frac{4}{7}\right) = \bigcirc \left(\frac{1}{3} \times \boxed{}\right)$
$\quad = \bigcirc \boxed{}$

중학교 교과서

03 다음을 계산하시오.

(1) $(+3) \times (+7)$

(2) $(+6) \times (+8)$

(3) $\left(+\frac{3}{2}\right) \times (+4)$

(4) $\left(+\frac{1}{3}\right) \times (+9)$

(5) $\left(+\frac{2}{5}\right) \times \left(+\frac{4}{3}\right)$

(6) $\left(+\frac{5}{9}\right) \times \left(+\frac{1}{8}\right)$

24-2 (음수)×(음수)

초 5학년: 분수의 곱셈
중 1학년: 유리수의 곱셈

두 수의 절댓값의 곱에 양의 부호 $+$ 를 붙인다.

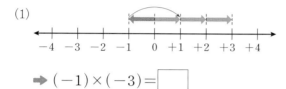

$$\left(-\frac{1}{2}\right)\times\left(-\frac{2}{5}\right)=+\left(\frac{1}{2}\times\frac{2}{5}\right)=+\left(\frac{1\times\overset{1}{2}}{\underset{1}{2}\times5}\right)=+\frac{1}{5}$$

두 수의 부호가 같으면 곱의 부호는 $+$ 야.
$(+)\times(+)=(+)$
$(-)\times(-)=(+)$

$-\frac{1}{2}$ 의 절댓값: $\left|-\frac{1}{2}\right|=\frac{1}{2}$

$-\frac{2}{5}$ 의 절댓값: $\left|-\frac{2}{5}\right|=\frac{2}{5}$

04 다음 수직선을 보고 □ 안에 알맞은 수를 써넣으시오.

(1)

$\Rightarrow (-1)\times(-3)=\boxed{}$

(2)

$\Rightarrow (-2)\times(-1)=\boxed{}$

05 다음 ○ 안에는 $+$, $-$ 중 알맞은 부호를, □ 안에는 알맞은 수를 써넣으시오.

절댓값의 곱은 각각의 절댓값을 구한 후 분수의 곱셈을 이용하면 돼.

(1) $(-6)\times(-2)=\bigcirc(6\times\boxed{})$
$=\bigcirc\boxed{}$

(2) $(-3)\times(-9)=\bigcirc(\boxed{}\times9)$
$=\bigcirc\boxed{}$

(3) $\left(-\frac{5}{2}\right)\times\left(-\frac{4}{3}\right)=\bigcirc\left(\frac{5}{2}\times\boxed{}\right)$
$=\bigcirc\boxed{}$

(4) $\left(-\frac{1}{8}\right)\times\left(-\frac{4}{7}\right)=\bigcirc\left(\frac{1}{8}\times\boxed{}\right)$
$=\bigcirc\boxed{}$

중학교 교과서

06 다음을 계산하시오.

(1) $(-8)\times(-3)$

(2) $(-4)\times(-4)$

(3) $\left(-\frac{1}{4}\right)\times(-12)$

(4) $\left(-\frac{1}{5}\right)\times(-10)$

(5) $\left(-\frac{3}{2}\right)\times\left(-\frac{2}{7}\right)$

(6) $\left(-\frac{5}{3}\right)\times\left(-\frac{9}{8}\right)$

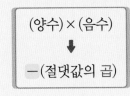 **25-1** (양수)×(음수)

두 수의 절댓값의 곱에 음의 부호 $-$를 붙인다.

$$\boxed{\begin{array}{c}(양수) \times (음수) \\ \downarrow \\ -(절댓값의 곱)\end{array}}$$

부호는 부호끼리,
수는 수끼리
곱한다고
생각하면 돼.

$\oplus \times \ominus = \ominus$

$$\left(+\frac{1}{2}\right) \times \left(-\frac{4}{7}\right) = -\left(\frac{1}{2} \times \frac{4}{7}\right) = -\left(\frac{1 \times \overset{2}{4}}{\underset{1}{2} \times 7}\right) = -\frac{2}{7}$$

$+\frac{1}{2}$의 절댓값: $\left|+\frac{1}{2}\right| = \frac{1}{2}$

$-\frac{4}{7}$의 절댓값: $\left|-\frac{4}{7}\right| = \frac{4}{7}$

$\otimes$

---

01 다음 수직선을 보고 □ 안에 알맞은 수를 써넣으시오.

(1)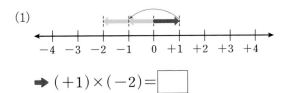

➡ $(+1) \times (-2) = \boxed{}$

(2)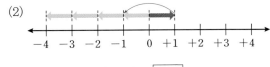

➡ $(+1) \times (-4) = \boxed{}$

---

02 다음 ○ 안에는 $+$, $-$ 중 알맞은 부호를, □ 안에는 알맞은 수를 써넣으시오.

두 수의 곱셈에서 두
수의 부호가 다르면
➡ 음의 부호 $-$

(1) $(+6) \times (-3) = \bigcirc \left(6 \times \boxed{}\right)$
$= \bigcirc \boxed{}$

(2) $(+2) \times (-4) = \bigcirc \left(\boxed{} \times 4\right)$
$= \bigcirc \boxed{}$

(3) $\left(+\frac{6}{7}\right) \times \left(-\frac{5}{3}\right) = \bigcirc \left(\frac{6}{7} \times \boxed{}\right)$
$= \bigcirc \boxed{}$

(4) $\left(+\frac{1}{4}\right) \times \left(-\frac{4}{9}\right) = \bigcirc \left(\frac{1}{4} \times \boxed{}\right)$
$= \bigcirc \boxed{}$

중학교 교과서

03 다음을 계산하시오.

(1) $(+2) \times (-8)$

(2) $(+3) \times (-3)$

(3) $\left(+\frac{2}{7}\right) \times \left(-\frac{7}{4}\right)$

(4) $\left(+\frac{2}{5}\right) \times \left(-\frac{15}{8}\right)$

(5) $(+0.8) \times (-5)$

(6) $(+2.5) \times (-4)$

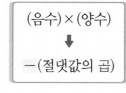 **25-2** (음수)×(양수)

초 5학년: 분수의 곱셈
중 1학년: 유리수의 곱셈

두 수의 절댓값의 곱에 음의 부호 $-$ 를 붙인다.

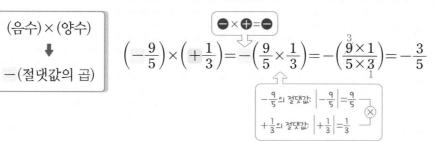

(음수)×(양수)
↓
$-$(절댓값의 곱)

$$\left(-\frac{9}{5}\right)\times\left(+\frac{1}{3}\right)=-\left(\frac{9}{5}\times\frac{1}{3}\right)=-\left(\frac{\overset{3}{9}\times 1}{5\times \underset{1}{3}}\right)=-\frac{3}{5}$$

$-\frac{9}{5}$의 절댓값: $\left|-\frac{9}{5}\right|=\frac{9}{5}$

$+\frac{1}{3}$의 절댓값: $\left|+\frac{1}{3}\right|=\frac{1}{3}$

두 수의 부호가 다르면 곱의 부호는 $-$ 야.
$(+)\times(-)=(-)$
$(-)\times(+)=(-)$

---

04 다음 수직선을 보고 □ 안에 알맞은 수를 써넣으시오.

(1)
$$-4 \quad -3 \quad -2 \quad -1 \quad 0 \quad +1 \quad +2 \quad +3 \quad +4$$
➡ $(-2)\times(+2)=\boxed{}$

(2)
$$-4 \quad -3 \quad -2 \quad -1 \quad 0 \quad +1 \quad +2 \quad +3 \quad +4$$
➡ $(-1)\times(+2)=\boxed{}$

---

05 다음 ○ 안에는 $+$, $-$ 중 알맞은 부호를, □ 안에는 알맞은 수를 써넣으시오.

 답은 약분하여 기약분수로 나타내.

(1) $(-8)\times(+9)=\bigcirc\left(8\times\boxed{}\right)$
$=\bigcirc\boxed{}$

(2) $(-6)\times(+4)=\bigcirc\left(\boxed{}\times 4\right)$
$=\bigcirc\boxed{}$

(3) $\left(-\frac{6}{5}\right)\times\left(+\frac{8}{3}\right)=\bigcirc\left(\frac{6}{5}\times\boxed{}\right)$
$=\bigcirc\boxed{}$

(4) $\left(-\frac{4}{5}\right)\times\left(+\frac{1}{12}\right)=\bigcirc\left(\frac{4}{5}\times\boxed{}\right)$
$=\bigcirc\boxed{}$

[중학교 교과서]

06 다음을 계산하시오.

(1) $(-4)\times(+8)$

(2) $(-5)\times(+7)$

(3) $\left(-\frac{1}{6}\right)\times\left(+\frac{12}{5}\right)$

(4) $\left(-\frac{8}{9}\right)\times\left(+\frac{3}{4}\right)$

(5) $(-0.2)\times(+0.4)$

(6) $(-1.2)\times(+1.5)$

26 곱셈의 교환법칙, 결합법칙

중등 26-1 곱셈의 교환법칙

• 곱셈의 교환법칙: 유리수 a, b에 대하여 $a \times b = b \times a$

예 $\left(+\dfrac{1}{2}\right) \times \left(-\dfrac{1}{3}\right) = -\left(\dfrac{1}{2} \times \dfrac{1}{3}\right) = -\dfrac{1}{6}$

같다.

$\left(-\dfrac{1}{3}\right) \times \left(+\dfrac{1}{2}\right) = -\left(\dfrac{1}{3} \times \dfrac{1}{2}\right) = -\dfrac{1}{6}$

곱셈의 교환법칙을 계산에 이용할 수 있어.

잠깐만!

두 수의 순서를 바꾸어 곱해도 돼?

넓이 $a \times b$ 넓이 $b \times a$

두 수의 곱셈에서 두 수의 순서를 바꾸어 곱해도 결과는 같아.

01 □ 안에 알맞은 수를 써넣으시오.

(1) $(+2) \times (-9) = \left(\boxed{}\right) \times (+2)$

(2) $(-4) \times (+6) = \left(\boxed{}\right) \times (-4)$

02 다음을 계산하시오.

두 수의 순서를 바꾸어 곱해 보고 결과를 확인해 봐.

(1) ① $(-6) \times (+3)$
　　② $(+3) \times (-6)$

(2) ① $(-2) \times (-7)$
　　② $(-7) \times (-2)$

(3) ① $(+4) \times (-5)$
　　② $(-5) \times (+4)$

(4) ① $(+8) \times (+3)$
　　② $(+3) \times (+8)$

03 다음을 계산하시오.

(1) ① $(+4) \times \left(-\dfrac{9}{4}\right)$
　　② $\left(-\dfrac{9}{4}\right) \times (+4)$

(2) ① $\left(+\dfrac{1}{3}\right) \times \left(+\dfrac{3}{5}\right)$
　　② $\left(+\dfrac{3}{5}\right) \times \left(+\dfrac{1}{3}\right)$

(3) ① $(-2) \times (-0.3)$
　　② $(-0.3) \times (-2)$

(4) ① $(-7) \times (+1.2)$
　　② $(+1.2) \times (-7)$

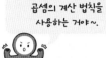

26-2 곱셈의 결합법칙

중등 · 1학년: 유리수의 곱셈

• 곱셈의 결합법칙: 유리수 a, b, c에 대하여 $(a \times b) \times c = a \times (b \times c)$

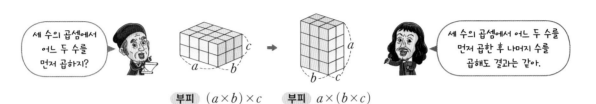

계산을 편리하게 하기 위해서 곱셈의 계산 법칙을 사용하는 거야~.

$$\{(+3) \times (-4)\} \times (-5) = (-12) \times (-5)$$
$$= +60$$

$$(+3) \times \{(-4) \times (-5)\} = (+3) \times (+20)$$
$$= +60$$

잠깐만!

세 수의 곱셈에서 어느 두 수를 먼저 곱하지?

부피 $(a \times b) \times c$ 부피 $a \times (b \times c)$

세 수의 곱셈에서 어느 두 수를 먼저 곱한 후 나머지 수를 곱해도 결과는 같아.

---

04 다음 계산 과정에서 이용한 곱셈의 계산 법칙을 □ 안에 써넣으시오.

(1) $(-5) \times (+11) \times (-2)$
$= (-5) \times (-2) \times (+11)$
$= \{(-5) \times (-2)\} \times (+11)$
$= (+10) \times (+11)$
$= +110$

□ 법칙
□ 법칙

(2) $\left(+\dfrac{3}{4}\right) \times (-5) \times \left(+\dfrac{2}{3}\right)$
$= (-5) \times \left(+\dfrac{3}{4}\right) \times \left(+\dfrac{2}{3}\right)$
$= (-5) \times \left\{\left(+\dfrac{3}{4}\right) \times \left(+\dfrac{2}{3}\right)\right\}$
$= (-5) \times \left(+\dfrac{1}{2}\right) = -\dfrac{5}{2}$

□ 법칙
□ 법칙

---

05 보기와 같이 곱셈의 교환법칙과 결합법칙을 이용하여 다음을 계산하시오.

곱이 10, 100, 1000 이 되는 것끼리 모으면 편리해.

┌ 보기 ┐
$(-2) \times (+27) \times (+5)$
$= (+27) \times (-2) \times (+5)$
$= (+27) \times \{(-2) \times (+5)\}$
$= (+27) \times (-10) = -270$

$(-25) \times (+6) \times (-4)$

중학교 교과서

06 곱셈의 교환법칙과 결합법칙을 이용하여 다음을 계산하시오.

약분되는 것끼리 모으면 편리해.

(1) $\left(-\dfrac{5}{7}\right) \times (-3) \times \left(-\dfrac{7}{10}\right)$

(2) $\left(+\dfrac{8}{3}\right) \times (-7) \times \left(+\dfrac{3}{2}\right)$

27 세 수 이상의 곱셈

27-1 세 분수의 곱셈

초등

초 5학년: 세 분수의 곱셈

분자는 분자끼리, 분모는 분모끼리 곱한다.

분자는 분자끼리!
분모는 분모끼리!

방법1 두 분수씩 계산하기

$$\overset{1}{\cancel{\frac{2}{7}}} \times \overset{}{\underset{2}{\cancel{\frac{5}{4}}}} \times \frac{7}{15} = \overset{}{\underset{2}{\cancel{\frac{5}{14}}}} \times \overset{1}{\underset{15}{\cancel{\frac{7}{15}}}} = \frac{1}{6}$$

방법2 세 분수를 한꺼번에 계산하기

$$\frac{2}{7} \times \frac{5}{4} \times \frac{7}{15} = \frac{\overset{1}{\cancel{2}} \times \overset{1}{\cancel{5}} \times \overset{1}{\cancel{7}}}{\underset{1}{\cancel{7}} \times \underset{2}{\cancel{4}} \times \underset{3}{\cancel{15}}} = \frac{1}{6}$$

01 다음을 계산하시오.

대분수는 가분수로
바꾼 후 계산해.

(1) $\dfrac{1}{2} \times \dfrac{3}{5} \times \dfrac{5}{7}$

(2) $\dfrac{2}{5} \times \dfrac{1}{4} \times \dfrac{7}{3}$

(3) $\dfrac{1}{6} \times \dfrac{1}{5} \times \dfrac{3}{8}$

(4) $1\dfrac{2}{7} \times \dfrac{5}{6} \times \dfrac{1}{10}$

27-2 유리수의 곱셈 – 세 수 이상

중등

초 5학년: 세 분수의 곱셈
중 1학년: 유리수의 곱셈

부호를 먼저 정하고 절댓값의 곱을 계산한다.

① 곱해진 음수가 짝수 개 ➡ 곱한 결과 양수

(양수)×⋯×(양수)
➡ 양수끼리 곱한
결과는 양수야.

$$\underbrace{음수 \times \cdots \times 음수}_{짝수\,개} \qquad 양수 \times \underbrace{음수 \times \cdots \times 음수}_{짝수\,개}$$

② 곱해진 음수가 홀수 개 ➡ 곱한 결과 음수

$$\underbrace{음수 \times \cdots \times 음수}_{홀수\,개} \qquad 양수 \times \underbrace{음수 \times \cdots \times 음수}_{홀수\,개}$$

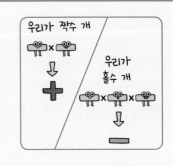

우리가 짝수 개

우리가
홀수 개

02 다음 ○ 안에는 +, − 중 알맞은 부호를, □ 안에는 알맞은 수를 써넣으시오.

곱해진 음수의 개수
에 따라 부호가 결정
돼.

(1) $(+2) \times (-3) \times (+6)$
$= \bigcirc (2 \times 3 \times 6) = \bigcirc \square$

(2) $(-4) \times (+2) \times (-9)$
$= \bigcirc (4 \times 2 \times 9) = \bigcirc \square$

(3) $(-2) \times (-4) \times (+3) \times (-2)$
$= \bigcirc (2 \times 4 \times 3 \times 2) = \bigcirc \square$

(4) $(-3) \times (-7) \times (+2) \times (-5)$
$= \bigcirc (3 \times 7 \times 2 \times 5) = \bigcirc \square$

03 다음 ○ 안에는 +, − 중 알맞은 부호를, □ 안에는 알맞은 수를 써넣으시오.

(1) $\left(+\dfrac{3}{5}\right) \times \left(-\dfrac{7}{4}\right) \times \left(-\dfrac{5}{14}\right)$

$= \bigcirc \left(\dfrac{3}{5} \times \dfrac{7}{4} \times \dfrac{5}{14}\right) = \bigcirc \boxed{}$

(2) $\left(-\dfrac{1}{6}\right) \times (+12) \times \left(-\dfrac{3}{5}\right) \times (-10)$

$= \bigcirc \left(\dfrac{1}{6} \times 12 \times \dfrac{3}{5} \times 10\right) = \bigcirc \boxed{}$

세 수 이상의 곱셈은 부호를 먼저 정하면 실수를 줄일 수 있어.

04 다음을 계산하시오.

(1) $(+7) \times (+5) \times (-4)$

(2) $(+2) \times (+6) \times (-5)$

(3) $(+3) \times (-1) \times (+9) \times (-2)$

(4) $(+4) \times (-2) \times (-5) \times (-3)$

05 다음을 계산하시오.

(1) $\left(-\dfrac{1}{2}\right) \times \left(+\dfrac{4}{5}\right) \times \left(-\dfrac{1}{3}\right)$

(2) $\left(-\dfrac{1}{7}\right) \times \left(-\dfrac{4}{9}\right) \times \left(+\dfrac{3}{4}\right)$

(3) $\left(+\dfrac{1}{5}\right) \times \left(-\dfrac{5}{6}\right) \times (+12)$

(4) $\left(-\dfrac{1}{8}\right) \times \left(-\dfrac{2}{9}\right) \times (-3)$

(5) $(+8) \times \left(-\dfrac{1}{4}\right) \times (-3) \times \left(-\dfrac{5}{9}\right)$

(6) $(+4) \times \left(-\dfrac{1}{7}\right) \times (+5) \times \left(+\dfrac{21}{5}\right)$

중학교 교과서

06 다음 네 수 중 세 수를 뽑아 곱했더니 계산 결과가 양수일 때, □ 안에 알맞은 수를 써넣으시오.

(1)
$$+2, \ -4, \ +5, \ -6$$

$\left[\begin{array}{l} (+2) \times (-4) \times (\boxed{}) \\ (+5) \times (-6) \times (\boxed{}) \end{array}\right.$

(2)
$$-3, \ +8, \ -7, \ +\dfrac{1}{4}$$

$\left[\begin{array}{l} (-3) \times (+8) \times (\boxed{}) \\ (-7) \times \left(+\dfrac{1}{4}\right) \times (\boxed{}) \end{array}\right.$

28 거듭제곱의 계산

중등 28-1 거듭제곱

중1학년: 소수와 거듭제곱

• 거듭제곱: 같은 수나 같은 문자를 ❶거듭해서 곱한 것을 간단히 나타낸 것

$2 \times 2 \times 2 = 2^3$ ← 2를 3번 곱함

$2 \times 2 \times 2 \times 2 = 2^4$ ← 2를 4번 곱함

$$\underbrace{2 \times 2 \times 2 \times 2 \times \cdots}_{n번(개)} = 2^n$$ ← 2를 n번 곱함

밑^{지수} ← 거듭하여 곱한 횟수

거듭하여 곱한 수

❶ 거듭: 같은 것을 반복하여

나는 지수!
나는 밑이야

01 다음 수의 밑과 지수를 각각 말하시오.

밑은 밑에 있어서
밑이라고 불러~.

(1) 2^5 ➡ 밑: _____ , 지수: _____

(2) 3^2 ➡ 밑: _____ , 지수: _____

(3) 10^3 ➡ 밑: _____ , 지수: _____

(4) $\left(\dfrac{1}{5}\right)^2$ ➡ 밑: _____ , 지수: _____

중등 28-2 양수의 거듭제곱

초1학년: 짝수와 홀수
중1학년: 유리수의 곱셈

• 짝수: 둘씩 짝을 지을
수 있는 수
2, 4, 6, 8…
• 홀수: 둘씩 짝을 지을
수 없는 수
1, 3, 5, 7…

양수의 거듭제곱은 항상 양수이다. ➡ (양수)^{짝수}=(양수), (양수)^{홀수}=(양수)

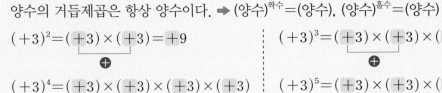

$(+3)^2 = (+3) \times (+3) = +9$

$(+3)^3 = (+3) \times (+3) \times (+3) = +27$

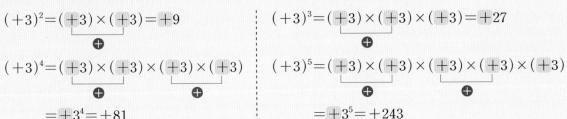

$(+3)^4 = (+3) \times (+3) \times (+3) \times (+3)$

$(+3)^5 = (+3) \times (+3) \times (+3) \times (+3) \times (+3)$

$= +3^4 = +81$

$= +3^5 = +243$

02 다음 ☐ 안에 알맞은 수를 써넣으시오.

양수의 거듭제곱의
부호는 항상 +야.

(1) $(+1)^3 = (+1) \times (+1) \times (+1) = \boxed{}$

(2) $(+4)^2 = (+4) \times (+4) = \boxed{}$

(3) $\left(+\dfrac{1}{2}\right)^3 = \left(+\dfrac{1}{2}\right) \times \left(+\dfrac{1}{2}\right) \times \left(\boxed{}\right)$

$= \boxed{}$

(4) $\left(+\dfrac{1}{3}\right)^2 = \left(+\dfrac{1}{3}\right) \times \left(\boxed{}\right)$

$= \boxed{}$

03 다음을 계산하시오.

(1) $(+2)^3$

(2) $(+5)^2$

28-3 음수의 거듭제곱

중등

중 1학년: 유리수의 곱셈

음수의 거듭제곱은 지수에 의해 부호가 결정된다.

(1) (음수)^{짝수}=(양수)

$$(-3)^2=(-3)\times(-3)=+9$$

$$(-3)^4=(-3)\times(-3)\times(-3)\times(-3)$$

$$=+3^4=+81$$

(2) (음수)^{홀수}=(음수)

$$(-3)^3=(-3)\times(-3)\times(-3)=-27$$

$$(-3)^5=(-3)\times(-3)\times(-3)\times(-3)\times(-3)$$

$$=-3^5=-243$$

음수의 거듭제곱은 지수가 짝수인지 홀수인지 잘 봐야 해!

잠깐만!

두 수는 뭐가 달라?

$$-3^2=-(3\times3)=-9$$
$$(-3)^2=(-3)\times(-3)=+9$$

-3^2은 3을 2번 곱한 후 -을 곱하고, $(-3)^2$은 -3을 2번 곱하라는 의미야!

---

04 다음 □ 안에 알맞은 수를 써넣으시오.

괄호 앞에 ─가 있는지 확인해 봐.

(1) $(-2)^3=(-2)\times(-2)\times(-2)=\boxed{}$

(2) $(-4)^2=(-4)\times(-4)=\boxed{}$

(3) $-1^2=-(1\times1)=\boxed{}$

(4) $-2^3=-(2\times2\times2)=\boxed{}$

(5) $-(-5)^2=-\{(-5)\times(-5)\}$

$\qquad=\boxed{}$

(6) $-(-1)^3=-\{(-1)\times(-1)\times(-1)\}$

$\qquad=\boxed{}$

---

05 다음을 계산하시오.

$(-1)^{짝수}=+1$
$(-1)^{홀수}=-1$

(1) $(-1)^9$

(2) $(-1)^{10}$

(3) $\left(-\dfrac{1}{3}\right)^2$

(4) $-\left(-\dfrac{1}{2}\right)^2$

(5) $(-7)^2$

(6) $\left(-\dfrac{1}{2}\right)^4$

중학교 교과서

06 다음 중 계산 결과가 옳지 않은 것은?

① $\left(-\dfrac{1}{5}\right)^2=+\dfrac{1}{25}$

② $(-5)^2=-25$

③ $-5^2=-25$

④ $-(-3)^2=-9$

⑤ $3^3=27$

29 분배법칙

중등 29-1 분배법칙 – 괄호 풀기

☞ 2학년: 곱셈식으로 나타내기
☞ 1학년: 유리수의 곱셈

초등쌤

• 분배법칙: 유리수 a, b, c에 대하여

$$a \times (b+c) = a \times b + a \times c, \quad (a+b) \times c = a \times c + b \times c$$

괄호를 풀어서 계산하면 105×3을 계산하는 것보다 숫자가 간단해져!

5의 3배
➡ $5+5+5=15$
➡ $5 \times 3 = 15$

$$(100+5) \times 3 \Rightarrow (100+5) + (100+5) + (100+5) \Rightarrow 100 \times 3 + 5 \times 3$$

100×3
5×3

잠깐만 !

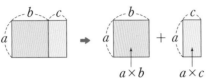

직사각형의 넓이를 이용하니까 분배법칙을 쉽게 알 수 있네!

넓이 $a \times (b+c)$ 넓이 $a \times b + a \times c$

01 다음은 분배법칙을 이용하여 계산하는 과정입니다. □ 안에 알맞은 수를 써넣으시오.

(1) $(-2) \times 101 = (-2) \times (100+1)$
$= (\boxed{}) \times 100 + (-2) \times 1$
$= (\boxed{}) + (-2)$
$= \boxed{}$

(2) $104 \times 8 = (100+4) \times 8$
$= 100 \times 8 + 4 \times \boxed{}$
$= 800 + \boxed{}$
$= \boxed{}$

02 다음을 계산하시오.

분배법칙을 이용하여 괄호를 풀어.

(1) $5 \times (100-2)$

(2) $(-6) \times (100+3)$

(3) $\left(\dfrac{1}{4} + \dfrac{2}{5}\right) \times 20$

(4) $\left\{\dfrac{2}{3} + \left(-\dfrac{5}{6}\right)\right\} \times 12$

중학교 교과서

03 유리수 a, b, c에 대하여 $a \times b = -3$, $a \times c = +7$일 때 $a \times (b+c)$의 값은?

① -21 ② -10 ③ $+4$

④ $+10$ ⑤ $+21$

29-2 분배법칙 – 괄호 묶기

중등

중 1학년: 유리수의 곱셈

• 분배법칙: 유리수 a, b, c에 대하여 $a \times b + a \times c = a \times (b+c)$

공통으로 곱하는 수

괄호를 묶어서 계산하니까 간단하네~.

$$\boxed{(-24) \times 7} + \boxed{(-24) \times 3}$$

$$= (-168) + (-72)$$

$$= -240$$

$$(-24) \times 7 + (-24) \times 3$$

$$= (-24) \times (7+3)$$

$$= (-24) \times 10$$

$$= -240$$

[분배법칙]
① $a \times (b+c) = a \times b + a \times c$
② $a \times (b-c) = a \times b - a \times c$
③ $(a+b) \times c = a \times c + b \times c$
④ $(a-b) \times c = a \times c - b \times c$

04 다음은 분배법칙을 이용하여 계산하는 과정입니다. □ 안에 알맞은 수를 써넣으시오.

(1) $15 \times 8 + 15 \times 2$

$$= \boxed{} \times (8+2)$$

$$= \boxed{} \times \boxed{}$$

$$= \boxed{}$$

(2) $49 \times (-3) + 51 \times (-3)$

$$= (\boxed{} + 51) \times (-3)$$

$$= \boxed{} \times (-3)$$

$$= \boxed{}$$

05 다음을 계산하시오.

먼저 공통으로 곱하는 수를 찾아봐~.

(1) $3 \times 25 + 3 \times 75$

공통으로 곱하는 수

(2) $(-27) \times 6 + (-27) \times 4$

공통으로 곱하는 수

(3) $(-7) \times \dfrac{1}{2} + 3 \times \dfrac{1}{2}$

(4) $9 \times 0.4 + 9 \times 0.6$

(5) $5.2 \times 12 - 5.2 \times 2$

(6) $64 \times (-13) + 36 \times (-13)$

중학교 교과서

06 다음 식을 만족시키는 두 유리수 a, b에 대하여 $a+b$의 값은?

$$27 \times (-5) + 73 \times (-5) = a \times (-5) = b$$

① -400
② -100
③ -5
④ $+100$
⑤ $+400$

[01~05] 다음 ○ 안에는 +, − 중에서 알맞은 부호를, □ 안에는 알맞은 수를 써넣으시오.

01 $(+8) \times (+4) = \bigcirc (8 \times \square)$
$= \bigcirc \square$

02 $(-5) \times (-7) = \bigcirc (5 \times \square)$
$= \bigcirc \square$

03 $\left(+\dfrac{1}{6}\right) \times \left(+\dfrac{5}{2}\right) = \bigcirc \left(\dfrac{1}{6} \times \square\right)$
$= \bigcirc \square$

04 $\left(+\dfrac{3}{7}\right) \times \left(-\dfrac{1}{2}\right) = \bigcirc \left(\dfrac{3}{7} \times \square\right)$
$= \bigcirc \square$

05 $\left(-\dfrac{4}{5}\right) \times \left(+\dfrac{9}{8}\right) = \bigcirc \left(\dfrac{4}{5} \times \square\right)$
$= \bigcirc \square$

[06~10] 다음을 계산하시오.

06 $(-2) \times (-9)$

07 $(-4) \times (+3)$

08 $\left(+\dfrac{5}{7}\right) \times \left(+\dfrac{1}{5}\right)$

09 $\left(+\dfrac{1}{9}\right) \times \left(-\dfrac{3}{4}\right)$

10 $\left(-\dfrac{1}{4}\right) \times \left(+\dfrac{2}{3}\right)$

두 수의 부호가
같으면 +, 다르면 −야.

[11~12] 다음을 계산하시오.

11 ① $(-4) \times (+6)$

② $(+6) \times (-4)$

12 ① $(+5) \times \left(-\dfrac{7}{10}\right)$

② $\left(-\dfrac{7}{10}\right) \times (+5)$

13 다음 계산 과정 중 ㉠, ㉡에 사용된 계산 법칙을 각각 쓰시오.

$$(-20) \times (+17) \times (-5)$$
$$= (-20) \times (-5) \times (+17) \quad\Big\}\ ㉠$$
$$= \{(-20) \times (-5)\} \times (+17) \quad\Big\}\ ㉡$$
$$= (+100) \times (+17)$$
$$= +1700$$

[14~15] 곱셈의 계산 법칙을 이용하여 □ 안에 알맞은 수를 써넣으시오.

14 $(+5) \times (+19) \times (-2)$

$= (+19) \times (\boxed{}) \times (-2)$

$= (+19) \times \{(\boxed{}) \times (-2)\}$

$= (+19) \times (\boxed{}) = \boxed{}$

15 $\left(-\dfrac{15}{4}\right) \times (-6) \times \left(-\dfrac{8}{5}\right)$

$= (-6) \times \left(\boxed{}\right) \times \left(-\dfrac{8}{5}\right)$

$= (-6) \times \left\{\left(\boxed{}\right) \times \left(-\dfrac{8}{5}\right)\right\}$

$= (-6) \times \left(\boxed{}\right) = \boxed{}$

[16~17] 다음 ○ 안에는 +, − 중 알맞은 부호를, □ 안에는 알맞은 수를 써넣으시오.

16 $(+4) \times (-3) \times (-7)$

$= \bigcirc (4 \times 3 \times 7) = \bigcirc \boxed{}$

17 $\left(-\dfrac{4}{9}\right) \times \left(-\dfrac{1}{8}\right) \times \left(-\dfrac{3}{7}\right)$

$= \bigcirc \left(\dfrac{4}{9} \times \dfrac{1}{8} \times \dfrac{3}{7}\right) = \bigcirc \boxed{}$

[18~20] 다음을 계산하시오.

18 $(+2) \times (-6) \times (+8)$

19 $(-2) \times (-3) \times (-5) \times (+4)$

20 $\left(-\dfrac{1}{2}\right) \times (+4) \times \left(+\dfrac{5}{3}\right) \times (-3)$

30 실력 확인 TEST

[21~22] 다음 ○ 안에는 +, − 중에서 알맞은 부호를, □ 안에는 알맞은 수를 써넣으시오.

21 $(+2)^2 = (+2) \times (\boxed{}) = \bigcirc \boxed{}$

22 $(-4)^3 = (-4) \times (\boxed{}) \times (\boxed{})$
$= \bigcirc \boxed{}$

[23~25] 다음을 계산하시오.

23 $(+1)^5$

24 $-(-2)^2$

25 $\left(-\dfrac{1}{4}\right)^2$

[26~27] 다음은 분배법칙을 이용하여 계산하는 과정입니다. □ 안에 알맞은 수를 써넣으시오.

26 $106 \times 7 = (100+6) \times 7$
$= 100 \times \boxed{} + 6 \times \boxed{}$
$= \boxed{} + \boxed{} = \boxed{}$

27 $35 \times 5 + 65 \times 5 = (\boxed{} + 65) \times 5$
$= \boxed{} \times 5$
$= \boxed{}$

[28~30] 다음을 계산하시오.

28 $23 \times (100+2)$

29 $(-15) \times \left(\dfrac{1}{3} + \dfrac{1}{5}\right)$

30 $8 \times (-0.3) + 2 \times (-0.3)$

거듭제곱을 계산할 때
음의 부호가 있으면
실수하기 쉬우니까
주의해~!

5단계

유리수의 나눗셈 / 혼합 계산

개념 동영상 강의

31 정수의 나눗셈

중등 31-1 (양의 정수)÷(양의 정수), (음의 정수)÷(음의 정수)

초 3학년: 나눗셈
중 1학년: 유리수의 나눗셈

• 부호가 같은 두 수의 나눗셈: 절댓값의 나눗셈의 몫에 양의 부호 +를 붙인다.

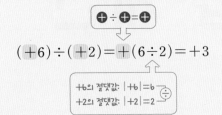

(양의 정수)÷(양의 정수)
=+(절댓값의 나눗셈의 몫)

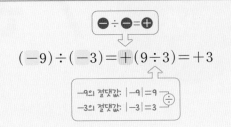

(음의 정수)÷(음의 정수)
=+(절댓값의 나눗셈의 몫)

부호가 같으면 양의 부호 +를 붙여.

$$\oplus \div \oplus = \oplus$$

$$(+6) \div (+2) = +(6 \div 2) = +3$$

+6의 절댓값: |+6|=6 ÷
+2의 절댓값: |+2|=2

$$\ominus \div \ominus = \oplus$$

$$(-9) \div (-3) = +(9 \div 3) = +3$$

-9의 절댓값: |-9|=9 ÷
-3의 절댓값: |-3|=3

01 다음 ○ 안에는 +, − 중 알맞은 부호를, □ 안에는 알맞은 수를 써넣으시오.

• 부호가 같은 두 수의 나눗셈
$\oplus \div \oplus \rightarrow \oplus$
$\ominus \div \ominus \rightarrow \oplus$

(1) $(+10) \div (+5) = \bigcirc (10 \div \square) = \bigcirc \square$

(2) $(-14) \div (-2) = \bigcirc (14 \div \square) = \bigcirc \square$

02 다음을 계산하시오.

(1) $(+36) \div (+4)$

(2) $(+42) \div (+7)$

(3) $(-24) \div (-8)$

(4) $(-45) \div (-9)$

(5) $(+30) \div (+6)$

(6) $(-27) \div (-3)$

03 다음 중 계산 결과가 가장 작은 것은?

① $(+20) \div (+2)$

② $(-16) \div (-8)$

③ $(-24) \div (-4)$

④ $(+36) \div (+9)$

⑤ $(-35) \div (-5)$

중등 **31-2** (양의 정수)÷(음의 정수), (음의 정수)÷(양의 정수)

초 3학년: 나눗셈
중 1학년: 유리수의 나눗셈

• 부호가 다른 두 수의 나눗셈: 절댓값의 나눗셈의 몫에 음의 부호 −를 붙인다.

| (양의 정수)÷(음의 정수) = −(절댓값의 나눗셈의 몫) | (음의 정수)÷(양의 정수) = −(절댓값의 나눗셈의 몫) |

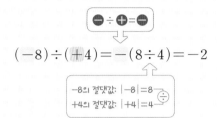

부호가 다르면
음의 부호 −를
붙여.

$(+4) \div (-2) = -(4 \div 2) = -2$

+4의 절댓값: $|+4| = 4$
−2의 절댓값: $|-2| = 2$

$(-8) \div (+4) = -(8 \div 4) = -2$

−8의 절댓값: $|-8| = 8$
+4의 절댓값: $|+4| = 4$

---

04 다음 ○ 안에는 +, − 중 알맞은 부호를, □ 안에는 알맞은 수를 써넣으시오.

• 부호가 다른
두 수의 나눗셈
⊕÷⊖ ➡ ⊖
⊖÷⊕ ➡ ⊖

(1) $(+24) \div (-4) = \bigcirc (24 \div \square) = \bigcirc \square$

(2) $(-48) \div (+6) = \bigcirc (48 \div \square) = \bigcirc \square$

---

05 다음을 계산하시오.

(1) $(+39) \div (-3)$

(2) $(+16) \div (-8)$

(3) $(-22) \div (+2)$

(4) $(-54) \div (+9)$

(5) $(+35) \div (-7)$

(6) $(-40) \div (+5)$

---

06 다음을 계산하시오.

나눗셈의 몫이 정수
로 나오지 않는 경
우 분수로 나타내.

(1) $(-3) \div (+4)$

(2) $(+4) \div (+5)$

(3) $(-2) \div (-9)$

중학교 교과서

07 다음 중 계산 결과가 옳지 않은 것은?

① $(-15) \div (-5) = +3$

② $(-21) \div (+3) = -7$

③ $(+35) \div (+5) = +7$

④ $(+54) \div (-6) = +9$

⑤ $(+72) \div (-9) = -8$

32 유리수의 나눗셈

중등 32-1 역수

• 역수: 두 수의 곱이 1이 될 때, 한 수를 다른 수의 역수라 한다.

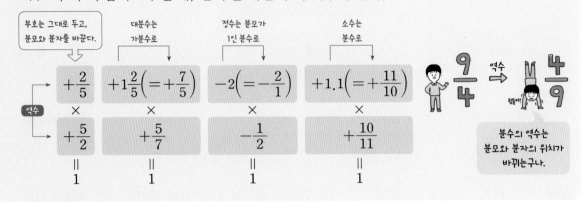

01 다음 □ 안에 알맞은 수를 써넣으시오.

(1) $\left(-\dfrac{3}{4}\right) \times \left(-\dfrac{4}{3}\right) = \boxed{}$ ➡ $-\dfrac{3}{4}$의 역수: $\boxed{}$, $-\dfrac{4}{3}$의 역수: $\boxed{}$

(2) $\left(+\dfrac{2}{7}\right) \times \left(+\dfrac{7}{2}\right) = \boxed{}$ ➡ $+\dfrac{2}{7}$의 역수: $\boxed{}$, $+\dfrac{7}{2}$의 역수: $\boxed{}$

02 다음 □ 안에 알맞은 수를 써넣으시오.

역수를 구할 때 부호는 바뀌지 않아.

(1) $\dfrac{5}{6} \times \boxed{} = 1$

(2) $-3 \times \boxed{} = 1$

(3) $5 \times \boxed{} = 1$

(4) $0.9 \times \boxed{} = 1$

03 다음 수의 역수를 구하시오.

대분수는 가분수로 바꾼 후 역수를 구하면 돼.

(1) -8

(2) $\dfrac{5}{7}$

(3) $-1\dfrac{3}{4}$

(4) 0.7

(5) 0.3

(6) -1.9

중학교 교과서

04 $\dfrac{4}{9}$의 역수를 a, -9의 역수를 b라고 할 때, $a \times b$의 값은?

① -4

② $-\dfrac{1}{4}$

③ $\dfrac{1}{4}$

④ $\dfrac{9}{4}$

⑤ 4

32-2 역수를 이용한 나눗셈

나누는 수를 역수로 바꾸고 나눗셈은 곱셈으로 고쳐서 계산한다.

$$(+6) \div \left(-\frac{2}{3}\right) = (+6) \times \left(-\frac{3}{2}\right) = -\left(6 \times \frac{3}{2}\right) = -9$$

초등쌤:
$$\frac{5}{3} \div \frac{7}{4} = \frac{5}{3} \times \frac{4}{7}$$
$$= \frac{20}{21}$$

➗ 수 ➡ ✖ 역수

+6의 절댓값: |+6|=6
$-\frac{3}{2}$의 절댓값: $\left|-\frac{3}{2}\right| = \frac{3}{2}$

역수로 바꾼 다음,
유리수의 곱셈으로
계산하면 돼~.

05 다음 ○ 안에는 +, − 중 알맞은 부호를, □ 안에는 알맞은 수를 써넣으시오.

(1) $(+40) \div \left(+\frac{5}{8}\right) = (+40) \times \left(\bigcirc \Box\right) = +\left(40 \times \Box\right) = \bigcirc \Box$

역수

(2) $\left(-\frac{4}{5}\right) \div \left(+\frac{2}{3}\right) = \left(-\frac{4}{5}\right) \times \left(\bigcirc \Box\right) = -\left(\frac{4}{5} \times \Box\right) = \bigcirc \Box$

역수

06 다음을 계산하시오.

(1) $(-6) \div \left(+\frac{2}{5}\right)$

(2) $(-14) \div \left(-\frac{7}{10}\right)$

(3) $(+8) \div \left(+\frac{8}{9}\right)$

(4) $(-21) \div \left(+\frac{3}{5}\right)$

(5) $\left(-\frac{2}{7}\right) \div (-6)$

(6) $\left(+\frac{4}{7}\right) \div (-8)$

중학교 교과서

07 다음을 계산하시오.

(1) $\left(+\frac{4}{5}\right) \div \left(+\frac{3}{5}\right)$

(2) $\left(-\frac{5}{9}\right) \div \left(-\frac{10}{3}\right)$

(3) $\left(+\frac{1}{2}\right) \div \left(-\frac{5}{12}\right)$

(4) $\left(-\frac{2}{5}\right) \div \left(+\frac{8}{15}\right)$

33 유리수의 곱셈과 나눗셈의 혼합 계산

33-1 곱셈과 나눗셈의 혼합 계산 (1)

중 1학년: 유리수의 나눗셈

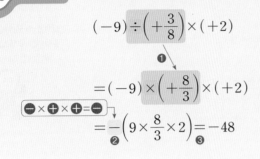

$$(-9) \div \left(+\frac{3}{8}\right) \times (+2)$$

$$= (-9) \times \left(+\frac{8}{3}\right) \times (+2)$$

$$= -\left(9 \times \frac{8}{3} \times 2\right) = -48$$

❶ 나눗셈은 역수를 이용하여 곱셈으로 고쳐.

❷ 부호를 결정해.

❸ 절댓값의 곱에 부호를 붙이면 끝~.

01 다음 □ 안에 알맞은 수를 써넣으시오.

$$\left(+\frac{2}{3}\right) \times \left(+\frac{3}{4}\right) \div (-6) = \left(+\frac{2}{3}\right) \times \left(+\frac{3}{4}\right) \times \left(\boxed{}\right) = -\left(\frac{2}{3} \times \frac{3}{4} \times \boxed{}\right) = \boxed{}$$

역수

02 다음을 계산하시오.

(1) $(-4) \times (+9) \div (+2)$

(2) $(-16) \div (+12) \times (+4)$

(3) $(+30) \times (-5) \div (-6)$

(4) $(-20) \div (-7) \div (-5)$

중학교 교과서

03 다음을 계산하시오.

(1) $\left(-\frac{6}{7}\right) \div (-2) \times (+3)$

(2) $(+5) \times (-3) \div \left(-\frac{3}{5}\right)$

(3) $\left(-\frac{9}{2}\right) \div \left(-\frac{3}{2}\right) \times (+5)$

(4) $(-5) \times \left(-\frac{7}{10}\right) \div \left(-\frac{14}{3}\right)$

(5) $\left(+\frac{1}{15}\right) \times \left(-\frac{5}{8}\right) \div \left(-\frac{1}{2}\right)$

(6) $\left(+\frac{2}{15}\right) \div \left(+\frac{3}{4}\right) \div \left(-\frac{1}{3}\right)$

33-2 곱셈과 나눗셈의 혼합 계산 (2)

중등

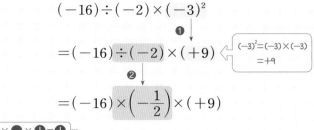

중 1학년: 유리수의 나눗셈

$$(-16) \div (-2) \times (-3)^2$$

$$= (-16) \div (-2) \times (+9) \quad \overset{(-3)^2 = (-3) \times (-3)}{= +9}$$

$$= (-16) \times \left(-\frac{1}{2}\right) \times (+9)$$

$$\ominus \times \ominus \times \oplus = \oplus$$

$$= +\left(16 \times \frac{1}{2} \times 9\right) = +72$$

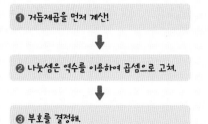

① 거듭제곱을 먼저 계산!

② 나눗셈은 역수를 이용하여 곱셈으로 고쳐.

③ 부호를 결정해.

④ 절댓값의 곱에 부호를 붙이면 끝~.

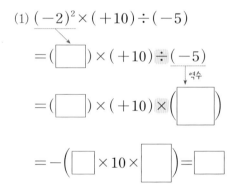

잠깐만!

나눗셈에서는 교환법칙과 결합법칙이 성립하지 않아. 앞에서부터 차례대로 계산해~.

[교환법칙]

$$3 \div 2 = \frac{3}{2}$$
$$2 \div 3 = \frac{2}{3}$$
$$\neq$$

[결합법칙]

$$(3 \div 2) \div 5 = \frac{3}{2} \div 5 = \frac{3}{2} \times \frac{1}{5} = \frac{3}{10}$$
$$3 \div (2 \div 5) = 3 \div \frac{2}{5} = 3 \times \frac{5}{2} = \frac{15}{2}$$
$$\neq$$

04 다음 □ 안에 알맞은 수를 써넣으시오.

거듭제곱이 있으면 거듭제곱을 먼저 계산해.

(1) $(-2)^2 \times (+10) \div (-5)$

$$= (\boxed{}) \times (+10) \div (-5)$$

역수

$$= (\boxed{}) \times (+10) \times (\boxed{})$$

$$= -\left(\boxed{} \times 10 \times \boxed{}\right) = \boxed{}$$

(2) $\left(-\frac{1}{3}\right)^2 \div \left(-\frac{1}{9}\right) \times (+2)$

$$= (\boxed{}) \div \left(-\frac{1}{9}\right) \times (+2)$$

역수

$$= (\boxed{}) \times (\boxed{}) \times (+2)$$

$$= -\left(\boxed{} \times \boxed{} \times 2\right) = \boxed{}$$

중학교 교과서

05 다음을 계산하시오.

(1) $(-1)^3 \times \left(+\frac{1}{2}\right) \div (+6)$

(2) $(-2)^2 \div \left(-\frac{9}{16}\right) \times (-3)$

(3) $\left(-\frac{5}{4}\right) \times (+2)^2 \div \left(+\frac{15}{2}\right)$

(4) $\left(-\frac{1}{2}\right)^2 \div \left(-\frac{7}{2}\right) \times (+8)$

(5) $\left(-\frac{3}{2}\right)^2 \div \left(+\frac{9}{8}\right) \times \left(-\frac{5}{3}\right)$

(6) $\left(+\frac{3}{4}\right) \div \left(+\frac{3}{5}\right) \times \left(-\frac{1}{3}\right)^2$

34 괄호가 없는 정수 혼합 계산

중등 34-1 괄호가 없는 정수 혼합 계산

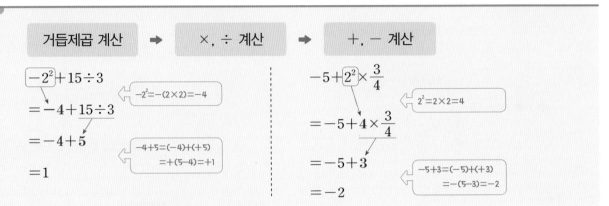

$$\boxed{\text{거듭제곱 계산}} \Rightarrow \boxed{\times,\ \div\ \text{계산}} \Rightarrow \boxed{+,\ -\ \text{계산}}$$

$$\boxed{-2^2}+15\div3$$
$$=-4+\underline{15\div3}$$
$$=-4+5$$
$$=1$$

$-2^2=-(2\times2)=-4$

$-4+5=(-4)+(+5)$
$=+(5-4)=+1$

$$-5+\boxed{2^2}\times\frac{3}{4}$$
$$=-5+\underline{4\times\frac{3}{4}}$$
$$=-5+3$$
$$=-2$$

$2^2=2\times2=4$

$-5+3=(-5)+(+3)$
$=-(5-3)=-2$

---

01 다음 식의 계산 순서를 차례로 쓰시오.

곱셈과 나눗셈이 섞여 있는 식은 앞에서부터 차례로 계산해.

(1)
$$-4+6\times \underset{\scriptsize ㉠\ \ ㉡㉢\ \ ㉣}{2^2}-3$$

㉢ ➡ ☐ ➡ ☐ ➡ ☐

(2)
$$9\times4\div6+\underset{\scriptsize ㉠\ \ ㉡\ \ ㉢㉣}{3^3}$$

㉣ ➡ ☐ ➡ ☐ ➡ ☐

---

02 다음 ☐ 안에 알맞은 수를 써넣으시오.

계산 순서를 쓰고 계산하면 실수를 줄일 수 있어.

(1) $-5+6\div2=-5+$ ☐
$$=$$ ☐

(2) $-7+9\times3=-7+$ ☐
$$=$$ ☐

(3) $2-15\times3\div5=2-$ ☐ $\div5$
$$=2-$$ ☐
$$=$$ ☐

(4) $2^3\div4-6=$ ☐ $\div4-6$
$$=$$ ☐ -6
$$=$$ ☐

(5) $2^3\div4\times3-7=$ ☐ $\div4\times3-7$
$$=$$ ☐ $\times3-7$
$$=$$ ☐ -7
$$=$$ ☐

(6) $3^2-10\times6\div12=$ ☐ $-10\times6\div12$
$$=$$ ☐ $-$ ☐ $\div12$
$$=$$ ☐ $-$ ☐
$$=$$ ☐

03 다음 중 계산 결과가 옳지 않은 것을 찾아 기호를 쓰시오.

$$\text{㉠ } 4 \times 3^2 - 5 = 31 \qquad \text{㉡ } 20 \div 4 - 2 \times 3 = -1$$
$$\text{㉢ } -14 - 24 \div 6 = -18 \qquad \text{㉣ } 25 \div 5 + 4^2 - 10 = 21$$

04 다음을 계산하시오.

계산이 익숙해지면 괄호와 양의 부호 +를 살려 쓰지 않고 바로 계산해.

(1) $11 - 2 \times 6$
$\longrightarrow (+11) - (+2) \times (+6)$

(2) $-32 \div 4 - 15$
$\longrightarrow (-32) \div (+4) - (+15)$

(3) $33 \div 3 - 26 \div 2$

(4) $-6 - 12 \times 5 \div 2$

(5) $-4 \times 9 + 12 \div 4 + 5$

(6) $3 - 10 \times 5 \div 2 - 8$

05 다음을 계산하시오.

(1) $6 - 2^2 \times 5$

(2) $81 \div 3^2 - 15$

(3) $-5^2 - 24 \div 6$

(4) $-2^2 - 24 \div 3 \div 2$

(5) $4^2 \times 3 \div 12 + 5 \times 7$

(6) $-7 + 2^3 \times 3 + 40 \div 8$

중학교 교과서

06 다음 중 계산 결과가 가장 큰 것은?

① $4 \times 6 \div 2 - 3 \times 5$

② $-8 - 16 \div 4$

③ $-2^2 + 8 \times 3 \div 2$

④ $20 \div 2^2 + 7 \times 2$

⑤ $-2 + 3^2 + 12 \div 2 \div 3$

35 괄호가 있는 정수 혼합 계산

중등 35-1 ( ), { }가 있는 정수 혼합 계산

거듭제곱 계산 ➡ ( ) → { } 계산 ➡ ×, ÷ 계산 ➡ +, − 계산

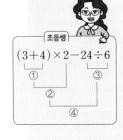

초등쌤

$(3+4)\times2-24\div6$

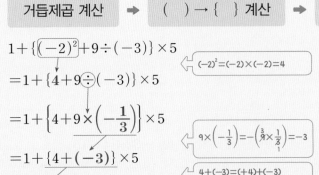

$$1+\{(-2)^2+9\div(-3)\}\times5$$
$$=1+\{4+9\div(-3)\}\times5$$
$$=1+\left\{4+9\times\left(-\frac{1}{3}\right)\right\}\times5$$
$$=1+\{4+(-3)\}\times5$$
$$=1+1\times5$$
$$=1+5=6$$

$(-2)^2=(-2)\times(-2)=4$

$9\times\left(-\frac{1}{3}\right)=-\left(\frac{3}{9}\times\frac{1}{3}\right)=-3$

$4+(-3)=(+4)+(-3)$
$=+(4-3)=+1$

나를
따르라~

01 다음에서 가장 먼저 계산해야 할 곳에 ○표 하시오.

( )가 있는 경우와 ( )가 없는 경우 계산 순서가 달라질 수 있어.

(1) $2\times9-3\div(3-7)$

(2) $4\times(1-6)+10\div5$

02 다음 계산 과정에서 □ 안에 알맞은 수를 써넣으시오.

(1) $3\times(-9)+(-6)\div(-2)=\boxed{}$

(2) $14\div(-7)-5\times(-8)=\boxed{}$

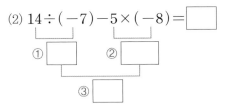

(3) $-1+9\div(24-3\times7)=\boxed{}$

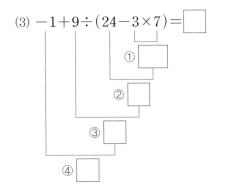

(4) $5\times\{(2-4)\times6\}\div4=\boxed{}$

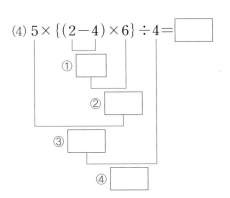

(5) $(-6)\times\{(-3)^2+(-2)\}=\boxed{}$

(6) $8\div\{4+(-2)^3\}=\boxed{}$

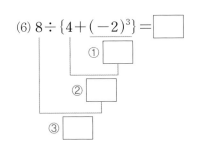

03 보기와 같이 계산 순서를 나타내고 계산하시오.

$$
\boxed{\begin{array}{c} \text{• 보기 •} \\ (-2)^2 + 3 \times (-9) = -23 \\ \underset{①}{\underline{}} \quad \underset{②}{\underline{}} \\ \underset{③}{\underline{}} \end{array}}
$$

(1) $(7-5) \times (-3)^2$

(2) $7 + \{(2-8) \div 3\} \times 4$

(3) $\{(-2)^3 \times 3 + 4\} \div (-5)$

(4) $2 \times \{(-3)^3 - (1+2)\}$

중학교 교과서

04 다음을 계산하시오.

(1) $35 \div (-5-2)$
  $\rightarrow (-5)-(+2)$

(2) $(-64) \div (4 \times 2)$

(3) $(-4)^2 - (-26+5) \div 7$
  $\rightarrow (-4) \times (-4)$

(4) $5 + (-1)^2 \times 9 - 12 \div (3-6)$

05 다음을 계산하시오.

거듭제곱
↓
$(\ ) \rightarrow \{\ \}$
↓
$\times, \div$
↓
$+, -$

(1) $4 + 2 \times \{9 - 12 \div (-6)\}$

(2) $-2 + \{(-3) \times (-4) - (+5)\}$

(3) $15 - \{3 \times (4-7) + (-1)^2\} \div 2$

(4) $10 - 4 \times \{(-1)^3 + 6 \div (4-2)\}$

36 괄호가 없는 유리수 혼합 계산

중등 36-1 괄호가 없는 유리수 혼합 계산

🔴1학년: 유리수의 나눗셈

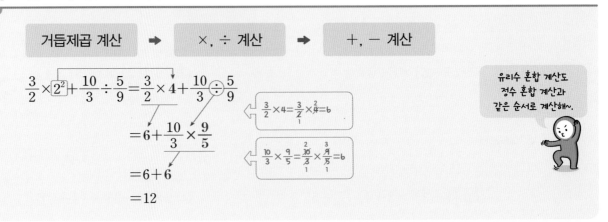

거듭제곱 계산 ➡ ×, ÷ 계산 ➡ +, − 계산

$$\frac{3}{2} \times 2^2 + \frac{10}{3} \div \frac{5}{9} = \frac{3}{2} \times 4 + \frac{10}{3} \div \frac{5}{9}$$

$$= 6 + \frac{10}{3} \times \frac{9}{5}$$

$$= 6 + 6$$

$$= 12$$

$\frac{3}{2} \times 4 = \frac{3}{2} \times \frac{2}{1} = 6$

$\frac{10}{3} \times \frac{9}{5} = \frac{10}{3} \times \frac{9}{5} = 6$

유리수 혼합 계산도
정수 혼합 계산과
같은 순서로 계산해~.

---

01 다음 식의 계산 순서를 차례로 쓰시오.

(1)
$$3^2 - 8 + \frac{5}{6} \times \frac{12}{5}$$
ㄱ ㄴ ㄷ ㄹ

□ ➡ □ ➡ □ ➡ □

(2)
$$5^2 \div \frac{1}{2} - 6 \times \frac{2}{3}$$
ㄱ ㄴ ㄷ ㄹ

□ ➡ □ ➡ ㄹ ➡ □

---

02 다음 계산 순서에 맞게 □ 안에 알맞은 수를 써넣으시오.

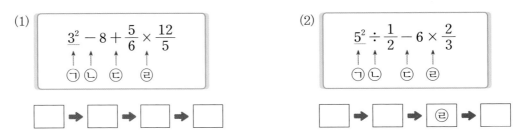

(1) $-\frac{4}{3} + \frac{1}{5} \times \frac{10}{3} = -\frac{4}{3} + \boxed{}$

$\qquad = \boxed{}$

(2) $-\frac{5}{8} \div \frac{15}{4} + \frac{7}{6} = \boxed{} + \frac{7}{6}$

$\qquad = \boxed{}$

(3) $-\frac{5}{2} \times 6 + \frac{1}{2} \div \frac{1}{12} = \boxed{} + \frac{1}{2} \div \frac{1}{12}$

$\qquad = \boxed{} + \boxed{}$

$\qquad = \boxed{}$

(4) $\frac{1}{2} - 4^2 \times \frac{1}{8} = \frac{1}{2} - \boxed{} \times \frac{1}{8}$

$\qquad = \frac{1}{2} - \boxed{}$

$\qquad = \boxed{}$

(5) $5^2 \div \frac{5}{8} - 7 \times 6 = \boxed{} \div \frac{5}{8} - 7 \times 6$

$\qquad = \boxed{} - 7 \times 6$

$\qquad = \boxed{} - 42 = \boxed{}$

(6) $3^2 \div \frac{9}{2} + \frac{14}{3} \times \frac{3}{7} = \boxed{} \div \frac{9}{2} + \frac{14}{3} \times \frac{3}{7}$

$\qquad = \boxed{} + \frac{14}{3} \times \frac{3}{7}$

$\qquad = \boxed{} + 2 = \boxed{}$

03 $\dfrac{7}{3} \div \dfrac{1}{6} - \dfrac{3}{5} \times 5$ 를 옳게 계산한 사람을 찾아 이름을 쓰시오.

민재	승호
$\dfrac{7}{3} \div \dfrac{1}{6} - \dfrac{3}{5} \times 5 = \dfrac{7}{3} \times 6 - \dfrac{3}{5} \times 5$ $= 14 - \dfrac{3}{5} \times 5$ $= 14 - 3 = 11$	$\dfrac{7}{3} \div \dfrac{1}{6} - \dfrac{3}{5} \times 5 = \dfrac{7}{3} \times \dfrac{1}{6} - \dfrac{3}{5} \times 5$ $= \dfrac{7}{18} - 3$ $= \dfrac{47}{18}$

04 다음을 계산하시오.

(1) $\dfrac{3}{7} + \dfrac{2}{5} \times \dfrac{10}{14}$

(2) $\dfrac{9}{5} \div \dfrac{9}{8} - \dfrac{11}{5}$

(3) $\dfrac{2}{3} \div \dfrac{1}{5} - \dfrac{7}{5} \times \dfrac{10}{3}$

(4) $-\dfrac{1}{2} \div \dfrac{1}{3} + \dfrac{7}{8} \times 4$

05 다음을 계산하시오.

거듭제곱
↓
×, ÷
↓
+, −

(1) $2^2 \div \dfrac{9}{2} + \dfrac{4}{9} \times \dfrac{5}{4}$

(2) $\dfrac{5}{6} \times \dfrac{12}{5} + 3^2$

(3) $4^2 \times \dfrac{1}{8} - \dfrac{3}{7} \div \dfrac{6}{5}$

(4) $-\dfrac{1}{3} + 2^2 \times \dfrac{1}{9} \times 15$

중학교 교과서

06 다음 중 계산 결과가 옳지 <u>않은</u> 것은?

① $35 \times \dfrac{1}{5} - 3^2 \times 2 = -11$

② $\dfrac{3}{2} \times 2^2 - 8 \div 2 = 2$

③ $\dfrac{1}{2} - \dfrac{15}{4} \div \dfrac{1}{7} \times \dfrac{2}{5} = 10$

④ $\dfrac{4}{9} \times \dfrac{1}{12} + \dfrac{1}{3} = \dfrac{10}{27}$

⑤ $\dfrac{1}{7} \times \dfrac{5}{2} \div \dfrac{1}{2} - \dfrac{3}{7} = \dfrac{2}{7}$

37 괄호가 있는 유리수 혼합 계산

중등 37-1 ( ), { }가 있는 유리수 혼합 계산

중 1학년: 유리수의 나눗셈

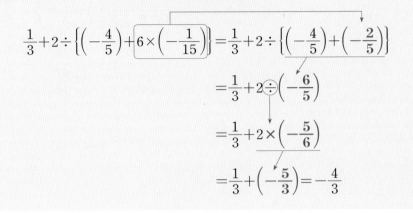

(소괄호)
↓
{중괄호}

여기를
빠져 나가자!

---

01 다음 식의 계산 순서를 차례로 쓰시오.

$$-3+\left\{\frac{2}{5}-(-2)^3\times\frac{1}{12}\right\}\div\frac{8}{5}$$

$\uparrow$ ㉠ $\uparrow$ ㉡ $\uparrow$ ㉢ $\uparrow$ ㉣ $\uparrow$ ㉤

㉢ ➡ ☐ ➡ ☐ ➡ ☐ ➡ ☐

---

02 다음 계산 과정에서 ☐ 안에 알맞은 수를 써넣으시오.

(1) $6+(-5)^2\times\dfrac{3}{5}=$ ☐

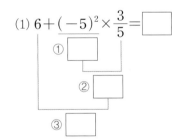

(2) $\dfrac{7}{12}\times\left(-\dfrac{6}{7}\right)-\dfrac{1}{3}\div\dfrac{2}{9}=$ ☐

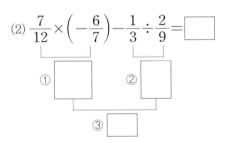

---

03 다음에서 계산이 처음으로 잘못된 곳을 찾아 기호를 쓰시오.

$$5+\left\{1-\frac{2}{5}\div\left(-\frac{8}{15}\right)\right\}\times2$$
$$=5+\left\{1-\left(-\frac{3}{4}\right)\right\}\times2 \quad㉠$$
$$=5+\left\{1-\left(-\frac{3}{2}\right)\right\} \quad㉡$$
$$=5+\frac{5}{2} \quad㉢$$
$$=\frac{15}{2} \quad㉣$$

---

04 보기와 같이 계산 순서를 나타내고 계산하시오.

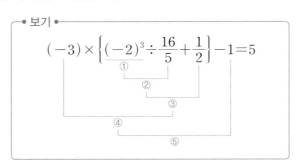

보기

$$(-3) \times \left\{ (-2)^3 \div \frac{16}{5} + \frac{1}{2} \right\} - 1 = 5$$

(1) $\left(\dfrac{1}{2} + \dfrac{1}{3} \right) \div \left(-\dfrac{5}{12} \right)$

(2) $1 + \left(\dfrac{3}{2} \right)^2 \times \left(1 - \dfrac{1}{2} \right)$

(3) $2 - \left\{ \left(-1 + \dfrac{5}{6} \right) \div \dfrac{3}{2} \right\} \times 3$

(4) $8 \times \left\{ \left(-\dfrac{1}{2} \right)^3 \div \left(\dfrac{3}{4} - 1 \right) + 2 \right\}$

중학교 교과서

05 다음을 계산하시오.

(3) { } 안에 뺄셈과 나눗셈이 혼합되어 있는 경우에는 나눗셈을 먼저 계산해.

(1) $5 \div \left\{ (-1) + \dfrac{2}{3} \times (-6) \right\} - 2$

(2) $\left(-\dfrac{1}{2} \right)^2 \times 4 + \dfrac{6}{5} \div \left(-\dfrac{3}{5} \right)$

(3) $3 - \left\{ \dfrac{4}{7} - \left(-\dfrac{6}{7} \right) \div 2 \right\} \times 7$

(4) $\dfrac{7}{5} - \left\{ (-10) \times \left(-\dfrac{1}{5} \right)^2 + \dfrac{1}{5} \right\}$

(5) $\left(\dfrac{1}{2} \right)^2 \div \dfrac{5}{4} - \left\{ (-3)^2 \times \dfrac{1}{6} + 1 \right\}$

(6) $\dfrac{7}{2} \times \left\{ \left(-\dfrac{3}{4} \right) \div \left(\dfrac{9}{4} - \dfrac{1}{2} \right) \right\} + (-2)^2 \times \dfrac{7}{8}$

06 $\left\{ \dfrac{1}{3} \times (-2)^2 - \dfrac{10}{9} \div \dfrac{5}{3} \right\} - \dfrac{1}{3}$ 을 계산하면?

① -1　　　② $-\dfrac{1}{3}$　　　③ $-\dfrac{1}{9}$　　　④ $\dfrac{1}{9}$　　　⑤ $\dfrac{1}{3}$

38 실력 확인 TEST

[01~02] 다음 ○ 안에는 +, − 중에서 알맞은 부호를, □ 안에는 알맞은 수를 써넣으시오.

01 $(+12) \div (+2) = \bigcirc (12 \div \square)$

$\qquad = \bigcirc \square$

02 $(-56) \div (+7) = \bigcirc (56 \div \square)$

$\qquad = \bigcirc \square$

[03~05] 다음을 계산하시오.

03 $(-81) \div (-9)$

04 $(+42) \div (-6)$

05 $(+2) \div (+7)$

[06~07] 다음 수의 역수를 구하시오.

06 -8

07 $\dfrac{5}{12}$

08 다음 ○ 안에는 +, − 중 알맞은 부호를, □ 안에는 알맞은 수를 써넣으시오.

$$\left(+\frac{11}{15}\right) \div \left(-\frac{4}{5}\right) = \left(+\frac{11}{15}\right) \times \left(\bigcirc \square\right)$$

$$= -\left(\frac{11}{15} \times \square\right)$$

$$= \bigcirc \square$$

[09~10] 다음을 계산하시오.

09 $\left(+\dfrac{1}{5}\right) \div \left(+\dfrac{1}{2}\right)$

10 $\left(-\dfrac{3}{5}\right) \div (+6)$

두 수의 절댓값의
나눗셈의 몫에 부호를 붙여.

11 $(-35) \div (+7) \times (-2)$

$$= (-35) \times \left(\boxed{} \right) \times (-2)$$

$$= + \left(35 \times \boxed{} \times 2 \right) = \boxed{}$$

12 $\left(-\dfrac{1}{6} \right) \times (-5) \div \left(+\dfrac{7}{12} \right)$

$$= \left(-\dfrac{1}{6} \right) \times (-5) \times \left(\boxed{} \right)$$

$$= + \left(\dfrac{1}{6} \times 5 \times \boxed{} \right) = \boxed{}$$

[13~15] 다음을 계산하시오.

13 $(+5) \times (-3) \div \left(-\dfrac{6}{7} \right)$

14 $(+16) \times \left(-\dfrac{1}{2} \right)^2 \div (-3)$

15 $(+2) \div \left(+\dfrac{3}{8} \right) \times (-3)^2$

[16~17] 다음 식의 계산 순서를 차례로 쓰시오.

16

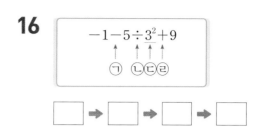

$\boxed{} \Rightarrow \boxed{} \Rightarrow \boxed{} \Rightarrow \boxed{}$

17

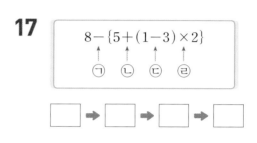

$\boxed{} \Rightarrow \boxed{} \Rightarrow \boxed{} \Rightarrow \boxed{}$

18 다음 계산 과정에서 □ 안에 알맞은 수를 써넣으시오.

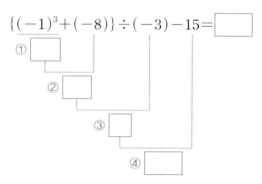

[19~20] 다음을 계산하시오.

19 $12 - (5 - 10) \times (-3)$

20 $\{ 1 + 2^2 \times (-4) \} \div (-3)$

[21~22] 다음 계산 순서에 맞게 ☐ 안에 알맞은 수를 써넣으시오.

21 $\dfrac{9}{5} \div \dfrac{3}{2} - \dfrac{8}{5} = \boxed{} - \dfrac{8}{5}$

    ①

    ② $= \boxed{}$

22 $-\dfrac{1}{3} + \dfrac{1}{6} \times \dfrac{6}{5} = -\dfrac{1}{3} + \boxed{}$

    ①

    ② $= \boxed{}$

[23~25] 다음을 계산하시오.

23 $\dfrac{5}{6} \times \dfrac{3}{4} - \dfrac{1}{4}$

24 $2^2 \div \dfrac{8}{3} - 1$

25 $3^2 \times \dfrac{1}{2} \times 8 - 2^2 \times 10$

[26~27] 다음 식의 계산 순서를 차례대로 나열하시오.

26

$$7 \times \left\{ (-2)^2 \div \left(\dfrac{3}{4} + 1 \right) - 5 \right\}$$

   ㄱ   ㄴ   ㄷ   ㄹ   ㅁ

$\boxed{} \Rightarrow \boxed{} \Rightarrow \boxed{} \Rightarrow \boxed{} \Rightarrow \boxed{}$

27

$$\dfrac{1}{2} \times \left\{ 4 - \dfrac{2}{5} \div \left(-\dfrac{2}{3} \right)^2 \right\} - 2$$

   ㄱ   ㄴ   ㄷ   ㄹ   ㅁ

$\boxed{} \Rightarrow \boxed{} \Rightarrow \boxed{} \Rightarrow \boxed{} \Rightarrow \boxed{}$

[28~30] 다음을 계산하시오.

28 $\left(-\dfrac{1}{2} \right)^2 \times \left(2 - \dfrac{2}{3} \right)$

29 $12 - 4 \times \left\{ 3 + (-2)^2 \div \dfrac{2}{7} \right\}$

30 $\dfrac{1}{8} \times \left\{ 10 \times \left(-\dfrac{2}{5} \right) - (-3)^3 \div \dfrac{3}{4} \right\} - 5$

거듭제곱이 있으면
거듭제곱을 먼저 계산해.

6 단계

성취도 확인 평가

01 다음 중 양의 부호 + 또는 음의 부호 −를 사용하여 나타낸 것으로 옳지 <u>않은</u> 것은?

① 영하 5 ℃ ➡ −5 ℃

② 2 kg 증가 ➡ +2 kg

③ 10점 득점 ➡ +10점

④ 7년 전 ➡ −7년

⑤ 해발 100 m ➡ −100 m

[02~03] 다음을 양의 부호 + 또는 음의 부호 −를 사용하여 나타내시오.

02 0보다 4만큼 큰 수

03 0보다 $\frac{1}{3}$만큼 작은 수

04 다음 수직선 위의 점 A, B, C, D, E가 나타내는 수를 바르게 나타낸 것은?

A B C   D   E

−3 −2 −1   0 +1 +2 +3

① A: −1   ② B: $-\frac{1}{3}$ ③ C: $-\frac{1}{2}$

④ D: $+\frac{1}{2}$ ⑤ E: $+\frac{3}{4}$

05 다음 ◯ 안에 > 또는 <를 써넣으시오.

$$-1.5 \bigcirc +2$$

[06~08] 다음을 계산하시오.

06 $(+3)+(+8)$

07 $(-2)+(+5)$

08 $\left(+\frac{5}{2}\right)+\left(-\frac{3}{4}\right)$

09 다음 중 계산 결과가 옳은 것은?

① $(+9)+(+3)=-12$

② $\left(-\frac{1}{3}\right)+\left(-\frac{2}{9}\right)=-\frac{5}{9}$

③ $(+4)+(-6)=+2$

④ $\left(-\frac{1}{2}\right)+\left(+\frac{2}{7}\right)=-\frac{1}{14}$

⑤ $(-1)+(-10)=+11$

유리수의 덧셈을
바르게 했는지
확인해 봐!

10 $(+4.3)+(-7.6)+(+5.5)$를 계산하면?

① -3.3 ② -2.1 ③ -1.2

④ $+2.2$ ⑤ $+3.3$

[11~12] 다음을 계산하시오.

11 $(-7)-(-6)$

12 $\left(-\dfrac{1}{4}\right)-\left(+\dfrac{1}{8}\right)$

13 다음 보기의 수를 절댓값이 큰 수부터 차례로 쓰시오.

> • 보기 •
>
> $-2,\quad +\dfrac{9}{4},\quad +3,\quad -\dfrac{2}{3}$

[14~15] 다음을 계산하시오.

14 $(+4)+(-3)-(+9)$

15 $\left(+\dfrac{1}{5}\right)-\left(+\dfrac{5}{2}\right)+\left(+\dfrac{3}{5}\right)$

[16~18] 다음을 계산하시오.

16 $(-8)\times(+4)$

17 $\left(+\dfrac{4}{5}\right)\times\left(-\dfrac{1}{2}\right)$

18 $\left(-\dfrac{3}{8}\right)\times\left(-\dfrac{2}{9}\right)$

유리수의 곱셈에서
부호가 같으면 ➡ +
부호가 다르면 ➡ −

19 다음 중 계산 결과가 음수인 것은?

① $(+3) \times (+2)$ 　　② $(-4) \times (-5)$

③ $(+6) \times (+5)$ 　　④ $(+9) \times (-8)$

⑤ $(-7) \times (-3)$

20 다음은 분배법칙을 이용하여 계산하는 과정입니다. □ 안에 알맞은 수를 써넣으시오.

$$23 \times (100+5) = 23 \times \boxed{} + 23 \times \boxed{}$$

$$= 2300 + \boxed{}$$

$$= \boxed{}$$

[21~22] 다음을 계산하시오.

21 $\left(+\dfrac{15}{7}\right) \div (-3)$

22 $\left(-\dfrac{2}{9}\right) \div \left(-\dfrac{1}{3}\right)$

23 다음 중 서로 역수가 <u>아닌</u> 것은?

① $+4, +\dfrac{1}{4}$ 　　② $+\dfrac{3}{7}, -\dfrac{7}{3}$

③ $0.1, 10$ 　　④ $\dfrac{1}{2}, 2$

⑤ $\dfrac{8}{9}, \dfrac{9}{8}$

24 다음 식의 계산 순서를 차례대로 쓴 것은?

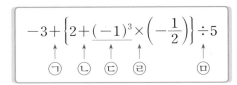

① ㉢－㉣－㉤－㉠－㉡

② ㉢－㉣－㉡－㉠－㉤

③ ㉢－㉣－㉡－㉤－㉠

④ ㉠－㉡－㉢－㉣－㉤

⑤ ㉠－㉢－㉣－㉤－㉡

25 $\left(-\dfrac{1}{5}\right) \times \left\{(-5) + \dfrac{16}{3} \times \left(-\dfrac{3}{4}\right)^2 \right\}$ 을 계산하면?

① -2 　　② $-\dfrac{2}{5}$ 　　③ 0

④ $+\dfrac{2}{5}$ 　　⑤ $+5$

역수를 이용하여
나눗셈을 곱셈으로
바꿔서 계산해.

01 다음 설명 중 옳지 <u>않은</u> 것은?

$$-1, \quad +4, \quad -\frac{1}{2}, \quad 0, \quad +\frac{8}{9}, \quad 5, \quad 0.7$$

① 양의 정수는 2개이다.

② 음의 정수는 3개이다.

③ 양의 유리수는 4개이다.

④ 음의 유리수는 2개이다.

⑤ 정수가 아닌 유리수는 3개이다.

[02~03] 보기와 같이 다음 수의 절댓값을 기호를 사용하여 나타내고, 그 값을 구하시오.

> 보기
> $$-\frac{4}{7} \Rightarrow \left|-\frac{4}{7}\right| = \frac{4}{7}$$

02 $-6 \Rightarrow$ _____

03 $-\frac{2}{11} \Rightarrow$ _____

04 다음 중 절댓값이 가장 작은 수는?

① -5 ② -3 ③ $+6$

④ $+2$ ⑤ $+1$

05 다음을 부등호를 사용하여 나타내시오.

a는 -1 이상이고 7보다 작다.

06 다음 수직선으로 설명할 수 있는 덧셈식은?

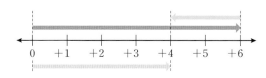

① $(+6)+(-2)=+4$

② $(+6)+(-4)=+2$

③ $(+6)+(+2)=+8$

④ $(-6)+(-2)=-8$

⑤ $(+2)+(+4)=+6$

[07~08] 다음을 계산하시오.

07 $(-1)+(-7)$

08 $(+9)+(-4)$

덧셈을 계산할 때
부호에 주의해.

생략된 부호를
살려서 계산해 봐.

09 다음 계산 과정에서 ㉠, ㉡에 이용된 덧셈의 계산 법칙을 각각 쓰시오.

$$(-5)+(+8)+(-6)$$
$$=(+8)+(-5)+(-6) \quad\bigg\rangle ㉠$$
$$=(+8)+\{(-5)+(-6)\} \quad\bigg\rangle ㉡$$
$$=(+8)+(-11)$$
$$=-3$$

10 다음 중 계산 결과가 나머지 넷과 <u>다른</u> 것은?

① $\left(+\dfrac{1}{3}\right)+\left(-\dfrac{1}{5}\right)$ ② $\left(+\dfrac{1}{15}\right)+\left(+\dfrac{1}{15}\right)$

③ $\left(-\dfrac{2}{5}\right)+\left(-\dfrac{1}{15}\right)$ ④ $\left(-\dfrac{6}{5}\right)+\left(+\dfrac{4}{3}\right)$

⑤ $\left(+\dfrac{4}{15}\right)+\left(-\dfrac{2}{15}\right)$

[11~12] 다음을 계산하시오.

11 $\left(-\dfrac{1}{2}\right)-\left(-\dfrac{3}{4}\right)$

12 $(+1.3)-(+4.5)$

13 $-\dfrac{4}{7}$보다 $-\dfrac{1}{3}$만큼 작은 수를 구하시오.

[14~15] 다음을 계산하시오.

14 $(+5.1)+(-2.2)-(+4.6)$

15 $\left(-\dfrac{7}{9}\right)+(+1)-\left(+\dfrac{1}{9}\right)$

16 다음 □ 안에 알맞은 수를 써넣으시오.

$$3-4+8=(+3)-(\boxed{})+(+8)$$
$$=(+3)+(\boxed{})+(+8)$$
$$=\{(+3)+(+8)\}+(\boxed{})$$
$$=(+11)+(\boxed{})=\boxed{}$$

생략된 부호를
살려서 계산해 봐.

17 $(-5) \times (+9)$

18 $\left(+\dfrac{7}{6}\right) \times \left(+\dfrac{15}{2}\right)$

19 $\left(-\dfrac{3}{4}\right) \times \left(-\dfrac{2}{9}\right)$

20 다음 중 가장 큰 수는?

① -2^3 ② $(-2)^2$ ③ -1^3

④ $(+1)^4$ ⑤ $-(-2)^2$

21 $\left(-\dfrac{1}{7}\right) \times \left(+\dfrac{8}{3}\right) \times \left(-\dfrac{15}{4}\right)$를 계산하면?

① -10 ② $-\dfrac{2}{21}$ ③ $+\dfrac{10}{3}$

④ $+\dfrac{10}{7}$ ⑤ $+10$

22 다음 □ 안에 알맞은 수를 써넣으시오.

$(+28) \div \left(-\dfrac{4}{9}\right) = (+28) \times \left(\boxed{} \right)$

$\qquad\qquad\qquad\quad = \boxed{}$

23 다음 중 계산 결과가 옳지 <u>않은</u> 것은?

① $(+3) \div \left(-\dfrac{4}{5}\right) = -\dfrac{15}{4}$

② $\left(-\dfrac{1}{8}\right) \div (-2) = +\dfrac{1}{16}$

③ $(+36) \div (-4) = -\dfrac{1}{9}$

④ $\left(+\dfrac{9}{2}\right) \div \left(+\dfrac{3}{5}\right) = +\dfrac{15}{2}$

⑤ $(-21) \div (-3) = +7$

24 $2 \times \left\{ \left(-\dfrac{25}{2}\right) \div 5 + (-3)^2 \right\}$을 계산하시오.

25 다음을 계산하시오.

$$3 - \left\{ \dfrac{9}{2} \div 3 + (-2)^2 \times \dfrac{1}{3} \times \left(-\dfrac{15}{8}\right) \right\}$$

01 유리수를 다음과 같이 분류할 때, □ 안에 속하는
수를 고르면?

유리수 $\begin{cases} 정수 \\ \boxed{} \end{cases}$

① -4　　　② $-\dfrac{6}{2}$　　　③ 0

④ $+\dfrac{9}{5}$　　　⑤ $+7$

[02~03] 다음 두 수 중 절댓값이 큰 수를 구하시오.

02 $-3,\ +8$

03 $-\dfrac{5}{6},\ +\dfrac{1}{6}$

04 -10의 절댓값을 a, $+7$의 절댓값을 b라 할 때,
$a+b$의 값을 구하시오.

어떤 수의 절댓값은
그 수에서 부호 +, ―를
떼어낸 수와 같아.

[05~06] 다음을 만족시키는 정수 a를 모두 구하시오.

05 $-\dfrac{3}{2}<a\leq+2$

06 $-\dfrac{11}{5}<a<+1$

07 다음 중 계산 결과가 옳지 <u>않은</u> 것은?

① $(+2)+(-3)=-1$

② $(-4.8)+(-0.5)=-4.3$

③ $\left(-\dfrac{5}{2}\right)+\left(+\dfrac{1}{4}\right)=-\dfrac{9}{4}$

④ $(-2)+(-7)=-9$

⑤ $\left(+\dfrac{7}{6}\right)+\left(-\dfrac{4}{3}\right)=-\dfrac{1}{6}$

[08~09] 다음을 계산하시오.

08 $\left(-\dfrac{3}{4}\right)+\left(-\dfrac{1}{16}\right)$

09 $(+3.8)+(+1.7)$

10 덧셈의 계산 법칙을 이용하여 다음을 계산하시오.

$$(+0.8)+(-5)+(+0.2)$$

14 다음을 계산하시오.

$$-4-15+8$$

[11~12] 다음을 계산하시오.

11 $\left(-\dfrac{5}{3}\right)-\left(+\dfrac{2}{9}\right)$

15 $\dfrac{5}{7}-\dfrac{1}{3}+\dfrac{2}{21}$ 를 계산하면?

① $-\dfrac{1}{21}$ ② $-\dfrac{1}{3}$ ③ $-\dfrac{10}{7}$

④ $+\dfrac{1}{7}$ ⑤ $+\dfrac{10}{21}$

12 $\left(+\dfrac{2}{5}\right)-\left(+\dfrac{1}{3}\right)$

[16~17] 다음을 계산하시오.

16 $\left(+\dfrac{7}{3}\right)\times(+27)$

13 $a=(-7)-(-5)$, $b=\left(-\dfrac{1}{2}\right)-\left(+\dfrac{1}{5}\right)$일 때 $a+b$의 값을 구하시오.

17 $\left(-\dfrac{12}{25}\right)\times\left(-\dfrac{5}{6}\right)$

유리수의 곱셈은
약분이 되면
약분을 하여
답을 기약분수로
나타내.

[18~19] 다음을 계산하시오.

18 $\left(-\dfrac{2}{3}\right)^2$

19 -6^2

20 다음 수 중 가장 큰 수와 가장 작은 수의 곱을 구하시오.

$$+10, \quad -3.5, \quad +\dfrac{1}{4}, \quad -4, \quad +6$$

21 $2\dfrac{1}{4}$의 역수를 a, -4의 역수를 b라 할 때, $a \times b$의 값은?

① -9 ② $-\dfrac{1}{9}$ ③ $\dfrac{1}{9}$

④ 9 ⑤ 16

22 다음을 계산하시오.

$$\left(-\dfrac{8}{9}\right) \div \left(-\dfrac{1}{36}\right)$$

23 다음 □ 안에 알맞은 수를 써넣으시오.

$$\underset{①}{\underbrace{4^2 \times \frac{1}{8}}} \underset{④}{\underbrace{\underset{②}{\underbrace{}} - \underset{③}{\underbrace{\frac{1}{15} \div \frac{2}{5}}}}} = \boxed{} \times \frac{1}{8} - \frac{1}{15} \div \frac{2}{5}$$

$$= \boxed{} - \frac{1}{15} \times \frac{5}{2}$$

$$= \boxed{} - \boxed{}$$

$$= \boxed{}$$

24 보기와 같이 계산 순서를 나타내고 계산하시오.

┌─ 보기 ─┐

$$\underset{③}{\underbrace{\underset{①}{\underbrace{(-3)^2}} + \underset{②}{\underbrace{\left(-\frac{4}{3}\right) \times \frac{3}{2}}}}} = 7$$

$$\left(-\dfrac{1}{2}\right)^2 \times 4 - 3 \div \dfrac{1}{2}$$

25 $\left\{ (8-3) \times \left(-\dfrac{1}{10}\right) + 2^2 \right\} \div 7$을 계산하시오.

01 다음 설명 중 옳은 것은?

① 0은 정수가 아니다.

② 모든 자연수는 음의 정수이다.

③ $+3.5$는 정수이다.

④ 유리수는 양의 유리수와 음의 유리수로 이루어져 있다.

⑤ $-\dfrac{1}{2}$은 정수가 아닌 유리수이다.

[02~03] 다음을 계산하시오.

02 $|+8|+|-3|$

03 $|+11|-|+9|$

04 다음 수를 수직선 위에 나타낼 때, 오른쪽에서 두 번째에 있는 것은?

① $+3$ ② $+\dfrac{1}{2}$ ③ $+\dfrac{5}{2}$

④ $-\dfrac{3}{2}$ ⑤ -4

05 다음 중 대소 관계가 옳지 <u>않은</u> 것은?

① $0<+\dfrac{1}{8}$ ② $-3>-2$

③ $+\dfrac{1}{2}<+\dfrac{5}{2}$ ④ $+\dfrac{1}{9}>-\dfrac{1}{9}$

⑤ $-0.7<0$

06 다음 중 부등호를 사용하여 나타낸 것으로 옳지 않은 것의 기호를 쓰시오.

> ㉠ a는 9 이상이다. ➡ $a \ge 9$
> ㉡ a는 -5보다 크지 않다. ➡ $a \ge -5$
> ㉢ a는 -2 초과 3 이하이다. ➡ $-2<a\le 3$

[07~09] 다음을 계산하시오.

07 $(-8)+(+9)$

08 $\left(-\dfrac{1}{2}\right)+\left(-\dfrac{2}{9}\right)$

09 $\left(+\dfrac{3}{4}\right)-\left(-\dfrac{1}{5}\right)$

유리수의 뺄셈은 덧셈으로 고쳐서 계산해.

10 5보다 1만큼 큰 수를 a, -6보다 -2만큼 작은 수를 b라고 할 때, $a-b$의 값은?

① 4   ② 6   ③ 7

④ 9   ⑤ 10

[11~12] 다음을 계산하시오.

11 $(-13)-(+2)+(+5)$

12 $\left(-\dfrac{1}{7}\right)-\left(-\dfrac{1}{3}\right)+\left(-\dfrac{8}{7}\right)$

13 $(+7)-(+3)-(-8)+(-2)$를 계산하면?

① -4 ② -2 ③ 0

④ $+8$ ⑤ $+10$

14 다음 중 계산 결과가 가장 큰 것은?

① $-5-2+4$ ② $2-7+1$

③ $\dfrac{4}{3}-\dfrac{3}{2}+\dfrac{1}{6}$ ④ $-5-2+4+6$

⑤ $-3.6+2.4-1.7$

[15~16] 다음을 계산하시오.

15 $(-21)\times\left(+\dfrac{2}{7}\right)$

16 $\left(+\dfrac{5}{14}\right)\times\left(+\dfrac{7}{3}\right)$

17 다음 계산 과정에서 ㉠, ㉡에 이용된 곱셈의 계산 법칙을 각각 쓰시오.

$$\left(+\dfrac{21}{2}\right)\times(-5)\times\left(+\dfrac{6}{7}\right)$$
$$=\left(+\dfrac{21}{2}\right)\times\left(+\dfrac{6}{7}\right)\times(-5) \quad \text{㉠}$$
$$=\left\{\left(+\dfrac{21}{2}\right)\times\left(+\dfrac{6}{7}\right)\right\}\times(-5) \quad \text{㉡}$$
$$=(+9)\times(-5)=-45$$

계산이 편리하도록 수를 모아서 계산해.

18 $(-8) \times \left(+\dfrac{2}{7}\right) \times \left(-\dfrac{7}{4}\right)$을 계산하면?

① -4 ② $-\dfrac{1}{2}$ ③ $+\dfrac{1}{2}$

④ $+4$ ⑤ $+8$

19 다음 중 옳지 <u>않은</u> 것은?

① $-4^2 = -16$ ② $(-3)^3 = -27$

③ $-\left(-\dfrac{1}{2}\right)^2 = \dfrac{1}{4}$ ④ $(+3)^2 = 9$

⑤ $\left(-\dfrac{2}{3}\right)^2 = \dfrac{4}{9}$

[20~21] 다음을 계산하시오.

20 $(-10) \div \left(+\dfrac{1}{2}\right)$

21 $\left(+\dfrac{9}{4}\right) \div \left(+\dfrac{3}{2}\right)$

[22~24] 다음을 계산하시오.

22 $6 + 8 \times (-5) - (-2)^2$

23 $\dfrac{1}{2} \div \dfrac{1}{8} - 9 \times \dfrac{1}{3}$

24 $7 - \left\{(-3)^2 \times \dfrac{4}{9} + 6\right\} \div 2$

25 $A = (-12) \times \left(-\dfrac{1}{2}\right)^2 \div \left(+\dfrac{1}{3}\right)$,

$B = \left(-\dfrac{1}{3}\right)^2 \div \left(-\dfrac{1}{9}\right) \times (-6)$일 때,

$A \times B$의 값을 구하시오.

MEMO

탄탄한 개념의 시작
큐브수학!

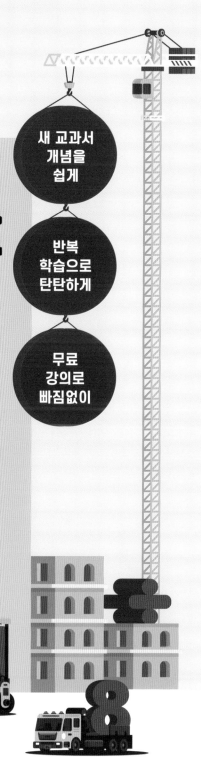

새 교과서
개념을
쉽게

반복
학습으로
탄탄하게

무료
강의로
빠짐없이

큐브
수학
개념

NEW

수학 1등 되는 큐브수학

NEW

연산	개념	개념+응용	실력	심화
1~6학년 1, 2학기	1~6학년 1, 2학기	3~6학년 1, 2학기	1~6학년 1, 2학기	3~6학년 1, 2학기

동아출판

초고필

착표 초등 고학년 필수

지금
유리수의 사칙연산
을 해야 할 때

정답 및 풀이

동아출판

초고필

지금

유리수의
사칙연산

을 해야 할 때

1단계 정수와 유리수 풀이 07~12쪽

006쪽
01 (1) − (2) + (3) + (4) −
(5) − (6) +
02 (1) −5시간 (2) +4년
(3) −5 km (4) −700원
03 (1) +1, 플러스 일
(2) −2, 마이너스 이
04 (1) +6 (2) −8 (3) $-\dfrac{1}{4}$
(4) $+\dfrac{2}{7}$ (5) −1.3 (6) +9.5
05 (1) 양 (2) 음 (3) 음 (4) 양

008쪽
01 (1) +4, +9, 7, +5
(2) −1, −8
02

수	+2.5	+10	$-\dfrac{1}{2}$	0	+3
양수	○	○	×	×	○
음수	×	×	○	×	×
자연수	×	○	×	×	○
정수	×	○	×	○	○

03 (1) × (2) ○ (3) ○ (4) ×
04 (1) A: −6, B: −3, C: +4
(2) A: −4, B: +1, C: +3
05 (1)
(2)
06 ②

010쪽
01 (1) $+\dfrac{1}{4}$, +3.8, 0.7
(2) $-\dfrac{1}{3}$, −6, −2
(3) $-\dfrac{1}{3}$, $+\dfrac{1}{4}$, +3.8, 0.7 (4) 0
02 ④
03 (1) A: $-\dfrac{3}{2}\left(=-1\dfrac{1}{2}\right)$,
B: $+\dfrac{3}{2}\left(=+1\dfrac{1}{2}\right)$
(2) A: $-\dfrac{8}{3}\left(=-2\dfrac{2}{3}\right)$, B: $+\dfrac{1}{2}$
04 (1) +2, 3 /
(2) −2, 2 /
05 ④

012쪽
01 (1) 4, 4 (2) 2.5, 2.5
(3) $\dfrac{3}{2}$, $\dfrac{3}{2}$, $\dfrac{3}{2}$, $\dfrac{3}{2}$
(4) $\dfrac{9}{2}$, $\dfrac{9}{2}$, $\dfrac{9}{2}$, $\dfrac{9}{2}$
02 (1) 7 (2) $|-2|=2$
(3) $\left|+\dfrac{3}{8}\right|=\dfrac{3}{8}$ (4) $\left|-\dfrac{5}{3}\right|=\dfrac{5}{3}$
03 (1) 9 (2) 8 (3) $\dfrac{4}{5}$ (4) 1.3
04 (1) −7, +7 (2) −1.6, +1.6
(3) $-\dfrac{1}{3}$, $+\dfrac{1}{3}$ (4) $-\dfrac{2}{5}$, $+\dfrac{2}{5}$
05 (1) +5, −5 (2) +3, −3
(3) $+\dfrac{1}{2}$, $-\dfrac{1}{2}$
(4) $+\dfrac{1}{4}$, $-\dfrac{1}{4}$
(5) +2.3, −2.3
(6) +4.9, −4.9
06 (1) +1 (2) −3.5
(3) +8, −8 (4) $+\dfrac{3}{4}$, $-\dfrac{3}{4}$
07

014쪽
01 (1) > (2) < (3) < (4) >
02 (1) ① 3, 2 ② >
(2) ① 15, 17 ② <
03 (1) +9 (2) −8 (3) $-\dfrac{4}{5}$
(4) −0.4
04 (1) 0, −1, +1, 0, +1
(2) −2, −1, 0, +1, +2
(3) −3, −2, −1, 0, +1, +2, +3
(4) −1, 0, +1
05 (1) 9개 (2) 7개 (3) 5개 (4) 7개
06 ④

016쪽
01 (1) 3 (2) 12 (3) $\dfrac{2}{3}$ (4) $\dfrac{4}{7}$
02 (1) 3, 2, 5 (2) 4, 9, 13
(3) 12, 4, 16
(4) 0.3, 0.4, 0.7

03 (1) 7 (2) 10 (3) $\dfrac{3}{5}$ (4) $\dfrac{5}{4}$
04 ④
05 (1) 6 (2) 2 (3) $\dfrac{4}{11}$ (4) $\dfrac{1}{9}$
06 (1) 7, 4, 3 (2) 5, 2, 3
(3) 6, 2, 4 (4) 1.3, 0.5, 0.8
07 (1) 7 (2) 3 (3) $\dfrac{5}{3}$ (4) $\dfrac{9}{14}$
08 4

018쪽
01 (1) < (2) < (3) > (4) <
02 (1) > (2) <
03 (1) 5, 8, < (2) 17, 14, >
04 (1) < (2) > (3) > (4) <
05 (1) 3, 4, > (2) 16, 23, >
06 (1) −6>−7 (2) $+\dfrac{1}{2}>-\dfrac{3}{4}$
07 ⑤

020쪽
01 (1) > (2) < (3) ≤
(4) ≤, ≤
02 (1) $a\geq-5$ (2) $a>9$
(3) $a\geq-1$ (4) $-4<a\leq7$
03 ㉡
04 (1) −2, −1, 0, +1, +2
(2) −3, −2, −1, 0
(3) −1, 0, +1, +2
05 (1) 2개 (2) 5개 (3) 6개 (4) 4개
06 ④

022쪽
01 +300 m **02** −7
03 $+\dfrac{1}{4}$ **04** +10, $+\dfrac{9}{3}$, 6
05 −4, −5 **06** ×
07 ○
08 $+\dfrac{1}{4}$, +8, +3
09 −2.5, $+\dfrac{1}{4}$, $-\dfrac{2}{5}$
10 A: −2, B: +1
11

12 A: $-\dfrac{1}{3}$, B: $+\dfrac{5}{4}\left(=+1\dfrac{1}{4}\right)$

13 3.5, 3.5, 3.5, 3.5

14 $+10$, -10

15 $+\dfrac{1}{3}$, $-\dfrac{1}{3}$ **16** ㉡

17 $+7$ **18** $-\dfrac{13}{9}$

19 -2, -1, 0, $+1$, $+2$

20 14   **21** $\dfrac{5}{7}$

22 3   **23** $\dfrac{4}{5}$

24 $>$ **25** $<$

26 $<$ **27** $\geq$

28 $0 < a \leq 3$

29 -5, -4, -3, -2, -1, 0, $+1$

30 -1, 0, $+1$, $+2$, $+3$

2단계 유리수의 덧셈   풀이 13~16쪽

026쪽

01 (1) $+3$, $+7$ (2) $+4$, $+6$

02 (1) $+$, 3, 8, $+$, 11
(2) $+$, 5, 16, $+$, 21

03 (1) $+11$ (2) $+15$
(3) $+10$ (4) $+7$ (5) $+14$
(6) $+13$

04 (1) -5, -7 (2) -6, -9

05 (1) $-$, 5, 4, $-$, 9
(2) $-$, 11, 8, $-$, 19

06 (1) -13 (2) -6
(3) -6 (4) -12
(5) -7 (6) -16

028쪽

01 (1) -7, -4 (2) -4, $+1$

02 (1) $+$, 7, 6, $+$, 1
(2) $-$, 15, 3, $-$, 12

03 (1) -6 (2) $+4$ (3) -3
(4) -5 (5) $+1$ (6) -4

04 (1) $+6$, $+2$ (2) $+7$, -1

05 (1) $-$, 9, 5, $-$, 4
(2) $+$, 10, 4, $+$, 6

06 (1) $+2$ (2) $+6$
(3) -5 (4) -1
(5) $+7$ (6) $+5$

030쪽

01 (1) $+$, 7, $+$, 8
(2) 7, 5, $+$, 7, 5, $+$, 12
(3) $+$, 2.8, $+$, 7.9

02 (1) $+\dfrac{6}{5}$ (2) $+\dfrac{8}{9}$
(3) $+\dfrac{15}{8}$ (4) $+\dfrac{5}{9}$
(5) $+2.2$ (6) $+3.8$

03 (1) $-$, 2, $-$, 6
(2) 4, $-$, 9, 4, $-$, 13
(3) $-$, 4.6, $-$, 6.8

04 (1) $-\dfrac{11}{5}$ (2) $-\dfrac{5}{3}$
(3) $-\dfrac{19}{10}$ (4) $-\dfrac{11}{28}$
(5) -7.8 (6) -3.5

05 (1) $\left(-\dfrac{6}{7}\right)+\left(-\dfrac{2}{7}\right)=-\dfrac{8}{7}$
(2) $\left(-\dfrac{1}{2}\right)+\left(-\dfrac{1}{3}\right)=-\dfrac{5}{6}$

032쪽

01 (1) $-$, $-$, 9
(2) 9, $+$, 9, 7, $+$, 2
(3) $+$, 6.5, $+$, 3.3

02 (1) $+\dfrac{5}{7}$ (2) $-\dfrac{1}{3}$
(3) $+\dfrac{1}{4}$ (4) $-\dfrac{7}{72}$
(5) -2.7 (6) $+5.5$

03 ④

04 (1) $-$, $-$, 8
(2) 5, 8, $+$, 8, 5, $+$, 3
(3) $-$, 7.5, $-$, 3.4

05 (1) $-\dfrac{2}{7}$ (2) $+\dfrac{2}{9}$
(3) $+\dfrac{1}{8}$ (4) $-\dfrac{13}{15}$
(5) -2.4 (6) $+3.2$

06 ⑤

034쪽

01 (1) ① -5 ② -5
(2) ① -3 ② -3
(3) ① $+11$ ② $+11$
(4) ① $+7$ ② $+7$

02 교환, 결합

03 (1) $+3$, $+3$, $+7$, -9
(2) $+16$ (3) $+11$ (4) -7

04 (1) -2.5, -2.5, -7, -6
(2) -1.7 (3) -2 (4) -2

05 (1) $-\dfrac{1}{5}$, $-\dfrac{1}{5}$, $-\dfrac{4}{5}$, -1, $-\dfrac{5}{6}$

---

(2) $+\dfrac{13}{18}$
(3) $+\dfrac{1}{3}$ (4) $+\dfrac{11}{12}$

036쪽

01 $+$, 1, $+$, 8

02 $-$, 6, $-$, 14

03 $-$, 5, 4, $-$, 1

04 $+$, 9, 3, $+$, 6

05 $+$, 8, 2, $+$, 6

06 $+9$ **07** -4

08 -1 **09** -4

10 -12

11 $+$, 5, $+$, 7

12 $-$, 7, $-$, 10

13 6, 5, $+$, 6, 5, $+$, 1

14 4, 5, $+$, 5, 4, $+$, 1

15 $+\dfrac{17}{20}$ **16** $+\dfrac{1}{21}$

17 -3.4 **18** $+2.8$

19 $+7.8$ **20** $+13$

21 -4 **22** $+\dfrac{9}{5}$

23 $-\dfrac{5}{9}$

24 ① $+4$ ② $+4$

25 ① $+2$ ② $+2$

26 ㉠ 덧셈의 교환법칙,
㉡ 덧셈의 결합법칙

27 $+7$ **28** -2

29 $+3.1$ **30** $-\dfrac{1}{6}$

3단계 유리수의 뺄셈   풀이 17~23쪽

040쪽

01 (1) $-$, 3, $+$, 5, 3, $+$, 2
(2) $-$, 9, $-$, 9, 1, $-$, 8
(3) $-$, 2, $+$, 6, 2, $+$, 4
(4) $-$, 8, $-$, 8, 7, $-$, 1

02 (1) -5 (2) -6
(3) $+2$ (4) $+8$
(5) $+5$ (6) -1

03 (1) $+1$, $+3$
(2) -7, $+2$

04 (1) $+$, 2, $-$, 4, 2, $-$, 2
(2) $+$, 8, $+$, 8, 1, $+$, 7
(3) $+$, 7, $+$, 7, 3, $+$, 4
(4) $+$, 4, $-$, 5, 4, $-$, 1

05 (1) -5 (2) -4 (3) -3
(4) -9 (5) $+4$ (6) $+1$

06 ③

042쪽 01 (1) $+$, 1, $+$, 4, 1, $+$, 5
(2) $+$, 5, $+$, 3, 5, $+$, 8
(3) $+$, 9, $+$, 2, 9, $+$, 11
(4) $+$, 4, $+$, 6, 4, $+$, 10

02 (1) $+9$ (2) $+8$
(3) $+8$ (4) $+9$
(5) $+25$ (6) $+16$

03 (1) $(+4)-(-7)=+11$
(2) $(+7)-(-6)=+13$

04 (1) $-$, 2, $-$, 6, 2, $-$, 8
(2) $-$, 5, $-$, 1, 5, $-$, 6
(3) $-$, 7, $-$, 3, 7, $-$, 10
(4) $-$, 1, $-$, 8, 1, $-$, 9

05 (1) -13 (2) -11
(3) -8 (4) -12
(5) -10 (6) -9

06 ⑤

044쪽 01 (1) $-$, $-$, 2, $+$, 3, 2, $+$, 1
(2) $-$, 2, $-$, 7, $-$, 7, 2, $-$, 5

02 (1) $-\dfrac{7}{11}$ (2) $-\dfrac{1}{5}$
(3) $-\dfrac{1}{12}$ (4) $-\dfrac{4}{9}$
(5) -1.5 (6) $+2.3$

03 (1) $+$, 4, $+$, 1, $-$, 4, 1, $-$, 3
(2) $+$, $+$, 3, $-$, 10, 3, $-$, 7

04 (1) $-\dfrac{5}{7}$ (2) $+\dfrac{1}{8}$
(3) -3.5 (4) $+2.7$

05 (1) $\left(-\dfrac{3}{2}\right)-\left(-\dfrac{1}{3}\right)=-\dfrac{7}{6}$
(2) $\left(-\dfrac{5}{6}\right)-\left(-\dfrac{11}{12}\right)=+\dfrac{1}{12}$

046쪽 01 (1) $+$, 15, $+$, 4, $+$, 15, 4, $+$, 19
(2) $+$, 4, $+$, 1, $+$, 4, 1, $+$, 5

02 (1) $+\dfrac{8}{5}$ (2) $+\dfrac{13}{3}$
(3) $+\dfrac{19}{10}$ (4) $+\dfrac{17}{14}$

---

(5) $+7.3$ (6) $+5.9$

03 $+3$

04 (1) $-$, 3, $-$, 2, $-$, 3, 2, $-$, 5
(2) $-$, 8, $-$, 1, $-$, 8, 1, $-$, 9

05 (1) $-\dfrac{7}{3}$ (2) $-\dfrac{8}{9}$
(3) -7.3 (4) -3.3

06 ④

048쪽 01 $+$, $-$, $+$, $-$, $+$, $-$, 12,
$-$, 9

02 (1) $+8$, $+8$, $+8$, $+11$, $+5$
(2) -7, -7, -7, -8, -3
(3) -9 (4) $+17$
(5) -13 (6) $+14$

03 $+$, 9, $-$, 5, $+$, 9, $-$, 5, $+$,
9, 5, $+19$, -9, $+10$

04 (1) -1, $+5$, $+5$, -1, $+5$,
-1, $+8$, -3, $+5$
(2) $+7$, -1, $+7$, -1, $+7$,
-1, $+11$, -9, $+2$
(3) -2 (4) $+8$
(5) -2 (6) -1

05 ⑤

050쪽 01 $-$, $-$, $+$, 5, $-$, $+$, 5, $-$, 1,
$+$, $+$, 4

02 ㉡

03 (1) $+\dfrac{3}{2}$, $+\dfrac{3}{2}$, -1, $-\dfrac{3}{4}$
(2) $+\dfrac{1}{9}$ (3) $+\dfrac{51}{20}$
(4) -1 (5) $-\dfrac{8}{15}$
(6) $+\dfrac{4}{21}$

04 (1) $+2.5$ (2) $+0.4$
(3) -2.2 (4) $+9$

05 ②

052쪽 01 (1) $+5$, $+9$ (2) $+7$, $+5$
(3) $+4$, -4, -1
(4) $+9$, -9, -10

02 $+$, $+$, 5, $+$, $-$, 5, $-$, 5, $+$,
$-$, 8, $+$, $-$, 7

---

03 (1) -3 (2) -5
(3) -1 (4) $+5$

04 (1) $+1.1$ (2) -3.5
(3) $+0.9$ (4) -0.6

05 (1) $+\dfrac{7}{12}$ (2) $+\dfrac{19}{14}$
(3) $+\dfrac{1}{9}$ (4) $-\dfrac{1}{15}$

06 $+1$

054쪽 01 $-$, $-$, 4, $-$, 3

02 $+$, $+$, 9, 3, $+$, 6

03 $+$, $+$, 8, $+$, 9

04 $-$, $-$, 5, 2, $-$, 7

05 $-$, $-$, 7, 5, $-$, 12

06 -4 **07** -1

08 $+16$ **09** -18

10 -1

11 $-$, 1, 9, $-$, 2, $+$, 9, 2, $+$, 7

12 $+$, 9, $+$, 8, $-$, 9, 8, $-$, 1

13 $+$, 6, $+$, 7, $+$, 6, 7, $+$, 13

14 $-$, 4, $-$, 7, $-$, 4, 7, $-$, 11

15 $+\dfrac{25}{12}$ **16** $+2.2$

17 -8.3 **18** $-\dfrac{49}{15}$

19 $+\dfrac{5}{14}$ **20** -1

21 -1 **22** $+9$

23 $+5$

24 $-$, $-$, $+$, 3, $-$, $+$, 3, $-$, 2,
$+$, $+$, 1

25 $-\dfrac{5}{12}$ **26** $-\dfrac{21}{10}$

27 $+5.1$ **28** -15

29 -1 **30** $-\dfrac{5}{4}$

4단계 유리수의 곱셈 풀이 23~27쪽

058쪽 01 (1) $+2$ (2) $+3$

02 (1) $+$, 3, $+$, 6
(2) $+$, 9, $+$, 36
(3) $+$, $\dfrac{1}{6}$, $+$, $\dfrac{1}{30}$
(4) $+$, $\dfrac{4}{7}$, $+$, $\dfrac{4}{21}$

03 (1) $+21$ (2) $+48$
(3) $+6$ (4) $+3$
(5) $+\dfrac{8}{15}$ (6) $+\dfrac{5}{72}$

04 (1) $+3$ (2) $+2$

05 (1) $+,\ 2,\ +,\ 12$
(2) $+,\ 3,\ +,\ 27$
(3) $+,\ \dfrac{4}{3},\ +,\ \dfrac{10}{3}$
(4) $+,\ \dfrac{4}{7},\ +,\ \dfrac{1}{14}$

06 (1) $+24$ (2) $+16$
(3) $+3$ (4) $+2$
(5) $+\dfrac{3}{7}$ (6) $+\dfrac{15}{8}$

060쪽 **01** (1) -2 (2) -4

02 (1) $-,\ 3,\ -,\ 18$
(2) $-,\ 2,\ -,\ 8$
(3) $-,\ \dfrac{5}{3},\ -,\ \dfrac{10}{7}$
(4) $-,\ \dfrac{4}{9},\ -,\ \dfrac{1}{9}$

03 (1) -16 (2) -9
(3) $-\dfrac{1}{2}$ (4) $-\dfrac{3}{4}$
(5) -4 (6) -10

04 (1) -4 (2) -2

05 (1) $-,\ 9,\ -,\ 72$
(2) $-,\ 6,\ -,\ 24$
(3) $-,\ \dfrac{8}{3},\ -,\ \dfrac{16}{5}$
(4) $-,\ \dfrac{1}{12},\ -,\ \dfrac{1}{15}$

06 (1) -32 (2) -35
(3) $-\dfrac{2}{5}$ (4) $-\dfrac{2}{3}$
(5) -0.08 (6) -1.8

062쪽 **01** (1) -9 (2) $+6$

02 (1) ① -18 ② -18
(2) ① $+14$ ② $+14$
(3) ① -20 ② -20
(4) ① $+24$ ② $+24$

03 (1) ① -9 ② -9
(2) ① $+\dfrac{1}{5}$ ② $+\dfrac{1}{5}$
(3) ① $+0.6$ ② $+0.6$
(4) ① -8.4 ② -8.4

04 (1) 교환, 결합 (2) 교환, 결합

05 $(-25)\times(+6)\times(-4)$
$=(-25)\times(-4)\times(+6)$
$=\{(-25)\times(-4)\}\times(+6)$
$=(+100)\times(+6)=+600$

06 (1) $-\dfrac{3}{2}$ (2) -28

064쪽 **01** (1) $\dfrac{3}{14}$ (2) $\dfrac{7}{30}$
(3) $\dfrac{1}{80}$ (4) $\dfrac{3}{28}$

02 (1) $-,\ -,\ 36$ (2) $+,\ +,\ 72$
(3) $-,\ -,\ 48$ (4) $-,\ -,\ 210$

03 (1) $+,\ +,\ \dfrac{3}{8}$ (2) $-,\ -,\ 12$

04 (1) -140 (2) -60
(3) $+54$ (4) -120

05 (1) $+\dfrac{2}{15}$ (2) $+\dfrac{1}{21}$ (3) -2
(4) $-\dfrac{1}{12}$ (5) $-\dfrac{10}{3}$ (6) -12

06 (1) $-6,\ -4$ (2) $-7,\ -3$

066쪽 **01** (1) $2,\ 5$ (2) $3,\ 2$
(3) $10,\ 3$ (4) $\dfrac{1}{5},\ 2$

02 (1) $+1$ (2) $+16$
(3) $+\dfrac{1}{2},\ +\dfrac{1}{8}$ (4) $+\dfrac{1}{3},\ +\dfrac{1}{9}$

03 (1) $+8$ (2) $+25$

04 (1) -8 (2) $+16$
(3) -1 (4) -8
(5) -25 (6) $+1$

05 (1) -1 (2) $+1$
(3) $+\dfrac{1}{9}$ (4) $-\dfrac{1}{4}$
(5) $+49$ (6) $+\dfrac{1}{16}$

06 ②

068쪽 **01** (1) $-2,\ -200,\ -202$
(2) $8,\ 32,\ 832$

02 (1) 490 (2) -618
(3) 13 (4) -2

03 ③

04 (1) $15,\ 15,\ 10,\ 150$
(2) $49,\ 100,\ -300$

05 (1) 300 (2) -270 (3) -2
(4) 9 (5) 52 (6) -1300

06 ①

070쪽 **01** $+,\ 4,\ +,\ 32$

02 $+,\ 7,\ +,\ 35$

03 $+,\ \dfrac{5}{2},\ +,\ \dfrac{5}{12}$

04 $-,\ \dfrac{1}{2},\ -,\ \dfrac{3}{14}$

05 $-,\ \dfrac{9}{8},\ -,\ \dfrac{9}{10}$

06 $+18$ **07** -12

08 $+\dfrac{1}{7}$ **09** $-\dfrac{1}{12}$

10 $-\dfrac{1}{6}$

11 ① -24 ② -24

12 ① $-\dfrac{7}{2}$ ② $-\dfrac{7}{2}$

13 ㉠ 곱셈의 교환법칙,
㉡ 곱셈의 결합법칙

14 $+5,\ +5,\ -10,\ -190$

15 $-\dfrac{15}{4},\ -\dfrac{15}{4},\ +6,\ -36$

16 $+,\ +,\ 84$ **17** $-,\ -,\ \dfrac{1}{42}$

18 -96 **19** -120

20 $+10$ **21** $+2,\ +,\ 4$

22 $-4,\ -4,\ -,\ 64$

23 $+1$ **24** -4

25 $+\dfrac{1}{16}$

26 $7,\ 7,\ 700,\ 42,\ 742$

27 $35,\ 100,\ 500$ **28** 2346

29 -8 **30** -3

5단계 유리수의 나눗셈 / 혼합 계산
풀이 28~35쪽

074쪽 **01** (1) $+,\ 5,\ +,\ 2$
(2) $+,\ 2,\ +,\ 7$

02 (1) $+9$ (2) $+6$
(3) $+3$ (4) $+5$
(5) $+5$ (6) $+9$

03 ②

04 (1) $-,\ 4,\ -,\ 6$
(2) $-,\ 6,\ -,\ 8$

05 (1) -13 (2) -2
(3) -11 (4) -6
(5) -5 (6) -8

06 (1) $-\dfrac{3}{4}$ (2) $+\dfrac{4}{5}$ (3) $+\dfrac{2}{9}$

07 ④

076쪽

01 (1) $1, -\dfrac{4}{3}, -\dfrac{3}{4}$

(2) $1, +\dfrac{7}{2}, +\dfrac{2}{7}$

02 (1) $\dfrac{6}{5}$ (2) $-\dfrac{1}{3}$ (3) $\dfrac{1}{5}$ (4) $\dfrac{10}{9}$

03 (1) $-\dfrac{1}{8}$ (2) $\dfrac{7}{5}$ (3) $-\dfrac{4}{7}$

(4) $\dfrac{10}{7}$ (5) $\dfrac{10}{3}$ (6) $-\dfrac{10}{19}$

04 ②

05 (1) $+, \dfrac{8}{5}, \dfrac{8}{5}, +, 64$

(2) $+, \dfrac{3}{2}, \dfrac{3}{2}, -, \dfrac{6}{5}$

06 (1) -15 (2) $+20$

(3) $+9$ (4) -35

(5) $+\dfrac{1}{21}$ (6) $-\dfrac{1}{14}$

07 (1) $+\dfrac{4}{3}$ (2) $+\dfrac{1}{6}$

(3) $-\dfrac{6}{5}$ (4) $-\dfrac{3}{4}$

078쪽

01 $-\dfrac{1}{6}, \dfrac{1}{6}, -\dfrac{1}{12}$

02 (1) -18 (2) $-\dfrac{16}{3}$

(3) $+25$ (4) $-\dfrac{4}{7}$

03 (1) $+\dfrac{9}{7}$ (2) $+25$ (3) $+15$

(4) $-\dfrac{3}{4}$ (5) $+\dfrac{1}{12}$ (6) $-\dfrac{8}{15}$

04 (1) $+4, +4, -\dfrac{1}{5}, 4, \dfrac{1}{5}, -8$

(2) $+\dfrac{1}{9}, +\dfrac{1}{9}, -9, \dfrac{1}{9}, 9, -2$

05 (1) $-\dfrac{1}{12}$ (2) $+\dfrac{64}{3}$ (3) $-\dfrac{2}{3}$

(4) $-\dfrac{4}{7}$ (5) $-\dfrac{10}{3}$ (6) $+\dfrac{5}{36}$

080쪽

01 (1) ㉡, ㉠, ㉣ (2) ㉠, ㉡, ㉢

02 (1) $3, -2$ (2) $27, 20$

(3) $45, 9, -7$

(4) $8, 2, -4$ (5) $8, 2, 6, -1$

(6) $9, 9, 60, 9, 5, 4$

03 ㉣

04 (1) -1 (2) -23 (3) -2

(4) -36 (5) -28 (6) -30

05 (1) -14 (2) -6 (3) -29

(4) -8 (5) 39 (6) 22

06 ④

082쪽

01 (1) $3-7$에 ◯표

(2) $1-6$에 ◯표

02 (번호 순서대로)

(1) $-27, 3, -24 \,/\, -24$

(2) $-2, -40, 38 \,/\, 38$

(3) $21, 3, 3, 2 \,/\, 2$

(4) $-2, -12, -60, -15 \,/\, -15$

(5) $9, 7, -42 \,/\, -42$

(6) $-8, -4, -2 \,/\, -2$

03 (1) $\underset{\substack{②\ \ ①}}{(7-5)\times(-3)^2}=18$ ③ ④

(2) $7+\{(2-8)\div3\}\times4=-1$ ① ② ③ ④

(3) $\{(-2)^3\times3+4\}\div(-5)=4$ ① ② ③ ④

(4) $2\times\{(-3)^3-(1+2)\}=-60$ ① ② ③ ④

04 (1) -5 (2) -8

(3) 19 (4) 18

05 (1) 26 (2) 5 (3) 19 (4) 2

084쪽

01 (1) ㉠, ㉣, ㉡, ㉢

(2) ㉠, ㉡, ㉢

02 (1) $\dfrac{2}{3}, -\dfrac{2}{3}$

(2) $-\dfrac{1}{6}, 1$

(3) $-15, -15, 6, -9$

(4) $16, 2, -\dfrac{3}{2}$

(5) $25, 40, 40, -2$

(6) $9, 2, 2, 4$

03 민재

04 (1) $\dfrac{5}{7}$ (2) $-\dfrac{3}{5}$

(3) $-\dfrac{4}{3}$ (4) 2

05 (1) $\dfrac{13}{9}$ (2) 11

(3) $\dfrac{23}{14}$ (4) $\dfrac{19}{3}$

06 ③

086쪽

01 ㉣, ㉡, ㉢, ㉠

02 (번호 순서대로)

(1) $25, 15, 21 \,/\, 21$

(2) $-\dfrac{1}{2}, \dfrac{3}{2}, -2 \,/\, -2$

03 ㉡

04 (1) $\left(\dfrac{1}{2}+\dfrac{1}{3}\right)\div\left(-\dfrac{5}{12}\right)=-2$ ① ②

(2) $1+\left(\dfrac{3}{2}\right)^2\times\left(1-\dfrac{1}{2}\right)=\dfrac{17}{8}$ ① ② ③ ④

(3) $2-\left\{\left(-1+\dfrac{5}{6}\right)\div\dfrac{3}{2}\right\}\times3=\dfrac{7}{3}$ ① ② ③ ④

(4) $8\times\left\{\left(-\dfrac{1}{2}\right)^3\div\left(\dfrac{3}{4}-1\right)+2\right\}$ ① ② ③ ④ ⑤

$=20$

05 (1) -3 (2) -1 (3) -4 (4) $\dfrac{8}{5}$

(5) $-\dfrac{23}{10}$ (6) 2

06 ⑤

088쪽

01 $+, 2, +, 6$　**02** $-, 7, -, 8$

03 $+9$　**04** -7

05 $+\dfrac{2}{7}$　**06** $-\dfrac{1}{8}$

07 $\dfrac{12}{5}$

08 $-, \dfrac{5}{4}, \dfrac{5}{4}, -, \dfrac{11}{12}$

09 $+\dfrac{2}{5}$　**10** $-\dfrac{1}{10}$

11 $+\dfrac{1}{7}, \dfrac{1}{7}, +10$

12 $+\dfrac{12}{7}, \dfrac{12}{7}, +\dfrac{10}{7}$

13 $+\dfrac{35}{2}$　**14** $-\dfrac{4}{3}$

15 $+48$

16 ㉢, ㉡, ㉠, ㉣

17 ㉢, ㉣, ㉡, ㉠

18 (번호 순서대로)
　　-1, -9, 3, -12 / -12

19 -3

20 5　　　　　**21** $\dfrac{6}{5}$, $-\dfrac{2}{5}$

22 $\dfrac{1}{5}$, $-\dfrac{2}{15}$　**23** $\dfrac{3}{8}$

24 $\dfrac{1}{2}$　　　　**25** -4

26 ㉡, ㉣, ㉢, ㉤, ㉠

27 ㉣, ㉢, ㉡, ㉠, ㉤

28 $\dfrac{1}{3}$　　　　**29** -56

30 -1

6단계 성취도 확인 평가　풀이 36~40쪽

092쪽 **01** ⑤　　　　**02** $+4$

03 $-\dfrac{1}{3}$　　　**04** ④

05 $<$　　　　**06** $+11$

07 $+3$　　　**08** $+\dfrac{7}{4}$

09 ②　　　　**10** ④

11 -1　　　**12** $-\dfrac{3}{8}$

13 $+3$, $+\dfrac{9}{4}$, -2, $-\dfrac{2}{3}$

14 -8　　　**15** $-\dfrac{17}{10}$

16 -32　　　**17** $-\dfrac{2}{5}$

18 $+\dfrac{1}{12}$　　**19** ④

20 100, 5, 115, 2415

21 $-\dfrac{5}{7}$　　**22** $+\dfrac{2}{3}$

23 ②　　　　**24** ③

25 ④

095쪽 **01** ②　　　　**02** $|-6|=6$

03 $\left|-\dfrac{2}{11}\right|=\dfrac{2}{11}$

04 ⑤　　　**05** $-1\le a<7$

06 ①　　　**07** -8

08 $+5$

09 ㉠ 덧셈의 교환법칙,
　　㉡ 덧셈의 결합법칙

---

10 ③　　　**11** $+\dfrac{1}{4}$

12 -3.2　　**13** $-\dfrac{5}{21}$

14 -1.7　　**15** $+\dfrac{1}{9}$

16 $+4$, -4, -4, -4, $+7$

17 -45　　**18** $+\dfrac{35}{4}$

19 $+\dfrac{1}{6}$　　**20** ②

21 ④　　　**22** $-\dfrac{9}{4}$, -63

23 ③　　　**24** 13

25 4

098쪽 **01** ④　　　　**02** $+8$

03 $-\dfrac{5}{6}$　　**04** 17

05 -1, 0, $+1$, $+2$

06 -2, -1, 0

07 ②　　　**08** $-\dfrac{13}{16}$

09 $+5.5$　　**10** -4

11 $-\dfrac{17}{9}$　　**12** $+\dfrac{1}{15}$

13 $-\dfrac{27}{10}$　　**14** -11

15 ⑤　　　**16** $+63$

17 $+\dfrac{2}{5}$　　**18** $+\dfrac{4}{9}$

19 -36　　**20** -40

21 ②　　　**22** $+32$

23 16, 2, 2, $\dfrac{1}{6}$, $\dfrac{11}{6}$

24 $\underset{①}{\left(-\dfrac{1}{2}\right)^2\times 4}-\underset{③}{3\div\dfrac{1}{2}}=-5$
　　　$\underset{②}{}$
　　　　$\underset{④}{}$

25 $\dfrac{1}{2}$

101쪽 **01** ⑤　　　　**02** 11

03 2　　　**04** ③

05 ②　　　**06** ㉡

07 $+1$　　**08** $-\dfrac{13}{18}$

09 $+\dfrac{19}{20}$　**10** ⑤

---

11 -10　　**12** $-\dfrac{20}{21}$

13 ⑤　　　**14** ④

15 -6　　**16** $+\dfrac{5}{6}$

17 ㉠ 곱셈의 교환법칙,
　　㉡ 곱셈의 결합법칙

18 ④　　　**19** ③

20 -20　　**21** $+\dfrac{3}{2}$

22 -38　　**23** 1

24 2　　　**25** -54

정답 및 풀이

01 부호가 붙은 수
006~007쪽

01 (1) − (2) + (3) + (4) − (5) − (6) +

02 (1) −5시간 (2) +4년 (3) −5 km (4) −700원

03 (1) +1, 플러스 일
(2) −2, 마이너스 이

04 (1) +6 (2) −8 (3) $-\dfrac{1}{4}$ (4) $+\dfrac{2}{7}$
(5) −1.3 (6) +9.5

05 (1) 양 (2) 음 (3) 음 (4) 양

---

01 (1) 득점: +, 실점: −
(2) 감소: −, 증가: +
(3) 영하: −, 영상: +
(4) 수입: +, 지출: −
(5) 해발: +, 해저: −
(6) 지하: −, 지상: +

> **잠깐만**
>
> | + | 영상 | 증가 | 이익 | 해발 | 지상 |
> |---|---|---|---|---|---|
> | − | 영하 | 감소 | 손해 | 해저 | 지하 |

02 (1) ~전: − ➡ 출발 5시간 전: −5시간
(2) ~후: + ➡ 4년 후: +4년
(3) 서쪽: − ➡ 서쪽으로 5 km 떨어진 곳: −5 km
(4) 손해: − ➡ 700원 손해: −700원

03 (1) 0보다 큰 수는 양의 부호 +를 붙여서 나타낸다.
(2) 0보다 작은 수는 음의 부호 −를 붙여서 나타낸다.

04 (1) 0보다 6만큼 큰 수: +6
(2) 0보다 8만큼 작은 수: −8
(3) 0보다 $\dfrac{1}{4}$만큼 작은 수: $-\dfrac{1}{4}$
(4) 0보다 $\dfrac{2}{7}$만큼 큰 수: $+\dfrac{2}{7}$
(5) 0보다 1.3만큼 작은 수: −1.3
(6) 0보다 9.5만큼 큰 수: +9.5

05 (1) 0보다 4만큼 큰 수: +4 ➡ 양수
(2) 0보다 7만큼 작은 수: −7 ➡ 음수
(3) 0보다 $\dfrac{1}{3}$만큼 작은 수: $-\dfrac{1}{3}$ ➡ 음수
(4) 0보다 $\dfrac{2}{5}$만큼 큰 수: $+\dfrac{2}{5}$ ➡ 양수

---

02 정수
008~009쪽

01 (1) +4, +9, 7, +5
(2) −1, −8

02

수	+2.5	+10	$-\dfrac{1}{2}$	0	+3
양수	○	○	×	×	○
음수	×	×	○	×	×
자연수	×	○	×	×	○
정수	×	○	×	○	○

03 (1) × (2) ○ (3) ○ (4) ×

04 (1) A: −6, B: −3, C: +4
(2) A: −4, B: +1, C: +3

05 (1)

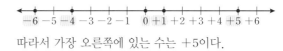

(2)

06 ②

---

01 (1) 양의 정수는 자연수에 양의 부호를 붙인 수이다.
양의 부호 +는 생략하여 나타낼 수 있다.
(2) 음의 정수는 자연수에 음의 부호를 붙인 수이다.

02 • 양수는 0보다 큰 수이다.
• 음수는 0보다 작은 수이다.
• 양의 정수는 자연수와 같다.
• 양의 정수, 0, 음의 정수를 통틀어 정수라 한다.

03 (1) 0은 정수이다.
(4) 양의 정수, 0, 음의 정수를 통틀어 정수라 한다.

> **잠깐만** 정수
> 양의 정수(자연수)
> 0
> 음의 정수

04 (1) A: 원점에서 왼쪽으로 6만큼 이동 ➡ −6,
B: 원점에서 왼쪽으로 3만큼 이동 ➡ −3,
C: 원점에서 오른쪽으로 4만큼 이동 ➡ +4
(2) A: 원점에서 왼쪽으로 4만큼 이동 ➡ −4,
B: 원점에서 오른쪽으로 1만큼 이동 ➡ +1,
C: 원점에서 오른쪽으로 3만큼 이동 ➡ +3

06 주어진 수들을 수직선 위에 나타내면 다음과 같다.

따라서 가장 오른쪽에 있는 수는 +5이다.

03 유리수
010~011쪽

01 (1) $+\dfrac{1}{4}$, $+3.8$, 0.7 (2) $-\dfrac{1}{3}$, -6, -2

(3) $-\dfrac{1}{3}$, $+\dfrac{1}{4}$, $+3.8$, 0.7 (4) 0

02 ④

03 (1) A: $-\dfrac{3}{2}\left(=-1\dfrac{1}{2}\right)$, B: $+\dfrac{3}{2}\left(=+1\dfrac{1}{2}\right)$

(2) A: $-\dfrac{8}{3}\left(=-2\dfrac{2}{3}\right)$, B: $+\dfrac{1}{2}$

04 (1) $+2$, 3 /

(2) -2, 2 /

05 ④

---

01 (1) 양의 유리수는 $\dfrac{(자연수)}{(자연수)}$에 양의 부호를 붙인 수이다.

(2) 음의 유리수는 $\dfrac{(자연수)}{(자연수)}$에 음의 부호를 붙인 수이다.

(4) 양의 유리수도 음의 유리수도 아닌 수는 0이다.

[잠깐만] 유리수

유리수 $\begin{cases} \text{정수} \begin{cases} \text{양의 정수} \\ 0 \\ \text{음의 정수} \end{cases} \\ \text{정수가 아닌 유리수} \end{cases}$

02 ① 양수: $+4.7$, $+5$, $\dfrac{9}{4}$ ➡ 3개

② 음수: $-\dfrac{3}{2}$, $-\dfrac{8}{2}$, -1 ➡ 3개

③ 정수: 0, $+5$, $-\dfrac{8}{2}(=-4)$, -1 ➡ 4개

④ 정수가 아닌 유리수: $+4.7$, $-\dfrac{3}{2}$, $\dfrac{9}{4}$ ➡ 3개

⑤ 양의 유리수($=$양수): $+4.7$, $+5$, $\dfrac{9}{4}$ ➡ 3개

[잠깐만] $-\dfrac{8}{2}=-4$로 약분되므로 정수이다.

03 (1) A: -2와 -1 사이를 2등분한 점 ➡ $-1\dfrac{1}{2}=-\dfrac{3}{2}$

B: $+1$과 $+2$ 사이를 2등분한 점 ➡ $+1\dfrac{1}{2}=+\dfrac{3}{2}$

(2) A: -3과 -2 사이를 3등분한 점 중 -2에서 왼쪽으로

둘째 점 ➡ $-2\dfrac{2}{3}=-\dfrac{8}{3}$

B: 0과 $+1$ 사이를 2등분한 점 ➡ $+\dfrac{1}{2}$

05 ④ D: $+2$와 $+3$ 사이를 4등분한 점 중 $+2$에서 오른쪽으

로 3째 점 ➡ $+2\dfrac{3}{4}=+\dfrac{11}{4}$

---

04 절댓값
012~013쪽

01 (1) 4, 4 (2) 2.5, 2.5

(3) $\dfrac{3}{2}$, $\dfrac{3}{2}$, $\dfrac{3}{2}$, $\dfrac{3}{2}$ (4) $\dfrac{9}{2}$, $\dfrac{9}{2}$, $\dfrac{9}{2}$, $\dfrac{9}{2}$

02 (1) 7 (2) $|-2|=2$

(3) $\left|+\dfrac{3}{8}\right|=\dfrac{3}{8}$ (4) $\left|-\dfrac{5}{3}\right|=\dfrac{5}{3}$

03 (1) 9 (2) 8 (3) $\dfrac{4}{5}$ (4) 1.3

04 (1) -7, $+7$ (2) -1.6, $+1.6$

(3) $-\dfrac{1}{3}$, $+\dfrac{1}{3}$ (4) $-\dfrac{2}{5}$, $+\dfrac{2}{5}$

05 (1) $+5$, -5 (2) $+3$, -3 (3) $+\dfrac{1}{2}$, $-\dfrac{1}{2}$

(4) $+\dfrac{1}{4}$, $-\dfrac{1}{4}$ (5) $+2.3$, -2.3 (6) $+4.9$, -4.9

06 (1) $+1$ (2) -3.5 (3) $+8$, -8 (4) $+\dfrac{3}{4}$, $-\dfrac{3}{4}$

07

---

01 절댓값은 수직선 위에서 어떤 수를 나타내는 점과 원점 사이의 거리를 나타낸다.

02 (1) $+7$의 절댓값 ➡ $|+7|=7$

(2) -2의 절댓값 ➡ $|-2|=2$

(3) $+\dfrac{3}{8}$의 절댓값 ➡ $\left|+\dfrac{3}{8}\right|=\dfrac{3}{8}$

(4) $-\dfrac{5}{3}$의 절댓값 ➡ $\left|-\dfrac{5}{3}\right|=\dfrac{5}{3}$

04 (1) 원점으로부터 거리가 7인 수: $+7$, -7

(2) 원점으로부터 거리가 1.6인 수: $+1.6$, -1.6

(3) 원점으로부터 거리가 $\dfrac{1}{3}$인 수: $+\dfrac{1}{3}$, $-\dfrac{1}{3}$

(4) 원점으로부터 거리가 $\dfrac{2}{5}$인 수: $+\dfrac{2}{5}$, $-\dfrac{2}{5}$

05 (1) 원점으로부터 거리가 5인 수: $+5$, -5

(2) 원점으로부터 거리가 3인 수: $+3$, -3

(3) 원점으로부터 거리가 $\dfrac{1}{2}$인 수: $+\dfrac{1}{2}$, $-\dfrac{1}{2}$

(4) 원점으로부터 거리가 $\dfrac{1}{4}$인 수: $+\dfrac{1}{4}$, $-\dfrac{1}{4}$

(5) 원점으로부터 거리가 2.3인 수: $+2.3$, -2.3

(6) 원점으로부터 거리가 4.9인 수: $+4.9$, -4.9

[잠깐만] • 절댓값이 0인 수: 0 ➡ 1개

• 절댓값이 $a(a>0)$인 수: $+a$, $-a$ ➡ 2개

06 (1) 절댓값이 1인 수: $+1$, -1

➡ 절댓값이 1인 양수: $+1$

(2) 절댓값이 3.5인 수: $+3.5$, -3.5

➡ 절댓값이 3.5인 음수: -3.5

07 원점으로부터 거리가 2인 수: $+2$, -2

➡ $+2$, -2에 각각 점을 찍는다.

05 절댓값의 대소 관계 | 014~015쪽

01 (1) > (2) < (3) < (4) >

02 (1) ① 3, 2 ② > (2) ① 15, 17 ② <

03 (1) +9 (2) -8 (3) $-\dfrac{4}{5}$ (4) -0.4

04 (1) 0, -1, +1, 0, +1 (2) -2, -1, 0, +1, +2
　(3) -3, -2, -1, 0, +1, +2, +3
　(4) -1, 0, +1

05 (1) 9개 (2) 7개 (3) 5개 (4) 7개

06 ④

01 (1) $|+4|=4$, $|-3|=3$
　　➡ $4>3$ ➡ $|+4|>|-3|$
　(2) $|+6|=6$, $|+7|=7$
　　➡ $6<7$ ➡ $|+6|<|+7|$
　(3) $|-12|=12$, $|+14|=14$
　　➡ $12<14$ ➡ $|-12|<|+14|$
　(4) $|-36|=36$, $|-25|=25$
　　➡ $36>25$ ➡ $|-36|>|-25|$

02 (1) $|-3|=3$, $|+2|=2$
　　➡ $3>2$ ➡ $|-3|>|+2|$
　(2) $|-15|=15$, $|-17|=17$
　　➡ $15<17$ ➡ $|-15|<|-17|$

03 (1) $|+1|=1$, $|+9|=9$
　　➡ $1<9$ ➡ $|+1|<|+9|$
　(2) $|-8|=8$, $|-2|=2$
　　➡ $8>2$ ➡ $|-8|>|-2|$
　(3) $\left|-\dfrac{4}{5}\right|=\dfrac{4}{5}$, $\left|+\dfrac{1}{5}\right|=\dfrac{1}{5}$
　　➡ $\dfrac{4}{5}>\dfrac{1}{5}$ ➡ $\left|-\dfrac{4}{5}\right|>\left|+\dfrac{1}{5}\right|$
　(4) $|+0.3|=0.3$, $|-0.4|=0.4$
　　➡ $0.3<0.4$ ➡ $|+0.3|<|-0.4|$

04 (2) 절댓값이 3보다 작은 정수는 절댓값이 0, 1, 2인 정수이다.
　　• 절댓값이 0인 정수: 0
　　• 절댓값이 1인 정수: -1, +1
　　• 절댓값이 2인 정수: -2, +2
　　➡ 절댓값이 3보다 작은 정수: -2, -1, 0, +1, +2
　(3) 절댓값이 4보다 작은 정수는 절댓값이 0, 1, 2, 3인 정수이다.
　　• 절댓값이 0인 정수: 0
　　• 절댓값이 1인 정수: -1, +1
　　• 절댓값이 2인 정수: -2, +2
　　• 절댓값이 3인 정수: -3, +3
　　➡ 절댓값이 4보다 작은 정수:
　　　-3, -2, -1, 0, +1, +2, +3

　(4) 절댓값이 2 미만인 정수는 절댓값이 0, 1인 정수이다.
　　• 절댓값이 0인 정수: 0
　　• 절댓값이 1인 정수: -1, +1
　　➡ 절댓값이 2 미만인 정수: -1, 0, +1

05 (1) 절댓값이 5 미만인 정수는 절댓값이 0, 1, 2, 3, 4인 정수이다.
　　절댓값이 5 미만인 정수:
　　　-4, -3, -2, -1, 0, +1, +2, +3, +4 ➡ 9개
　(2) 절댓값이 3 이하인 정수는 절댓값이 0, 1, 2, 3인 정수이다.
　　절댓값이 3 이하인 정수:
　　　-3, -2, -1, 0, +1, +2, +3 ➡ 7개
　(3) 절댓값이 2.5보다 작은 정수는 절댓값이 0, 1, 2인 정수이다.
　　절댓값이 2.5보다 작은 정수:
　　　-2, -1, 0, +1, +2 ➡ 5개
　(4) $\dfrac{7}{2}=3.5$이므로 절댓값이 $\dfrac{7}{2}$ 미만인 정수는 절댓값이 0, 1, 2, 3인 정수이다.
　　절댓값이 $\dfrac{7}{2}$ 미만인 정수:
　　　-3, -2, -1, 0, +1, +2, +3 ➡ 7개

06 절댓값이 1 이상 4 미만인 정수는 절댓값이 1, 2, 3인 정수이다.
　➡ 절댓값이 1 이상 4 미만인 정수는 -3, -2, -1, +1, +2, +3으로 모두 6개이다.

06 절댓값의 계산 | 016~017쪽

01 (1) 3 (2) 12 (3) $\dfrac{2}{3}$ (4) $\dfrac{4}{7}$

02 (1) 3, 2, 5 (2) 4, 9, 13 (3) 12, 4, 16
　(4) 0.3, 0.4, 0.7

03 (1) 7 (2) 10 (3) $\dfrac{3}{5}$ (4) $\dfrac{5}{4}$

04 ④

05 (1) 6 (2) 2 (3) $\dfrac{4}{11}$ (4) $\dfrac{1}{9}$

06 (1) 7, 4, 3 (2) 5, 2, 3 (3) 6, 2, 4 (4) 1.3, 0.5, 0.8

07 (1) 7 (2) 3 (3) $\dfrac{5}{3}$ (4) $\dfrac{9}{14}$

08 4

01 (1) $|+1|+|+2|=1+2=3$

(2) $|-5|+|+7|=5+7=12$

(3) $\left|-\dfrac{1}{3}\right|+\left|-\dfrac{1}{3}\right|=\dfrac{1}{3}+\dfrac{1}{3}=\dfrac{2}{3}$

(4) $\left|+\dfrac{2}{7}\right|+\left|-\dfrac{2}{7}\right|=\dfrac{2}{7}+\dfrac{2}{7}=\dfrac{4}{7}$

02 (1) $|-3|=3,\ |+2|=2 \Rightarrow 3+2=5$

(2) $|+4|=4,\ |+9|=9 \Rightarrow 4+9=13$

(3) $|+12|=12,\ |-4|=4 \Rightarrow 12+4=16$

(4) $|-0.3|=0.3,\ |-0.4|=0.4 \Rightarrow 0.3+0.4=0.7$

03 (1) $|-6|=6,\ |-1|=1 \Rightarrow 6+1=7$

(2) $|+7|=7,\ |+3|=3 \Rightarrow 7+3=10$

(3) $\left|-\dfrac{2}{5}\right|=\dfrac{2}{5},\ \left|+\dfrac{1}{5}\right|=\dfrac{1}{5} \Rightarrow \dfrac{2}{5}+\dfrac{1}{5}=\dfrac{3}{5}$

(4) 분모가 다른 두 분수의 덧셈은 통분한 후 계산한다.

$\left|+\dfrac{1}{2}\right|=\dfrac{1}{2}=\dfrac{2}{4},\ \left|-\dfrac{3}{4}\right|=\dfrac{3}{4} \Rightarrow \dfrac{2}{4}+\dfrac{3}{4}=\dfrac{5}{4}$

04 $a=|-17|=17,\ b=|+4|=4$

$\Rightarrow a+b=17+4=21$

05 (1) $|+8|-|-2|=8-2=6$

(2) $|+3|-|+1|=3-1=2$

(3) $\left|-\dfrac{5}{11}\right|-\left|-\dfrac{1}{11}\right|=\dfrac{5}{11}-\dfrac{1}{11}=\dfrac{4}{11}$

(4) $\left|-\dfrac{4}{9}\right|-\left|+\dfrac{3}{9}\right|=\dfrac{4}{9}-\dfrac{3}{9}=\dfrac{1}{9}$

06 (1) $|-7|=7,\ |+4|=4$

$\Rightarrow$ 절댓값의 크기 비교: $7>4$

$\Rightarrow$ 절댓값의 차: $7-4=3$

(2) $|-2|=2,\ |-5|=5$

$\Rightarrow$ 절댓값의 크기 비교: $2<5$

$\Rightarrow$ 절댓값의 차: $5-2=3$

(3) $|+2|=2,\ |-6|=6$

$\Rightarrow$ 절댓값의 크기 비교: $2<6$

$\Rightarrow$ 절댓값의 차: $6-2=4$

(4) $|+1.3|=1.3,\ |+0.5|=0.5$

$\Rightarrow$ 절댓값의 크기 비교: $1.3>0.5$

$\Rightarrow$ 절댓값의 차: $1.3-0.5=0.8$

07 (1) $|+1|=1,\ |-8|=8$

$\Rightarrow$ 절댓값의 크기 비교: $1<8$

$\Rightarrow$ 절댓값의 차: $8-1=7$

(2) $|+3|=3,\ |-6|=6$

$\Rightarrow$ 절댓값의 크기 비교: $3<6$

$\Rightarrow$ 절댓값의 차: $6-3=3$

(3) $\left|-\dfrac{2}{3}\right|=\dfrac{2}{3},\ \left|+\dfrac{7}{3}\right|=\dfrac{7}{3}$

$\Rightarrow$ 절댓값의 크기 비교: $\dfrac{2}{3}<\dfrac{7}{3}$

$\Rightarrow$ 절댓값의 차: $\dfrac{7}{3}-\dfrac{2}{3}=\dfrac{5}{3}$

(4) 분모가 다른 두 분수의 뺄셈은 통분한 후 계산한다.

$\left|-\dfrac{5}{7}\right|=\dfrac{5}{7}=\dfrac{10}{14},\ \left|-\dfrac{1}{14}\right|=\dfrac{1}{14}$

$\Rightarrow$ 절댓값의 크기 비교: $\dfrac{10}{14}>\dfrac{1}{14}$

$\Rightarrow$ 절댓값의 차: $\dfrac{10}{14}-\dfrac{1}{14}=\dfrac{9}{14}$

08 절댓값이 10인 수는 $+10,\ -10$이고, 이 중 양수는 $+10$이므로 $a=+10=10$,

$b=(-6$의 절댓값$) \Rightarrow |-6|=6$

$\Rightarrow a-b=10-6=4$

---

07 유리수의 대소 관계 018~019쪽

01 (1) $<$　(2) $<$　(3) $>$　(4) $<$

02 (1) $>$　(2) $<$

03 (1) 5, 8, $<$　(2) 17, 14, $>$

04 (1) $<$　(2) $>$　(3) $>$　(4) $<$

05 (1) 3, 4, $>$　(2) 16, 23, $>$

06 (1) $-6>-7$　(2) $+\dfrac{1}{2}>-\dfrac{3}{4}$

07 ⑤

---

02 (1) $|+11|=\underset{\underset{11>8}{\longleftarrow}}{11},\ |+8|=8 \Rightarrow +11>+8$

(2) $|+2|=\underset{\underset{2<9}{\longleftarrow}}{2},\ |+9|=9 \Rightarrow +2<+9$

03 (1) 분모가 다른 분수이므로 통분하여 크기를 비교한다.

$\left|+\dfrac{1}{4}\right|=\dfrac{1}{4}=\dfrac{5}{20},\ \left|+\dfrac{2}{5}\right|=\dfrac{2}{5}=\dfrac{8}{20} \Rightarrow +\dfrac{1}{4}<+\dfrac{2}{5}$

$\underset{\frac{5}{20}<\frac{8}{20}}{\longleftarrow}$

(2) $|+1.7|=1.7=\dfrac{17}{10},\ \left|+\dfrac{7}{5}\right|=\dfrac{7}{5}=\dfrac{14}{10}$

$\underset{\frac{17}{10}>\frac{14}{10}}{\longleftarrow}$

$\Rightarrow +1.7>+\dfrac{7}{5}$

04 (1) $|-12|=\underset{\underset{12>7}{\longleftarrow}}{12},\ |-7|=7 \Rightarrow -12<-7$

(2) $|-5|=\underset{\underset{5<14}{\longleftarrow}}{5},\ |-14|=14 \Rightarrow -5>-14$

(3) $\left|-\dfrac{2}{9}\right|=\dfrac{2}{9},\ \left|-\dfrac{4}{9}\right|=\dfrac{4}{9} \Rightarrow -\dfrac{2}{9}>-\dfrac{4}{9}$

$\underset{\frac{2}{9}<\frac{4}{9}}{\longleftarrow}$

(4) $|-0.7|=\underset{\underset{0.7>0.1}{\longleftarrow}}{0.7},\ |-0.1|=0.1 \Rightarrow -0.7<-0.1$

05 (1) $\left|-\dfrac{1}{4}\right|=\dfrac{1}{4}=\dfrac{3}{12},\ \left|-\dfrac{1}{3}\right|=\dfrac{1}{3}=\dfrac{4}{12} \Rightarrow -\dfrac{1}{4}>-\dfrac{1}{3}$

$\underset{\frac{3}{12}<\frac{4}{12}}{\longleftarrow}$

(2) $\left|-\dfrac{8}{5}\right|=\dfrac{8}{5}=\dfrac{16}{10}$, $|-2.3|=2.3=\dfrac{23}{10}$

$\underbrace{\dfrac{16}{10}<\dfrac{23}{10}}$

➡ $-\dfrac{8}{5}>-2.3$

06 (1) $|-6|=6$, $|-7|=7$ ➡ $-6>-7$
$\underbrace{6<7}$

(2) 양수는 음수보다 크므로 $+\dfrac{1}{2}>-\dfrac{3}{4}$이다.

07 ① $+6>-5.5$

② $\left|+\dfrac{9}{4}\right|=\dfrac{9}{4}$, $\left|+\dfrac{3}{2}\right|=\dfrac{3}{2}=\dfrac{6}{4}$ ➡ $+\dfrac{9}{4}>+\dfrac{3}{2}$
$\underbrace{\dfrac{9}{4}>\dfrac{6}{4}}$

③ $\dfrac{5}{4}>0$

④ $\left|-\dfrac{7}{2}\right|=\dfrac{7}{2}$, $|-1|=1$ ➡ $-\dfrac{7}{2}<-1$
$\underbrace{\dfrac{7}{2}>1}$

---

08 부등호를 사용하여 나타내기 [020~021쪽]

01 (1) > (2) < (3) ≤ (4) ≤, ≤
02 (1) $a\geq-5$ (2) $a>9$ (3) $a\geq-1$ (4) $-4<a\leq7$
03 ㉡
04 (1) -2, -1, 0, $+1$, $+2$ (2) -3, -2, -1, 0
(3) -1, 0, $+1$, $+2$
05 (1) 2개 (2) 5개 (3) 6개 (4) 4개
06 ④

---

01 (4) a는 -5보다 크거나 같고 ➡ $a\geq-5$
a는 $\dfrac{1}{2}$ 이하이다. ➡ $a\leq\dfrac{1}{2}$

02 (1) a는 -5 이상이다. ➡ $a\geq-5$
(2) a는 9 초과이다. ➡ $a>9$
(3) a는 -1보다 작지 않다. ➡ $a\geq-1$
(4) a는 -4보다 크고 ➡ $a>-4$
a는 7보다 작거나 같다. ➡ $a\leq7$

03 ㉠ a는 1보다 크거나 같다. ➡ $a\geq1$
㉡ a는 8보다 크지 않다. ➡ $a\leq8$

04 (1) -3보다 크고 $+2$ 이하인 정수

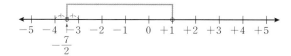

따라서 구하는 정수는 -2, -1, 0, $+1$, $+2$이다.

(2) $-\dfrac{7}{2}$보다 크고 $+1$보다 작은 정수

따라서 구하는 정수는 -3, -2, -1, 0이다.

---

(3) -1 이상이고 $+2.5$보다 작은 정수

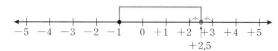

따라서 구하는 정수는 -1, 0, $+1$, $+2$이다.

05 (1)

a는 $+1$, $+2$의 2개이다.

(2)

a는 -1, 0, $+1$, $+2$, $+3$의 5개이다.

(3)

a는 -6, -5, -4, -3, -2, -1의 6개이다.

(4)

a는 -1, 0, $+1$, $+2$의 4개이다.

06 $-\dfrac{7}{4}$과 $+\dfrac{9}{4}$ 사이에 있는 정수

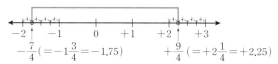

$-\dfrac{7}{4}\left(=-1\dfrac{3}{4}=-1.75\right)$　　$+\dfrac{9}{4}\left(=+2\dfrac{1}{4}=+2.25\right)$

➡ 두 수 사이에 있는 정수는 -1, 0, $+1$, $+2$의 4개이다.

---

09 실력 확인 TEST [022~024쪽]

01 $+300$ m　　**02** -7　　**03** $+\dfrac{1}{4}$

04 $+10$, $+\dfrac{9}{3}$, 6　**05** -4, -5　**06** ×

07 ○　　　　**08** $+\dfrac{1}{4}$, $+8$, $+3$

09 -2.5, $+\dfrac{1}{4}$, $-\dfrac{2}{5}$　　**10** A: -2, B: $+1$

11
A　　B　　C
$-4\ -3\ -2\ -1\ \ 0\ +1\ +2\ +3\ +4$

12 A: $-\dfrac{1}{3}$, B: $+\dfrac{5}{4}\left(=+1\dfrac{1}{4}\right)$

13 3.5, 3.5, 3.5, 3.5

14 $+10$, -10　**15** $+\dfrac{1}{3}$, $-\dfrac{1}{3}$　**16** ㉡

17 $+7$　　**18** $-\dfrac{13}{9}$

19 -2, -1, 0, $+1$, $+2$　　**20** 14

21 $\dfrac{5}{7}$　　**22** 3　　**23** $\dfrac{4}{5}$

24 >　　**25** <　　**26** <

27 ≥　　**28** $0<a\leq3$

29 -5, -4, -3, -2, -1, 0, $+1$

30 -1, 0, $+1$, $+2$, $+3$

01 해저: $-$ ➡ 해저 500 m: -500 m

해발: $+$ ➡ 해발 300 m: $+300$ m

02 0보다 7만큼 작은 수: -7

03 0보다 $\dfrac{1}{4}$만큼 큰 수: $+\dfrac{1}{4}$

04 자연수에 양의 부호를 붙인 수로

$+10$, $+\dfrac{9}{3}(=+3)$, 6이다.

05 자연수에 음의 부호를 붙인 수로 -4, -5이다.

06 음의 정수가 아닌 정수는 양의 정수, 0이다.

07 모든 정수는 $\dfrac{(정수)}{(0이\ 아닌\ 정수)}$로 나타낼 수 있으므로 유리수이다.

10 A: 원점에서 왼쪽으로 2만큼 이동 ➡ -2

B: 원점에서 오른쪽으로 1만큼 이동 ➡ $+1$

11 수직선 위에 해당하는 수를 찾아 점을 찍는다.

12 A: -1과 0 사이를 3등분한 점 중 0에서 왼쪽으로 첫째 점

➡ $-\dfrac{1}{3}$

B: $+1$과 $+2$ 사이를 4등분한 점 중 $+1$에서 오른쪽으로 첫째 점

➡ $+1\dfrac{1}{4}=+\dfrac{5}{4}$

14 원점으로부터 거리가 10인 수: $+10$, -10

15 원점으로부터 거리가 $\dfrac{1}{3}$인 수: $+\dfrac{1}{3}$, $-\dfrac{1}{3}$

16 ㉡ $\left|-\dfrac{1}{2}\right|=\dfrac{1}{2}$

17 $|+5|=5$, $|+7|=7$

➡ $5<7$ ➡ $|+5|<|+7|$

18 $\left|-\dfrac{13}{9}\right|=\dfrac{13}{9}$, $\left|-\dfrac{4}{9}\right|=\dfrac{4}{9}$

➡ $\dfrac{13}{9}>\dfrac{4}{9}$

➡ $\left|-\dfrac{13}{9}\right|>\left|-\dfrac{4}{9}\right|$

19 $\dfrac{8}{3}=2\dfrac{2}{3}$이므로

절댓값이 $\dfrac{8}{3}$ 이하인 정수는 절댓값이 0, 1, 2인 정수이다.

• 절댓값이 0인 정수: 0

• 절댓값이 1인 정수: -1, $+1$

• 절댓값이 2인 정수: -2, $+2$

➡ 절댓값이 $\dfrac{8}{3}$ 이하인 정수: -2, -1, 0, $+1$, $+2$

20 $|-8|+|-6|=8+6=14$

21 $\left|+\dfrac{4}{7}\right|+\left|-\dfrac{1}{7}\right|=\dfrac{4}{7}+\dfrac{1}{7}=\dfrac{5}{7}$

22 $|+2|=2$, $|+5|=5$

➡ 절댓값의 크기 비교: $2<5$

➡ 절댓값의 차: $5-2=3$

23 $\left|+\dfrac{6}{5}\right|=\dfrac{6}{5}$, $\left|-\dfrac{2}{5}\right|=\dfrac{2}{5}$

➡ 절댓값의 크기 비교: $\dfrac{6}{5}>\dfrac{2}{5}$

➡ 절댓값의 차: $\dfrac{6}{5}-\dfrac{2}{5}=\dfrac{4}{5}$

24 양수는 음수보다 크므로 $+4>-6$이다.

25 $\left|+\dfrac{1}{2}\right|=\dfrac{1}{2}=\dfrac{2}{4}$, $\left|+\dfrac{3}{4}\right|=\dfrac{3}{4}$ ➡ $+\dfrac{1}{2}<+\dfrac{3}{4}$

$\underbrace{\quad\frac{2}{4}<\frac{3}{4}\quad}$

26 $\left|-\dfrac{2}{3}\right|=\dfrac{2}{3}=\dfrac{4}{6}$, $\left|-\dfrac{1}{2}\right|=\dfrac{1}{2}=\dfrac{3}{6}$ ➡ $-\dfrac{2}{3}<-\dfrac{1}{2}$

$\underbrace{\quad\frac{4}{6}>\frac{3}{6}\quad}$

27 a는 $\dfrac{15}{4}$ 이상이다. ➡ $a\geq\dfrac{15}{4}$

28 a는 0보다 크고 ➡ $a>0$

a는 3보다 작거나 같다. ➡ $a\leq3$

29 $-5\leq a\leq+1$이므로

따라서 구하는 정수는 -5, -4, -3, -2, -1, 0, $+1$이다.

30 $-1\leq a<+4$이므로

따라서 구하는 정수는 -1, 0, $+1$, $+2$, $+3$이다.

10 부호가 같은 정수의 덧셈   026~027쪽

01 (1) +3, +7   (2) +4, +6
02 (1) +, 3, 8, +, 11   (2) +, 5, 16, +, 21
03 (1) +11   (2) +15   (3) +10   (4) +7   (5) +14
    (6) +13
04 (1) −5, −7   (2) −6, −9
05 (1) −, 5, 4, −, 9   (2) −, 11, 8, −, 19
06 (1) −13   (2) −6   (3) −6   (4) −12
    (5) −7   (6) −16

01 (1) 오른쪽으로 4만큼 이동한 다음 오른쪽으로 3만큼 이동
    ➡ 오른쪽으로 7만큼 이동한 것과 같다.
   (2) 오른쪽으로 2만큼 이동한 다음 오른쪽으로 4만큼 이동
    ➡ 오른쪽으로 6만큼 이동한 것과 같다.

03 (1) $(+9)+(+2)=+(9+2)=+11$
   (2) $(+12)+(+3)=+(12+3)=+15$
   (3) $(+7)+(+3)=+(7+3)=+10$
   (4) $(+6)+(+1)=+(6+1)=+7$
   (5) $(+3)+(+11)=+(3+11)=+14$
   (6) $(+4)+(+9)=+(4+9)=+13$

04 (1) 왼쪽으로 2만큼 이동한 다음 왼쪽으로 5만큼 이동
    ➡ 왼쪽으로 7만큼 이동한 것과 같다.
   (2) 왼쪽으로 3만큼 이동한 다음 왼쪽으로 6만큼 이동
    ➡ 왼쪽으로 9만큼 이동한 것과 같다.

06 (1) $(-7)+(-6)=-(7+6)=-13$
   (2) $(-4)+(-2)=-(4+2)=-6$
   (3) $(-1)+(-5)=-(1+5)=-6$
   (4) $(-9)+(-3)=-(9+3)=-12$
   (5) $(-3)+(-4)=-(3+4)=-7$
   (6) $(-6)+(-10)=-(6+10)=-16$

11 부호가 다른 정수의 덧셈   028~029쪽

01 (1) −7, −4   (2) −4, +1
02 (1) +, 7, 6, +, 1   (2) −, 15, 3, −, 12
03 (1) −6   (2) +4   (3) −3   (4) −5   (5) +1   (6) −4
04 (1) +6, +2   (2) +7, −1
05 (1) −, 9, 5, −, 4   (2) +, 10, 4, +, 6
06 (1) +2   (2) +6   (3) −5   (4) −1   (5) +7   (6) +5

---

01 (1) 오른쪽으로 3만큼 이동한 다음 왼쪽으로 7만큼 이동
    ➡ 왼쪽으로 4만큼 이동한 것과 같다.
   (2) 오른쪽으로 5만큼 이동한 다음 왼쪽으로 4만큼 이동
    ➡ 오른쪽으로 1만큼 이동한 것과 같다.

03 (1) $(+3)+(-9)=-(9-3)=-6$
   (2) $(+6)+(-2)=+(6-2)=+4$
   (3) $(+1)+(-4)=-(4-1)=-3$
   (4) $(+8)+(-13)=-(13-8)=-5$
   (5) $(+2)+(-1)=+(2-1)=+1$
   (6) $(+4)+(-8)=-(8-4)=-4$

04 (1) 왼쪽으로 4만큼 이동한 다음 오른쪽으로 6만큼 이동
    ➡ 오른쪽으로 2만큼 이동한 것과 같다.
   (2) 왼쪽으로 8만큼 이동한 다음 오른쪽으로 7만큼 이동
    ➡ 왼쪽으로 1만큼 이동한 것과 같다.

06 (1) $(-1)+(+3)=+(3-1)=+2$
   (2) $(-5)+(+11)=+(11-5)=+6$
   (3) $(-7)+(+2)=-(7-2)=-5$
   (4) $(-6)+(+5)=-(6-5)=-1$
   (5) $(-2)+(+9)=+(9-2)=+7$
   (6) $(-3)+(+8)=+(8-3)=+5$

12 부호가 같은 유리수의 덧셈   030~031쪽

01 (1) +, 7, +, 8   (2) 7, 5, +, 7, 5, +, 12
   (3) +, 2.8, +, 7.9
02 (1) $+\dfrac{6}{5}$ (2) $+\dfrac{8}{9}$ (3) $+\dfrac{15}{8}$ (4) $+\dfrac{5}{9}$
   (5) +2.2   (6) +3.8
03 (1) −, 2, −, 6   (2) 4, −, 9, 4, −, 13
   (3) −, 4.6, −, 6.8
04 (1) $-\dfrac{11}{5}$ (2) $-\dfrac{5}{3}$ (3) $-\dfrac{19}{10}$ (4) $-\dfrac{11}{28}$
   (5) −7.8   (6) −3.5
05 (1) $\left(-\dfrac{6}{7}\right)+\left(-\dfrac{2}{7}\right)=-\dfrac{8}{7}$
   (2) $\left(-\dfrac{1}{2}\right)+\left(-\dfrac{1}{3}\right)=-\dfrac{5}{6}$

02

(1) $\left(+\dfrac{2}{5}\right)+\left(+\dfrac{4}{5}\right)=+\left(\dfrac{2}{5}+\dfrac{4}{5}\right)=+\dfrac{6}{5}$

(2) $\left(+\dfrac{1}{9}\right)+\left(+\dfrac{7}{9}\right)=+\left(\dfrac{1}{9}+\dfrac{7}{9}\right)=+\dfrac{8}{9}$

(3) $\left(+\dfrac{3}{4}\right)+\left(+\dfrac{9}{8}\right)=\left(+\dfrac{6}{8}\right)+\left(+\dfrac{9}{8}\right)$
$\qquad\qquad=+\left(\dfrac{6}{8}+\dfrac{9}{8}\right)=+\dfrac{15}{8}$

(4) $\left(+\dfrac{2}{9}\right)+\left(+\dfrac{1}{3}\right)=\left(+\dfrac{2}{9}\right)+\left(+\dfrac{3}{9}\right)$
$\qquad\qquad=+\left(\dfrac{2}{9}+\dfrac{3}{9}\right)=+\dfrac{5}{9}$

(5) $(+0.4)+(+1.8)=+(0.4+1.8)=+2.2$

(6) $(+1.5)+(+2.3)=+(1.5+2.3)=+3.8$

04

(1) $\left(-\dfrac{8}{5}\right)+\left(-\dfrac{3}{5}\right)=-\left(\dfrac{8}{5}+\dfrac{3}{5}\right)=-\dfrac{11}{5}$

(2) $\left(-\dfrac{1}{3}\right)+\left(-\dfrac{4}{3}\right)=-\left(\dfrac{1}{3}+\dfrac{4}{3}\right)=-\dfrac{5}{3}$

(3) $\left(-\dfrac{3}{2}\right)+\left(-\dfrac{2}{5}\right)=\left(-\dfrac{15}{10}\right)+\left(-\dfrac{4}{10}\right)$
$\qquad\qquad=-\left(\dfrac{15}{10}+\dfrac{4}{10}\right)=-\dfrac{19}{10}$

(4) $\left(-\dfrac{1}{4}\right)+\left(-\dfrac{1}{7}\right)=\left(-\dfrac{7}{28}\right)+\left(-\dfrac{4}{28}\right)$
$\qquad\qquad=-\left(\dfrac{7}{28}+\dfrac{4}{28}\right)=-\dfrac{11}{28}$

(5) $(-3.7)+(-4.1)=-(3.7+4.1)=-7.8$

(6) $(-0.9)+(-2.6)=-(0.9+2.6)=-3.5$

05

(1) $\left(-\dfrac{6}{7}\right)+\left(-\dfrac{2}{7}\right)=-\left(\dfrac{6}{7}+\dfrac{2}{7}\right)=-\dfrac{8}{7}$

(2) $\left(-\dfrac{1}{2}\right)+\left(-\dfrac{1}{3}\right)=\left(-\dfrac{3}{6}\right)+\left(-\dfrac{2}{6}\right)$
$\qquad\qquad=-\left(\dfrac{3}{6}+\dfrac{2}{6}\right)=-\dfrac{5}{6}$

---

13 부호가 다른 유리수의 덧셈 032~033쪽

01 (1) $-$, $-$, 9 (2) 9, $+$, 9, 7, $+$, 2

(3) $+$, 6.5, $+$, 3.3

02 (1) $+\dfrac{5}{7}$ (2) $-\dfrac{1}{3}$ (3) $+\dfrac{1}{4}$ (4) $-\dfrac{7}{72}$

(5) -2.7 (6) $+5.5$

03 ④

04 (1) $-$, $-$, 8 (2) 5, 8, $+$, 8, 5, $+$, 3

(3) 정, 7.5, 풀, 3.4

05 (1) $-\dfrac{2}{7}$ (2) $+\dfrac{2}{9}$ (3) $+\dfrac{1}{8}$ (4) $-\dfrac{13}{15}$

(5) -2.4 (6) $+3.2$

06 ⑤

02

(1) $\left(+\dfrac{6}{7}\right)+\left(-\dfrac{1}{7}\right)=+\left(\dfrac{6}{7}-\dfrac{1}{7}\right)=+\dfrac{5}{7}$

(2) $\left(+\dfrac{4}{3}\right)+\left(-\dfrac{5}{3}\right)=-\left(\dfrac{5}{3}-\dfrac{4}{3}\right)=-\dfrac{1}{3}$

(3) $\left(+\dfrac{3}{4}\right)+\left(-\dfrac{1}{2}\right)=\left(+\dfrac{3}{4}\right)+\left(-\dfrac{2}{4}\right)$
$\qquad\qquad=+\left(\dfrac{3}{4}-\dfrac{2}{4}\right)=+\dfrac{1}{4}$

(4) $\left(+\dfrac{1}{8}\right)+\left(-\dfrac{2}{9}\right)=\left(+\dfrac{9}{72}\right)+\left(-\dfrac{16}{72}\right)$
$\qquad\qquad=-\left(\dfrac{16}{72}-\dfrac{9}{72}\right)=-\dfrac{7}{72}$

(5) $(+3.1)+(-5.8)=-(5.8-3.1)=-2.7$

(6) $(+7.9)+(-2.4)=+(7.9-2.4)=+5.5$

03

① $\left(+\dfrac{1}{3}\right)+\left(-\dfrac{11}{3}\right)=-\left(\dfrac{11}{3}-\dfrac{1}{3}\right)=-\dfrac{10}{3}$

② $(-8)+(-5)=-(8+5)=-13$

③ $\left(+\dfrac{1}{4}\right)+\left(+\dfrac{1}{8}\right)=\left(+\dfrac{2}{8}\right)+\left(+\dfrac{1}{8}\right)$
$\qquad\qquad=+\left(\dfrac{2}{8}+\dfrac{1}{8}\right)=+\dfrac{3}{8}$

④ $\left(+\dfrac{1}{3}\right)+\left(-\dfrac{2}{7}\right)=\left(+\dfrac{7}{21}\right)+\left(-\dfrac{6}{21}\right)$
$\qquad\qquad=+\left(\dfrac{7}{21}-\dfrac{6}{21}\right)=+\dfrac{1}{21}$

⑤ $(-3.5)+(-1.2)=-(3.5+1.2)=-4.7$

05

(1) $\left(-\dfrac{5}{7}\right)+\left(+\dfrac{3}{7}\right)=-\left(\dfrac{5}{7}-\dfrac{3}{7}\right)$
$\qquad\qquad\qquad=-\dfrac{2}{7}$

(2) $\left(-\dfrac{2}{9}\right)+\left(+\dfrac{4}{9}\right)=+\left(\dfrac{4}{9}-\dfrac{2}{9}\right)$
$\qquad\qquad\qquad=+\dfrac{2}{9}$

(3) $\left(-\dfrac{3}{4}\right)+\left(+\dfrac{7}{8}\right)=\left(-\dfrac{6}{8}\right)+\left(+\dfrac{7}{8}\right)$
$\qquad\qquad=+\left(\dfrac{7}{8}-\dfrac{6}{8}\right)=+\dfrac{1}{8}$

(4) $\left(-\dfrac{6}{5}\right)+\left(+\dfrac{1}{3}\right)=\left(-\dfrac{18}{15}\right)+\left(+\dfrac{5}{15}\right)$
$\qquad\qquad=-\left(\dfrac{18}{15}-\dfrac{5}{15}\right)=-\dfrac{13}{15}$

(5) $(-8.6)+(+6.2)=-(8.6-6.2)=-2.4$

(6) $(-1.3)+(+4.5)=+(4.5-1.3)=+3.2$

06 계산 결과를 각각 구한 후 크기를 비교한다.

① $(+6)+(-5)=+(6-5)=+1$

② $\left(-\dfrac{3}{2}\right)+\left(+\dfrac{1}{4}\right)=\left(-\dfrac{6}{4}\right)+\left(+\dfrac{1}{4}\right)$
$\qquad\qquad=-\left(\dfrac{6}{4}-\dfrac{1}{4}\right)=-\dfrac{5}{4}$

③ $\left(+\dfrac{1}{3}\right)+\left(+\dfrac{1}{2}\right)=\left(+\dfrac{2}{6}\right)+\left(+\dfrac{3}{6}\right)$
$\qquad\qquad=+\left(\dfrac{2}{6}+\dfrac{3}{6}\right)=+\dfrac{5}{6}$

④ $(-1.2)+(-2.3)=-(1.2+2.3)=-3.5$

⑤ $(-3)+(+7)=+(7-3)=+4$

➡ 계산 결과가 가장 큰 것은 ⑤ $+4$이다.

01 (1) ① -5 ② -5 (2) ① -3 ② -3

    (3) ① $+11$ ② $+11$ (4) ① $+7$ ② $+7$

02 교환, 결합

03 (1) $+3$, $+3$, $+7$, -9 (2) $+16$ (3) $+11$ (4) -7

04 (1) -2.5, -2.5, -7, -6 (2) -1.7

    (3) -2 (4) -2

05 (1) $-\dfrac{1}{5}$, $-\dfrac{1}{5}$, $-\dfrac{4}{5}$, -1, $-\dfrac{5}{6}$ (2) $+\dfrac{13}{18}$

    (3) $+\dfrac{1}{3}$ (4) $+\dfrac{11}{12}$

01 (1) 두 수의 순서를 바꾸어 더하여도 결과는 같다.

$$(+3)+(-8)=-(8-3)=-5$$
$$(-8)+(+3)=-(8-3)=-5$$

  (2) $(-5)+(+2)=-(5-2)=-3$
$$(+2)+(-5)=-(5-2)=-3$$

  (3) $(+6)+(+5)=+(6+5)=+11$
$$(+5)+(+6)=+(5+6)=+11$$

  (4) $(-2)+(+9)=+(9-2)=+7$
$$(+9)+(-2)=+(9-2)=+7$$

03 부호가 같은 수끼리 모으면 계산이 편리하다.

  (2) $(-8)+(+26)+(-2)$ 덧셈의 교환법칙

$= (-8)+(-2)+(+26)$ 덧셈의 결합법칙

$= \{(-8)+(-2)\}+(+26)$

$= (-10)+(+26)=+16$

  (3) $(-5)+(+19)+(-3)$ 덧셈의 교환법칙

$= (-5)+(-3)+(+19)$ 덧셈의 결합법칙

$= \{(-5)+(-3)\}+(+19)$

$= (-8)+(+19)=+11$

  (4) $(+6)+(-7)+(+2)+(-8)$ 덧셈의 교환법칙

$= (+6)+(+2)+(-7)+(-8)$ 덧셈의 결합법칙

$= \{(+6)+(+2)\}+\{(-7)+(-8)\}$

$= (+8)+(-15)=-7$

04 (2) $(-1.8)+(+5)+(-4.9)$ 덧셈의 교환법칙

$= (-1.8)+(-4.9)+(+5)$ 덧셈의 결합법칙

$= \{(-1.8)+(-4.9)\}+(+5)$

$= (-6.7)+(+5)=-1.7$

  (3) $(-2.7)+(+4)+(-3.3)$ 덧셈의 교환법칙

$= (-2.7)+(-3.3)+(+4)$ 덧셈의 결합법칙

$= \{(-2.7)+(-3.3)\}+(+4)$

$= (-6)+(+4)$

$= -2$

  (4) $(-4)+(+3.8)+(-5)+(+3.2)$ 덧셈의 교환법칙

$= (-4)+(-5)+(+3.8)+(+3.2)$ 덧셈의 결합법칙

$= \{(-4)+(-5)\}+\{(+3.8)+(+3.2)\}$

$= (-9)+(+7)=-2$

05 (2) $\left(+\dfrac{5}{9}\right)+\left(-\dfrac{1}{18}\right)+\left(+\dfrac{2}{9}\right)$ 덧셈의 교환법칙

$= \left(+\dfrac{5}{9}\right)+\left(+\dfrac{2}{9}\right)+\left(-\dfrac{1}{18}\right)$ 덧셈의 결합법칙

$= \left\{\left(+\dfrac{5}{9}\right)+\left(+\dfrac{2}{9}\right)\right\}+\left(-\dfrac{1}{18}\right)$

$= \left(+\dfrac{7}{9}\right)+\left(-\dfrac{1}{18}\right)$

$= \left(+\dfrac{14}{18}\right)+\left(-\dfrac{1}{18}\right)=+\dfrac{13}{18}$

  (3) $\left(+\dfrac{5}{6}\right)+\left(-\dfrac{2}{3}\right)+\left(+\dfrac{1}{6}\right)$ 덧셈의 교환법칙

$= \left(+\dfrac{5}{6}\right)+\left(+\dfrac{1}{6}\right)+\left(-\dfrac{2}{3}\right)$ 덧셈의 결합법칙

$= \left\{\left(+\dfrac{5}{6}\right)+\left(+\dfrac{1}{6}\right)\right\}+\left(-\dfrac{2}{3}\right)$

$= (+1)+\left(-\dfrac{2}{3}\right)=+\dfrac{1}{3}$

  (4) $\left(-\dfrac{1}{4}\right)+\left(+\dfrac{5}{3}\right)+\left(-\dfrac{1}{2}\right)$

$= \left(-\dfrac{3}{12}\right)+\left(+\dfrac{20}{12}\right)+\left(-\dfrac{6}{12}\right)$ 덧셈의 교환법칙

$= \left(-\dfrac{3}{12}\right)+\left(-\dfrac{6}{12}\right)+\left(+\dfrac{20}{12}\right)$ 덧셈의 결합법칙

$= \left\{\left(-\dfrac{3}{12}\right)+\left(-\dfrac{6}{12}\right)\right\}+\left(+\dfrac{20}{12}\right)$

$= \left(-\dfrac{9}{12}\right)+\left(+\dfrac{20}{12}\right)=+\dfrac{11}{12}$

01 $+$, 1, $+$, 8 02 $-$, 6, $-$, 14

03 $-$, 5, 4, $-$, 1 04 $+$, 9, 3, $+$, 6

05 $+$, 8, 2, $+$, 6 06 $+9$

07 -4 08 -1

09 -4 10 -12

11 $+$, 5, $+$, 7 12 $-$, 7, $-$, 10

13 6, 5, $+$, 6, 5, $+$, 1 14 4, 5, $+$, 5, 4, $+$, 1

15 $+\dfrac{17}{20}$ 16 $+\dfrac{1}{21}$ 17 -3.4

18 $+2.8$ 19 $+7.8$ 20 $+13$

21 -4 22 $+\dfrac{9}{5}$ 23 $-\dfrac{5}{9}$

24 ① $+4$ ② $+4$ 25 ① $+2$ ② $+2$

26 ㉠ 덧셈의 교환법칙, ㉡ 덧셈의 결합법칙

27 $+7$ 28 -2 29 $+3.1$

30 $-\dfrac{1}{6}$

01 공통인 부호 $(+7)+(+1)=+(7+1)=+8$ 절댓값의 합

02 공통인 부호 $(-6)+(-8)=-(6+8)=-14$ 절댓값의 합

03 절댓값이 큰 수의 부호 $(+4)+(-5)=-(5-4)=-1$ 절댓값의 차

04 절댓값이 큰 수의 부호 $(-3)+(+9)=+(9-3)=+6$ 절댓값의 차

05 절댓값이 큰 수의 부호 $(+8)+(-2)=+(8-2)=+6$ 절댓값의 차

06 $(+2)+(+7)=+(2+7)=+9$

07 $(-3)+(-1)=-(3+1)=-4$

08 $(+5)+(-6)=-(6-5)=-1$

09 $(-8)+(+4)=-(8-4)=-4$

10 $(-9)+(-3)=-(9+3)=-12$

11 공통인 부호 $\left(+\dfrac{5}{9}\right)+\left(+\dfrac{2}{9}\right)=+\left(\dfrac{5}{9}+\dfrac{2}{9}\right)=+\dfrac{7}{9}$ 절댓값의 합

12 공통인 부호 $\left(-\dfrac{3}{11}\right)+\left(-\dfrac{7}{11}\right)=-\left(\dfrac{3}{11}+\dfrac{7}{11}\right)=-\dfrac{10}{11}$ 절댓값의 합

13 $\left(+\dfrac{3}{2}\right)+\left(-\dfrac{5}{4}\right)$
절댓값이 큰 수의 부호
$=\left(+\dfrac{6}{4}\right)+\left(-\dfrac{5}{4}\right)=+\left(\dfrac{6}{4}-\dfrac{5}{4}\right)=+\dfrac{1}{4}$ 절댓값의 차

14 $\left(-\dfrac{1}{3}\right)+\left(+\dfrac{5}{12}\right)$
절댓값이 큰 수의 부호
$=\left(-\dfrac{4}{12}\right)+\left(+\dfrac{5}{12}\right)=+\left(\dfrac{5}{12}-\dfrac{4}{12}\right)=+\dfrac{1}{12}$ 절댓값의 차

15 $\left(+\dfrac{3}{5}\right)+\left(+\dfrac{1}{4}\right)=\left(+\dfrac{12}{20}\right)+\left(+\dfrac{5}{20}\right)$
$=+\left(\dfrac{12}{20}+\dfrac{5}{20}\right)=+\dfrac{17}{20}$

16 $\left(+\dfrac{4}{21}\right)+\left(-\dfrac{1}{7}\right)=\left(+\dfrac{4}{21}\right)+\left(-\dfrac{3}{21}\right)$
$=+\left(\dfrac{4}{21}-\dfrac{3}{21}\right)=+\dfrac{1}{21}$

17 $(-2.9)+(-0.5)=-(2.9+0.5)=-3.4$

18 $(-2.6)+(+5.4)=+(5.4-2.6)=+2.8$

19 $(+3)+(+4.8)=+(3+4.8)=+7.8$

20 $(+9)+(+4)=+(9+4)=+13$

21 $(-5)+(+1)=-(5-1)=-4$

22 $\left(+\dfrac{11}{5}\right)+\left(-\dfrac{2}{5}\right)=+\left(\dfrac{11}{5}-\dfrac{2}{5}\right)=+\dfrac{9}{5}$

23 $\left(-\dfrac{4}{9}\right)+\left(-\dfrac{1}{9}\right)=-\left(\dfrac{4}{9}+\dfrac{1}{9}\right)=-\dfrac{5}{9}$

24 $(+7)+(-3)=+(7-3)=+4$
$(-3)+(+7)=+(7-3)=+4$

25 $(-13)+(+15)=+(15-13)=+2$
$(+15)+(-13)=+(15-13)=+2$

27 $(-9)+(+23)+(-7)$
$=(-9)+(-7)+(+23)$ 덧셈의 교환법칙
$=\{(-9)+(-7)\}+(+23)$ 덧셈의 결합법칙
$=(-16)+(+23)=+7$

28 $(+3)+(-4)+(+5)+(-6)$
$=(+3)+(+5)+(-4)+(-6)$ 덧셈의 교환법칙
$=\{(+3)+(+5)\}+\{(-4)+(-6)\}$ 덧셈의 결합법칙
$=(+8)+(-10)=-2$

29 $(+1.4)+(-4)+(+5.7)$
$=(+1.4)+(+5.7)+(-4)$ 덧셈의 교환법칙
$=\{(+1.4)+(+5.7)\}+(-4)$ 덧셈의 결합법칙
$=(+7.1)+(-4)=+3.1$

30 $\left(-\dfrac{1}{3}\right)+\left(+\dfrac{5}{6}\right)+\left(-\dfrac{2}{3}\right)$
$=\left(-\dfrac{1}{3}\right)+\left(-\dfrac{2}{3}\right)+\left(+\dfrac{5}{6}\right)$ 덧셈의 교환법칙
$=\left\{\left(-\dfrac{1}{3}\right)+\left(-\dfrac{2}{3}\right)\right\}+\left(+\dfrac{5}{6}\right)$ 덧셈의 결합법칙
$=(-1)+\left(+\dfrac{5}{6}\right)=-\dfrac{1}{6}$

16 부호가 같은 정수의 뺄셈   040~041쪽

01 (1) $-$, 3, $+$, 5, 3, $+$, 2
(2) $-$, 9, $-$, 9, 1, $-$, 8
(3) $-$, 2, $+$, 6, 2, $+$, 4
(4) $-$, 8, $-$, 8, 7, $-$, 1

02 (1) -5 (2) -6 (3) $+2$ (4) $+8$
(5) $+5$ (6) -1

03 (1) $+1$, $+3$
(2) -7, $+2$

04 (1) $+$, 2, $-$, 4, 2, $-$, 2
(2) $+$, 8, $+$, 8, 1, $+$, 7
(3) $+$, 7, $+$, 7, 3, $+$, 4
(4) $+$, 4, $-$, 5, 4, $-$, 1

05 (1) -5 (2) -4 (3) -3 (4) -9
(5) $+4$ (6) $+1$

06 ③

---

02 (1) $(+2)-(+7)=(+2)+(-7)$
$\qquad =-(7-2)=-5$
(2) $(+4)-(+10)=(+4)+(-10)$
$\qquad =-(10-4)=-6$
(3) $(+8)-(+6)=(+8)+(-6)$
$\qquad =+(8-6)=+2$
(4) $(+13)-(+5)=(+13)+(-5)$
$\qquad =+(13-5)=+8$
(5) $(+9)-(+4)=(+9)+(-4)$
$\qquad =+(9-4)=+5$
(6) $(+6)-(+7)=(+6)+(-7)=-(7-6)=-1$

03 (1) • $(+3)-(+2)=(+3)+(-2)=+(3-2)=+1$
• $(+4)-(+1)=(+4)+(-1)=+(4-1)=+3$
(2) • $(+2)-(+9)=(+2)+(-9)=-(9-2)=-7$
• $(+7)-(+5)=(+7)+(-5)=+(7-5)=+2$

05 (1) $(-6)-(-1)=(-6)+(+1)=-(6-1)=-5$
(2) $(-9)-(-5)=(-9)+(+5)=-(9-5)=-4$
(3) $(-7)-(-4)=(-7)+(+4)=-(7-4)=-3$
(4) $(-12)-(-3)=(-12)+(+3)$
$\qquad =-(12-3)=-9$
(5) $(-2)-(-6)=(-2)+(+6)=+(6-2)=+4$
(6) $(-8)-(-9)=(-8)+(+9)=+(9-8)=+1$

06 ① $(+2)-(+1)=(+2)+(-1)=+(2-1)=+1$
② $(-3)-(-6)=(-3)+(+6)=+(6-3)=+3$
④ $(-8)-(-3)=(-8)+(+3)=-(8-3)=-5$
⑤ $(+4)-(+7)=(+4)+(-7)=-(7-4)=-3$

---

17 부호가 다른 정수의 뺄셈   042~043쪽

01 (1) $+$, 1, $+$, 4, 1, $+$, 5
(2) $+$, 5, $+$, 3, 5, $+$, 8
(3) $+$, 9, $+$, 2, 9, $+$, 11
(4) $+$, 4, $+$, 6, 4, $+$, 10

02 (1) $+9$ (2) $+8$ (3) $+8$ (4) $+9$
(5) $+25$ (6) $+16$

03 (1) $(+4)-(-7)=+11$ (2) $(+7)-(-6)=+13$

04 (1) $-$, 2, $-$, 6, 2, $-$, 8
(2) $-$, 5, $-$, 1, 5, $-$, 6
(3) $-$, 7, $-$, 3, 7, $-$, 10
(4) $-$, 1, $-$, 8, 1, $-$, 9

05 (1) -13 (2) -11 (3) -8 (4) -12
(5) -10 (6) -9

06 ⑤

---

02 (1) $(+4)-(-5)=(+4)+(+5)$
$\qquad =+(4+5)=+9$
(2) $(+1)-(-7)=(+1)+(+7)$
$\qquad =+(1+7)=+8$
(3) $(+6)-(-2)=(+6)+(+2)$
$\qquad =+(6+2)=+8$
(4) $(+1)-(-8)=(+1)+(+8)$
$\qquad =+(1+8)=+9$
(5) $(+15)-(-10)=(+15)+(+10)$
$\qquad =+(15+10)=+25$
(6) $(+13)-(-3)=(+13)+(+3)$
$\qquad =+(13+3)=+16$

03 (1) $(+4)-(-7)=(+4)+(+7)$
$\qquad =+(4+7)=+11$
(2) $(+7)-(-6)=(+7)+(+6)$
$\qquad =+(7+6)=+13$

05 (1) $(-5)-(+8)=(-5)+(-8)=-(5+8)=-13$
(2) $(-4)-(+7)=(-4)+(-7)=-(4+7)=-11$
(3) $(-6)-(+2)=(-6)+(-2)=-(6+2)=-8$
(4) $(-3)-(+9)=(-3)+(-9)=-(3+9)=-12$
(5) $(-9)-(+1)=(-9)+(-1)=-(9+1)=-10$
(6) $(-5)-(+4)=(-5)+(-4)=-(5+4)=-9$

06 ① $(+1)-(+3)=(+1)+(-3)=-(3-1)=-2$
② $(+8)-(-1)=(+8)+(+1)=+(8+1)=+9$
③ $(-2)-(-9)=(-2)+(+9)=+(9-2)=+7$
④ $(-6)-(+7)=(-6)+(-7)=-(6+7)=-13$
⑤ $(+4)-(-6)=(+4)+(+6)=+(4+6)=+10$
따라서 계산 결과가 가장 큰 것은 ⑤이다.

18 부호가 같은 유리수의 뺄셈 〔044~045쪽〕

01 (1) $-$, $-$, 2, $+$, 3, 2, $+$, 1
(2) $-$, 2, $-$, 7, $-$, 7, 2, $-$, 5

02 (1) $-\dfrac{7}{11}$　(2) $-\dfrac{1}{5}$　(3) $-\dfrac{1}{12}$　(4) $-\dfrac{4}{9}$
(5) -1.5　(6) $+2.3$

03 (1) $+$, 4, $+$, 1, $-$, 4, 1, $-$, 3
(2) $+$, $+$, 3, $-$, 10, 3, $-$, 7

04 (1) $-\dfrac{5}{7}$　(2) $+\dfrac{1}{8}$　(3) -3.5　(4) $+2.7$

05 (1) $\left(-\dfrac{3}{2}\right)-\left(-\dfrac{1}{3}\right)=-\dfrac{7}{6}$
(2) $\left(-\dfrac{5}{6}\right)-\left(-\dfrac{11}{12}\right)=+\dfrac{1}{12}$

---

02 (1) $\left(+\dfrac{2}{11}\right)-\left(+\dfrac{9}{11}\right)=\left(+\dfrac{2}{11}\right)+\left(-\dfrac{9}{11}\right)$
$\qquad\qquad\qquad =-\left(\dfrac{9}{11}-\dfrac{2}{11}\right)=-\dfrac{7}{11}$

(2) $\left(+\dfrac{1}{5}\right)-\left(+\dfrac{2}{5}\right)=\left(+\dfrac{1}{5}\right)+\left(-\dfrac{2}{5}\right)$
$\qquad\qquad\qquad =-\left(\dfrac{2}{5}-\dfrac{1}{5}\right)=-\dfrac{1}{5}$

(3) $\left(+\dfrac{1}{4}\right)-\left(+\dfrac{1}{3}\right)=\left(+\dfrac{1}{4}\right)+\left(-\dfrac{1}{3}\right)$
$\qquad\qquad\qquad =\left(+\dfrac{3}{12}\right)+\left(-\dfrac{4}{12}\right)$
$\qquad\qquad\qquad =-\left(\dfrac{4}{12}-\dfrac{3}{12}\right)=-\dfrac{1}{12}$

(4) $\left(+\dfrac{1}{3}\right)-\left(+\dfrac{7}{9}\right)=\left(+\dfrac{1}{3}\right)+\left(-\dfrac{7}{9}\right)$
$\qquad\qquad\qquad =\left(+\dfrac{3}{9}\right)+\left(-\dfrac{7}{9}\right)$
$\qquad\qquad\qquad =-\left(\dfrac{7}{9}-\dfrac{3}{9}\right)=-\dfrac{4}{9}$

(5) $(+1.4)-(+2.9)=(+1.4)+(-2.9)$
$\qquad\qquad\qquad =-(2.9-1.4)=-1.5$

(6) $(+3.5)-(+1.2)=(+3.5)+(-1.2)$
$\qquad\qquad\qquad =+(3.5-1.2)=+2.3$

04 (1) $\left(-\dfrac{9}{7}\right)-\left(-\dfrac{4}{7}\right)=\left(-\dfrac{9}{7}\right)+\left(+\dfrac{4}{7}\right)$
$\qquad\qquad\qquad =-\left(\dfrac{9}{7}-\dfrac{4}{7}\right)=-\dfrac{5}{7}$

(2) $\left(-\dfrac{1}{4}\right)-\left(-\dfrac{3}{8}\right)=\left(-\dfrac{1}{4}\right)+\left(+\dfrac{3}{8}\right)$
$\qquad\qquad\qquad =\left(-\dfrac{2}{8}\right)+\left(+\dfrac{3}{8}\right)$
$\qquad\qquad\qquad =+\left(\dfrac{3}{8}-\dfrac{2}{8}\right)$
$\qquad\qquad\qquad =+\dfrac{1}{8}$

(3) $(-5.6)-(-2.1)=(-5.6)+(+2.1)$
$\qquad\qquad\qquad =-(5.6-2.1)=-3.5$

(4) $(-1.6)-(-4.3)=(-1.6)+(+4.3)$
$\qquad\qquad\qquad =+(4.3-1.6)=+2.7$

---

05 (1) $\left(-\dfrac{3}{2}\right)-\left(-\dfrac{1}{3}\right)=\left(-\dfrac{3}{2}\right)+\left(+\dfrac{1}{3}\right)$
$\qquad\qquad\qquad =\left(-\dfrac{9}{6}\right)+\left(+\dfrac{2}{6}\right)$
$\qquad\qquad\qquad =-\left(\dfrac{9}{6}-\dfrac{2}{6}\right)=-\dfrac{7}{6}$

(2) $\left(-\dfrac{5}{6}\right)-\left(-\dfrac{11}{12}\right)=\left(-\dfrac{5}{6}\right)+\left(+\dfrac{11}{12}\right)$
$\qquad\qquad\qquad =\left(-\dfrac{10}{12}\right)+\left(+\dfrac{11}{12}\right)$
$\qquad\qquad\qquad =+\left(\dfrac{11}{12}-\dfrac{10}{12}\right)=+\dfrac{1}{12}$

19 부호가 다른 유리수의 뺄셈 〔046~047쪽〕

01 (1) $+$, 15, $+$, 4, $+$, 15, 4, $+$, 19
(2) $+$, 4, $+$, 1, $+$, 4, 1, $+$, 5

02 (1) $+\dfrac{8}{5}$　(2) $+\dfrac{13}{3}$　(3) $+\dfrac{19}{10}$　(4) $+\dfrac{17}{14}$
(5) $+7.3$　(6) $+5.9$

03 $+3$

04 (1) $-$, 3, $-$, 2, $-$, 3, 2, $-$, 5
(2) $-$, 8, $-$, 1, $-$, 8, 1, $-$, 9

05 (1) $-\dfrac{7}{3}$　(2) $-\dfrac{8}{9}$　(3) -7.3　(4) -3.3

06 ④

---

02 (1) $\left(+\dfrac{6}{5}\right)-\left(-\dfrac{2}{5}\right)=\left(+\dfrac{6}{5}\right)+\left(+\dfrac{2}{5}\right)$
$\qquad\qquad\qquad =+\left(\dfrac{6}{5}+\dfrac{2}{5}\right)=+\dfrac{8}{5}$

(2) $\left(+\dfrac{8}{3}\right)-\left(-\dfrac{5}{3}\right)=\left(+\dfrac{8}{3}\right)+\left(+\dfrac{5}{3}\right)$
$\qquad\qquad\qquad =+\left(\dfrac{8}{3}+\dfrac{5}{3}\right)=+\dfrac{13}{3}$

(3) $\left(+\dfrac{2}{5}\right)-\left(-\dfrac{3}{2}\right)=\left(+\dfrac{2}{5}\right)+\left(+\dfrac{3}{2}\right)$
$\qquad\qquad\qquad =\left(+\dfrac{4}{10}\right)+\left(+\dfrac{15}{10}\right)$
$\qquad\qquad\qquad =+\left(\dfrac{4}{10}+\dfrac{15}{10}\right)=+\dfrac{19}{10}$

(4) $\left(+\dfrac{1}{2}\right)-\left(-\dfrac{5}{7}\right)=\left(+\dfrac{1}{2}\right)+\left(+\dfrac{5}{7}\right)$
$\qquad\qquad\qquad =\left(+\dfrac{7}{14}\right)+\left(+\dfrac{10}{14}\right)$
$\qquad\qquad\qquad =+\left(\dfrac{7}{14}+\dfrac{10}{14}\right)=+\dfrac{17}{14}$

(5) $(+5.9)-(-1.4)=(+5.9)+(+1.4)$
$\qquad\qquad\qquad =+(5.9+1.4)=+7.3$

(6) $(+3.7)-(-2.2)=(+3.7)+(+2.2)$
$\qquad\qquad\qquad =+(3.7+2.2)=+5.9$

03

$a=\left(-\dfrac{3}{2}\right)+\left(-\dfrac{1}{3}\right)=\left(-\dfrac{9}{6}\right)+\left(-\dfrac{2}{6}\right)$

$\qquad =-\left(\dfrac{9}{6}+\dfrac{2}{6}\right)=-\dfrac{11}{6}$

$b=\left(+\dfrac{5}{6}\right)-\left(-\dfrac{1}{3}\right)=\left(+\dfrac{5}{6}\right)+\left(+\dfrac{1}{3}\right)$

$\qquad =\left(+\dfrac{5}{6}\right)+\left(+\dfrac{2}{6}\right)$

$\qquad =+\left(\dfrac{5}{6}+\dfrac{2}{6}\right)=+\dfrac{7}{6}$

$\Rightarrow b-a=\left(+\dfrac{7}{6}\right)-\left(-\dfrac{11}{6}\right)=\left(+\dfrac{7}{6}\right)+\left(+\dfrac{11}{6}\right)$

$\qquad =+\left(\dfrac{7}{6}+\dfrac{11}{6}\right)=+\dfrac{18}{6}=+3$

05

(1) $\left(-\dfrac{5}{3}\right)-\left(+\dfrac{2}{3}\right)=\left(-\dfrac{5}{3}\right)+\left(-\dfrac{2}{3}\right)$

$\qquad =-\left(\dfrac{5}{3}+\dfrac{2}{3}\right)=-\dfrac{7}{3}$

(2) $\left(-\dfrac{2}{9}\right)-\left(+\dfrac{2}{3}\right)=\left(-\dfrac{2}{9}\right)+\left(-\dfrac{2}{3}\right)$

$\qquad =\left(-\dfrac{2}{9}\right)+\left(-\dfrac{6}{9}\right)$

$\qquad =-\left(\dfrac{2}{9}+\dfrac{6}{9}\right)=-\dfrac{8}{9}$

(3) $(-4.8)-(+2.5)=(-4.8)+(-2.5)$

$\qquad =-(4.8+2.5)=-7.3$

(4) $(-1.4)-(+1.9)=(-1.4)+(-1.9)$

$\qquad =-(1.4+1.9)=-3.3$

06

④ $\left(-\dfrac{4}{17}\right)-\left(+\dfrac{10}{17}\right)=\left(-\dfrac{4}{17}\right)+\left(-\dfrac{10}{17}\right)$

$\qquad =-\left(\dfrac{4}{17}+\dfrac{10}{17}\right)=-\dfrac{14}{17}$

---

20 정수의 덧셈과 뺄셈의 혼합 계산　　048~049쪽

01 $+,\ -,\ +,\ -,\ +,\ -,\ 12,\ -,\ 9$

02 (1) $+8,\ +8,\ +8,\ +11,\ +5$

　　(2) $-7,\ -7,\ -7,\ -8,\ -3$　(3) -9　(4) $+17$

　　(5) -13　(6) $+14$

03 $+,\ 9,\ -,\ 5,\ +,\ 9,\ -,\ 5,\ +,\ 9,\ 5,\ +19,\ -9,\ +10$

04 (1) $-1,\ +5,\ +5,\ -1,\ +5,\ -1,\ +8,\ -3,\ +5$

　　(2) $+7,\ -1,\ +7,\ -1,\ +7,\ -1,\ +11,\ -9,\ +2$

　　(3) -2　(4) $+8$　(5) -2　(6) -1

05 ⑤

02

(3) $(+2)+(-5)-(+6)=(+2)+(-5)+(-6)$

$\qquad =(+2)+\{(-5)+(-6)\}$

$\qquad =(+2)+(-11)=-9$

(4) $(+4)+(-2)-(-15)=(+4)+(-2)+(+15)$

$\qquad =(+4)+(+15)+(-2)$

$\qquad =\{(+4)+(+15)\}+(-2)$

$\qquad =(+19)+(-2)=+17$

(5) $(-12)+(-8)-(-7)=(-12)+(-8)+(+7)$

$\qquad =\{(-12)+(-8)\}+(+7)$

$\qquad =(-20)+(+7)=-13$

(6) $(-2)-(-5)+(+11)=(-2)+(+5)+(+11)$

$\qquad =(-2)+\{(+5)+(+11)\}$

$\qquad =(-2)+(+16)=+14$

04

(3) $(+7)-(+3)+(-8)-(-2)$

$\qquad =(+7)+(-3)+(-8)+(+2)$ 〔양수는 양수끼리, 음수는 음수끼리 모은다.〕

$\qquad =(+7)+(+2)+(-3)+(-8)$

$\qquad =\{(+7)+(+2)\}+\{(-3)+(-8)\}$

$\qquad =(+9)+(-11)=-2$

(4) $(+12)+(-6)-(-4)-(+2)$

$\qquad =(+12)+(-6)+(+4)+(-2)$

$\qquad =(+12)+(+4)+(-6)+(-2)$

$\qquad =\{(+12)+(+4)\}+\{(-6)+(-2)\}$

$\qquad =(+16)+(-8)=+8$

(5) $(-9)+(+2)-(+5)-(-10)$

$\qquad =(-9)+(+2)+(-5)+(+10)$

$\qquad =(-9)+(-5)+(+2)+(+10)$

$\qquad =\{(-9)+(-5)\}+\{(+2)+(+10)\}$

$\qquad =(-14)+(+12)$

$\qquad =-2$

(6) $(-5)-(-3)-(+6)+(+7)$

$\qquad =(-5)+(+3)+(-6)+(+7)$

$\qquad =(-5)+(-6)+(+3)+(+7)$

$\qquad =\{(-5)+(-6)\}+\{(+3)+(+7)\}$

$\qquad =(-11)+(+10)$

$\qquad =-1$

05

$(-1)-(-3)-(+4)=(-1)+(+3)+(-4)$

$\qquad =\{(-1)+(-4)\}+(+3)$

$\qquad =(-5)+(+3)=-2$

① $(+2)-(-6)-(+3)=(+2)+(+6)+(-3)$

$\qquad =\{(+2)+(+6)\}+(-3)$

$\qquad =(+8)+(-3)=+5$

② $(-4)-(-9)+(+2)=(-4)+(+9)+(+2)$

$\qquad =(-4)+\{(+9)+(+2)\}$

$\qquad =(-4)+(+11)=+7$

③ $(-8)+(+1)-(+2)=(-8)+(+1)+(-2)$

$\qquad =\{(-8)+(-2)\}+(+1)$

$\qquad =(-10)+(+1)=-9$

④ $(+3)-(+5)+(+2)=(+3)+(-5)+(+2)$

$\qquad =\{(+3)+(+2)\}+(-5)$

$\qquad =(+5)+(-5)=0$

⑤ $(+1)+(+5)-(+8)=(+1)+(+5)+(-8)$

$\qquad =\{(+1)+(+5)\}+(-8)$

$\qquad =(+6)+(-8)=-2$

21 유리수의 덧셈과 뺄셈의 혼합 계산 050~051쪽

01 $-$, $-$, $+$, 5, $-$, $+$, 5, $-$, 1, $+$, $+$, 4

02 ㉡

03 (1) $+\dfrac{3}{2}$, $+\dfrac{3}{2}$, -1, $-\dfrac{3}{4}$ (2) $+\dfrac{1}{9}$

(3) $+\dfrac{51}{20}$ (4) -1 (5) $-\dfrac{8}{15}$ (6) $+\dfrac{4}{21}$

04 (1) $+2.5$ (2) $+0.4$ (3) -2.2 (4) $+9$

05 ②

02
$$\left(-\frac{1}{2}\right)-\left(+\frac{1}{5}\right)+\left(-\frac{7}{5}\right)-\left(-\frac{3}{2}\right)$$
$$=\left(-\frac{1}{2}\right)+\left(-\frac{1}{5}\right)+\left(-\frac{7}{5}\right)+\left(+\frac{3}{2}\right)$$
$$=\left\{\left(-\frac{1}{2}\right)+\left(+\frac{3}{2}\right)\right\}+\left\{\left(-\frac{1}{5}\right)+\left(-\frac{7}{5}\right)\right\} \quad\leftarrow ㉡$$
$$=(+1)+\left(-\frac{8}{5}\right)$$
$$=\left(+\frac{5}{5}\right)+\left(-\frac{8}{5}\right)$$
$$=-\frac{3}{5}$$

더하는 두 수의 위치를 바꿀 때에는 부호도 함께 이동한다.
따라서 처음 잘못된 곳은 ㉡이다.

03 (2)
$$\left(+\frac{2}{3}\right)+\left(-\frac{4}{9}\right)-\left(+\frac{1}{9}\right)$$
$$=\left(+\frac{2}{3}\right)+\left(-\frac{4}{9}\right)+\left(-\frac{1}{9}\right)$$
$$=\left(+\frac{2}{3}\right)+\left\{\left(-\frac{4}{9}\right)+\left(-\frac{1}{9}\right)\right\}$$
$$=\left(+\frac{2}{3}\right)+\left(-\frac{5}{9}\right)$$
$$=\left(+\frac{6}{9}\right)+\left(-\frac{5}{9}\right)=+\frac{1}{9}$$

(3)
$$\left(+\frac{7}{5}\right)-\left(-\frac{3}{4}\right)+\left(+\frac{2}{5}\right)$$
$$=\left(+\frac{7}{5}\right)+\left(+\frac{3}{4}\right)+\left(+\frac{2}{5}\right)$$
$$=\left\{\left(+\frac{7}{5}\right)+\left(+\frac{2}{5}\right)\right\}+\left(+\frac{3}{4}\right)$$
$$=\left(+\frac{9}{5}\right)+\left(+\frac{3}{4}\right)$$
$$=\left(+\frac{36}{20}\right)+\left(+\frac{15}{20}\right)$$
$$=+\frac{51}{20}$$

(4)
$$\left(+\frac{5}{6}\right)-\left(-\frac{5}{3}\right)+\left(-\frac{7}{2}\right)$$
$$=\left(+\frac{5}{6}\right)+\left(+\frac{5}{3}\right)+\left(-\frac{7}{2}\right)$$
$$=\left\{\left(+\frac{5}{6}\right)+\left(+\frac{10}{6}\right)\right\}+\left(-\frac{21}{6}\right)$$
$$=\left(+\frac{15}{6}\right)+\left(-\frac{21}{6}\right)$$
$$=-\frac{6}{6}=-1$$

(5)
$$\left(+\frac{1}{3}\right)-\left(+\frac{2}{5}\right)+\left(-\frac{7}{15}\right)$$
$$=\left(+\frac{1}{3}\right)+\left(-\frac{2}{5}\right)+\left(-\frac{7}{15}\right)$$
$$=\left(+\frac{5}{15}\right)+\left\{\left(-\frac{6}{15}\right)+\left(-\frac{7}{15}\right)\right\}$$
$$=\left(+\frac{5}{15}\right)+\left(-\frac{13}{15}\right)$$
$$=-\frac{8}{15}$$

(6)
$$\left(-\frac{3}{7}\right)-\left(-\frac{2}{3}\right)+\left(-\frac{1}{21}\right)$$
$$=\left(-\frac{3}{7}\right)+\left(+\frac{2}{3}\right)+\left(-\frac{1}{21}\right)$$
$$=\left\{\left(-\frac{9}{21}\right)+\left(-\frac{1}{21}\right)\right\}+\left(+\frac{14}{21}\right)$$
$$=\left(-\frac{10}{21}\right)+\left(+\frac{14}{21}\right)$$
$$=+\frac{4}{21}$$

04 (1)
$$(-2.7)+(+3.8)-(-1.4)$$
$$=(-2.7)+(+3.8)+(+1.4)$$
$$=(-2.7)+\{(+3.8)+(+1.4)\}$$
$$=(-2.7)+(+5.2)$$
$$=+2.5$$

(2)
$$(+1.9)-(-3.6)+(-5.1)$$
$$=(+1.9)+(+3.6)+(-5.1)$$
$$=\{(+1.9)+(+3.6)\}+(-5.1)$$
$$=(+5.5)+(-5.1)$$
$$=+0.4$$

(3)
$$(+3.5)-(+6.2)+(+0.5)$$
$$=(+3.5)+(-6.2)+(+0.5)$$
$$=\{(+3.5)+(+0.5)\}+(-6.2)$$
$$=(+4)+(-6.2)$$
$$=-2.2$$

(4)
$$(-2.1)+(+4.6)-(-6.5)$$
$$=(-2.1)+(+4.6)+(+6.5)$$
$$=(-2.1)+\{(+4.6)+(+6.5)\}$$
$$=(-2.1)+(+11.1)$$
$$=+9$$

05 ②
$$\left(+\frac{3}{7}\right)+\left(-\frac{1}{3}\right)-\left(+\frac{1}{7}\right)$$
$$=\left(+\frac{3}{7}\right)+\left(-\frac{1}{3}\right)+\left(-\frac{1}{7}\right)$$
$$=\left\{\left(+\frac{3}{7}\right)+\left(-\frac{1}{7}\right)\right\}+\left(-\frac{1}{3}\right)$$
$$=\left(+\frac{2}{7}\right)+\left(-\frac{1}{3}\right)$$
$$=\left(+\frac{6}{21}\right)+\left(-\frac{7}{21}\right)$$
$$=-\frac{1}{21}$$

01 (1) $+5$, $+9$ (2) $+7$, $+5$

    (3) $+4$, -4, -1

    (4) $+9$, -9, -10

02 $+$, $+$, 5, $+$, $-$, 5, $-$, 5, $+$, $-$, 8, $+$, $-$, 7

03 (1) -3 (2) -5 (3) -1 (4) $+5$

04 (1) $+1.1$ (2) -3.5 (3) $+0.9$ (4) -0.6

05 (1) $+\dfrac{7}{12}$ (2) $+\dfrac{19}{14}$ (3) $+\dfrac{1}{9}$ (4) $-\dfrac{1}{15}$

06 $+1$

---

03 (1) $9-5-7$

$= (+9)-(+5)-(+7)$ ← 괄호를 사용하여 생략된 양의 부호를 붙인다.

$= (+9)+(-5)+(-7)$

$= (+9)+\{(-5)+(-7)\}$

$= (+9)+(-12)=-3$

(2) $-6+5-4$

$= (-6)+(+5)-(+4)$

$= (-6)+(+5)+(-4)$

$= \{(-6)+(-4)\}+(+5)$

$= (-10)+(+5)=-5$

(3) $-10-2+11$

$= (-10)-(+2)+(+11)$

$= (-10)+(-2)+(+11)$

$= \{(-10)+(-2)\}+(+11)$

$= (-12)+(+11)=-1$

(4) $8-17+14$

$= (+8)-(+17)+(+14)$

$= (+8)+(-17)+(+14)$

$= \{(+8)+(+14)\}+(-17)$

$= (+22)+(-17)=+5$

04 (1) $3.7-4.9+2.3$

$= (+3.7)-(+4.9)+(+2.3)$

$= (+3.7)+(-4.9)+(+2.3)$

$= \{(+3.7)+(+2.3)\}+(-4.9)$

$= (+6)+(-4.9)=+1.1$

(2) $-2.8+5.4-6.1$

$= (-2.8)+(+5.4)-(+6.1)$

$= (-2.8)+(+5.4)+(-6.1)$

$= \{(-2.8)+(-6.1)\}+(+5.4)$

$= (-8.9)+(+5.4)=-3.5$

(3) $-1.3+4.8-2.6$

$= (-1.3)+(+4.8)-(+2.6)$

$= (-1.3)+(+4.8)+(-2.6)$

$= \{(-1.3)+(-2.6)\}+(+4.8)$

$= (-3.9)+(+4.8)=+0.9$

---

(4) $0.6-1-0.2$

$= (+0.6)-(+1)-(+0.2)$

$= (+0.6)+(-1)+(-0.2)$

$= \{(+0.6)+(-0.2)\}+(-1)$

$= (+0.4)+(-1)=-0.6$

05 (1) $-\dfrac{1}{2}+\dfrac{4}{3}-\dfrac{1}{4}=\left(-\dfrac{1}{2}\right)+\left(+\dfrac{4}{3}\right)-\left(+\dfrac{1}{4}\right)$

$\qquad = \left(-\dfrac{1}{2}\right)+\left(+\dfrac{4}{3}\right)+\left(-\dfrac{1}{4}\right)$

$\qquad = \left(+\dfrac{16}{12}\right)+\left\{\left(-\dfrac{6}{12}\right)+\left(-\dfrac{3}{12}\right)\right\}$ 2, 3, 4의 최소공배수 12로 통분한다.

$\qquad = \left(+\dfrac{16}{12}\right)+\left(-\dfrac{9}{12}\right)=+\dfrac{7}{12}$

(2) $2-\dfrac{1}{7}-\dfrac{1}{2}=(+2)-\left(+\dfrac{1}{7}\right)-\left(+\dfrac{1}{2}\right)$

$\qquad = (+2)+\left(-\dfrac{1}{7}\right)+\left(-\dfrac{1}{2}\right)$

$\qquad = (+2)+\left\{\left(-\dfrac{2}{14}\right)+\left(-\dfrac{7}{14}\right)\right\}$

$\qquad = (+2)+\left(-\dfrac{9}{14}\right)$

$\qquad = \left(+\dfrac{28}{14}\right)+\left(-\dfrac{9}{14}\right)$

$\qquad = +\dfrac{19}{14}$

(3) $\dfrac{8}{9}-\dfrac{11}{9}+\dfrac{4}{9}=\left(+\dfrac{8}{9}\right)-\left(+\dfrac{11}{9}\right)+\left(+\dfrac{4}{9}\right)$

$\qquad = \left(+\dfrac{8}{9}\right)+\left(-\dfrac{11}{9}\right)+\left(+\dfrac{4}{9}\right)$

$\qquad = \left\{\left(+\dfrac{8}{9}\right)+\left(+\dfrac{4}{9}\right)\right\}+\left(-\dfrac{11}{9}\right)$

$\qquad = \left(+\dfrac{12}{9}\right)+\left(-\dfrac{11}{9}\right)$

$\qquad = +\dfrac{1}{9}$

(4) $-\dfrac{1}{5}+\dfrac{2}{3}-\dfrac{8}{15}=\left(-\dfrac{1}{5}\right)+\left(+\dfrac{2}{3}\right)-\left(+\dfrac{8}{15}\right)$

$\qquad = \left(-\dfrac{1}{5}\right)+\left(+\dfrac{2}{3}\right)+\left(-\dfrac{8}{15}\right)$

$\qquad = \left(-\dfrac{3}{15}\right)+\left(+\dfrac{10}{15}\right)+\left(-\dfrac{8}{15}\right)$

$\qquad = \left\{\left(-\dfrac{3}{15}\right)+\left(-\dfrac{8}{15}\right)\right\}+\left(+\dfrac{10}{15}\right)$

$\qquad = \left(-\dfrac{11}{15}\right)+\left(+\dfrac{10}{15}\right)$

$\qquad = -\dfrac{1}{15}$

06 $-\dfrac{4}{3}+\dfrac{7}{4}+1-\dfrac{5}{12}$

$= \left(-\dfrac{4}{3}\right)+\left(+\dfrac{7}{4}\right)+(+1)-\left(+\dfrac{5}{12}\right)$

$= \left(-\dfrac{16}{12}\right)+\left(+\dfrac{21}{12}\right)+\left(+\dfrac{12}{12}\right)+\left(-\dfrac{5}{12}\right)$

$= \left\{\left(-\dfrac{16}{12}\right)+\left(-\dfrac{5}{12}\right)\right\}+\left\{\left(+\dfrac{21}{12}\right)+\left(+\dfrac{12}{12}\right)\right\}$

$= \left(-\dfrac{21}{12}\right)+\left(+\dfrac{33}{12}\right)$

$= +\dfrac{12}{12}=+1$

3단계

23 실력 확인 TEST

054~056쪽

01 $-$, $-$, 4, $-$, 3 **02** $+$, $+$, 9, 3, $+$, 6

03 $+$, $+$, 8, $+$, 9 **04** $-$, $-$, 5, 2, $-$, 7

05 $-$, $-$, 7, 5, $-$, 12 **06** -4

07 -1 **08** $+16$

09 -18 **10** -1

11 $-$, 1, 9, $-$, 2, $+$, 9, 2, $+$, 7

12 $+$, 9, $+$, 8, $-$, 9, 8, $-$, 1

13 $+$, 6, $+$, 7, $+$, 6, 7, $+$, 13

14 $-$, 4, $-$, 7, $-$, 4, 7, $-$, 11

15 $+\dfrac{25}{12}$ **16** $+2.2$ **17** -8.3

18 $-\dfrac{49}{15}$ **19** $+\dfrac{5}{14}$ **20** -1

21 -1 **22** $+9$ **23** $+5$

24 $-$, $-$, $+$, 3, $-$, $+$, 3, $-$, 2, $+$, $+$, 1

25 $-\dfrac{5}{12}$ **26** $-\dfrac{21}{10}$ **27** $+5.1$

28 -15 **29** -1 **30** $-\dfrac{5}{4}$

01
절댓값이 큰 수의 부호
$(+4)-(+7)=(+4)+(-7)=-(7-4)=-3$
절댓값의 차

02
절댓값이 큰 수의 부호
$(-3)-(-9)=(-3)+(+9)=+(9-3)=+6$
절댓값의 차

03
공통인 부호
$(+1)-(-8)=(+1)+(+8)=+(1+8)=+9$
절댓값의 합

04
공통인 부호
$(-5)-(+2)=(-5)+(-2)=-(5+2)=-7$
절댓값의 합

05
공통인 부호
$(-7)-(+5)=(-7)+(-5)=-(7+5)=-12$
절댓값의 합

06 $(+6)-(+10)=(+6)+(-10)$
$\qquad =-(10-6)=-4$

07 $(-5)-(-4)=(-5)+(+4)$
$\qquad =-(5-4)=-1$

08 $(+12)-(-4)=(+12)+(+4)$
$\qquad =+(12+4)=+16$

09 $(-15)-(+3)=(-15)+(-3)$
$\qquad =-(15+3)=-18$

10 $(+8)-(+9)=(+8)+(-9)$
$\qquad =-(9-8)=-1$

15 $\left(+\dfrac{4}{3}\right)-\left(-\dfrac{3}{4}\right)=\left(+\dfrac{4}{3}\right)+\left(+\dfrac{3}{4}\right)$
$\qquad =\left(+\dfrac{16}{12}\right)+\left(+\dfrac{9}{12}\right)$
$\qquad =+\left(\dfrac{16}{12}+\dfrac{9}{12}\right)=+\dfrac{25}{12}$

16 $(-6.5)-(-8.7)=(-6.5)+(+8.7)$
$\qquad =+(8.7-6.5)=+2.2$

17 $(-2.4)-(+5.9)=(-2.4)+(-5.9)$
$\qquad =-(2.4+5.9)=-8.3$

18 $\left(-\dfrac{8}{3}\right)-\left(+\dfrac{3}{5}\right)=\left(-\dfrac{8}{3}\right)+\left(-\dfrac{3}{5}\right)$
$\qquad =\left(-\dfrac{40}{15}\right)+\left(-\dfrac{9}{15}\right)$
$\qquad =-\left(\dfrac{40}{15}+\dfrac{9}{15}\right)=-\dfrac{49}{15}$

19 $\left(+\dfrac{4}{7}\right)-\left(+\dfrac{3}{14}\right)=\left(+\dfrac{4}{7}\right)+\left(-\dfrac{3}{14}\right)$
$\qquad =\left(+\dfrac{8}{14}\right)+\left(-\dfrac{3}{14}\right)$
$\qquad =+\left(\dfrac{8}{14}-\dfrac{3}{14}\right)=+\dfrac{5}{14}$

20 $(+2)-(-6)+(-9)=(+2)+(+6)+(-9)$
$\qquad =\{(+2)+(+6)\}+(-9)$
$\qquad =(+8)+(-9)=-1$

21 $(-3)+(+7)-(+5)=(-3)+(+7)+(-5)$
$\qquad =\{(-3)+(-5)\}+(+7)$
$\qquad =(-8)+(+7)=-1$

22 $(+8)+(-2)-(-4)-(+1)$
$=(+8)+(-2)+(+4)+(-1)$
$=\{(+8)+(+4)\}+\{(-2)+(-1)\}$
$=(+12)+(-3)=+9$

23 $(+3)-(+4)-(-7)+(-1)$
$=(+3)+(-4)+(+7)+(-1)$
$=\{(+3)+(+7)\}+\{(-4)+(-1)\}$
$=(+10)+(-5)$
$=+(10-5)=+5$

25 $\left(+\dfrac{2}{3}\right)-\left(-\dfrac{5}{4}\right)+\left(-\dfrac{7}{3}\right)$
$=\left(+\dfrac{2}{3}\right)+\left(+\dfrac{5}{4}\right)+\left(-\dfrac{7}{3}\right)$
$=\left\{\left(+\dfrac{2}{3}\right)+\left(-\dfrac{7}{3}\right)\right\}+\left(+\dfrac{5}{4}\right)$
$=\left(-\dfrac{5}{3}\right)+\left(+\dfrac{5}{4}\right)$
$=\left(-\dfrac{20}{12}\right)+\left(+\dfrac{15}{12}\right)$
$=-\dfrac{5}{12}$

26 $\left(-\dfrac{9}{5}\right)+\left(+\dfrac{1}{10}\right)-\left(+\dfrac{2}{5}\right)$

$=\left(-\dfrac{9}{5}\right)+\left(+\dfrac{1}{10}\right)+\left(-\dfrac{2}{5}\right)$

$=\left\{\left(-\dfrac{9}{5}\right)+\left(-\dfrac{2}{5}\right)\right\}+\left(+\dfrac{1}{10}\right)$

$=\left(-\dfrac{11}{5}\right)+\left(+\dfrac{1}{10}\right)$

$=\left(-\dfrac{22}{10}\right)+\left(+\dfrac{1}{10}\right)$

$=-\dfrac{21}{10}$

27 $(+4.8)-(-2.2)+(-1.9)$

$=(+4.8)+(+2.2)+(-1.9)$

$=\{(+4.8)+(+2.2)\}+(-1.9)$

$=(+7)+(-1.9)$

$=+5.1$

28 $-2-3-10$

$=(-2)-(+3)-(+10)$

$=(-2)+(-3)+(-10)$

$=\{(-2)+(-3)\}+(-10)$

$=(-5)+(-10)$

$=-15$

29 $2.4-8.7+5.3$

$=(+2.4)-(+8.7)+(+5.3)$

$=(+2.4)+(-8.7)+(+5.3)$

$=\{(+2.4)+(+5.3)\}+(-8.7)$

$=(+7.7)+(-8.7)$

$=-1$

30 $-\dfrac{7}{8}+\dfrac{3}{4}-\dfrac{9}{8}$

$=\left(-\dfrac{7}{8}\right)+\left(+\dfrac{3}{4}\right)-\left(+\dfrac{9}{8}\right)$

$=\left(-\dfrac{7}{8}\right)+\left(+\dfrac{3}{4}\right)+\left(-\dfrac{9}{8}\right)$

$=\left\{\left(-\dfrac{7}{8}\right)+\left(-\dfrac{9}{8}\right)\right\}+\left(+\dfrac{3}{4}\right)$

$=(-2)+\left(+\dfrac{3}{4}\right)$

$=\left(-\dfrac{8}{4}\right)+\left(+\dfrac{3}{4}\right)$

$=-\dfrac{5}{4}$

4단계 유리수의 곱셈　　　　057~072쪽

24 부호가 같은 유리수의 곱셈　　058~059쪽

01 (1) $+2$ (2) $+3$

02 (1) $+,\ 3,\ +,\ 6$ (2) $+,\ 9,\ +,\ 36$

(3) $+,\ \dfrac{1}{6},\ +,\ \dfrac{1}{30}$ (4) $+,\ \dfrac{4}{7},\ +,\ \dfrac{4}{21}$

03 (1) $+21$ (2) $+48$ (3) $+6$ (4) $+3$

(5) $+\dfrac{8}{15}$ (6) $+\dfrac{5}{72}$

04 (1) $+3$ (2) $+2$

05 (1) $+,\ 2,\ +,\ 12$ (2) $+,\ 3,\ +,\ 27$

(3) $+,\ \dfrac{4}{3},\ +,\ \dfrac{10}{3}$ (4) $+,\ \dfrac{4}{7},\ +,\ \dfrac{1}{14}$

06 (1) $+24$ (2) $+16$ (3) $+3$ (4) $+2$

(5) $+\dfrac{3}{7}$ (6) $+\dfrac{15}{8}$

---

01 (1) 오른쪽으로 1만큼씩 2번 이동 ➡ $+2$

(2) 오른쪽으로 1만큼씩 3번 이동 ➡ $+3$

03 (1) $(+3)\times(+7)=+(3\times7)=+21$

(2) $(+6)\times(+8)=+(6\times8)=+48$

(3) $\left(+\dfrac{3}{2}\right)\times(+4)=+\left(\dfrac{3}{\underset{1}{2}}\times\overset{2}{4}\right)=+6$

(4) $\left(+\dfrac{1}{3}\right)\times(+9)=+\left(\dfrac{1}{\underset{1}{3}}\times\overset{3}{9}\right)=+3$

(5) $\left(+\dfrac{2}{5}\right)\times\left(+\dfrac{4}{3}\right)=+\left(\dfrac{2}{5}\times\dfrac{4}{3}\right)=+\dfrac{8}{15}$

(6) $\left(+\dfrac{5}{9}\right)\times\left(+\dfrac{1}{8}\right)=+\left(\dfrac{5}{9}\times\dfrac{1}{8}\right)=+\dfrac{5}{72}$

04 (1) 왼쪽으로 1만큼을 방향을 바꿔서 오른쪽으로 1만큼씩 3번 이동 ➡ $+3$

(2) 왼쪽으로 2만큼을 방향을 바꿔서 오른쪽으로 2만큼씩 1번 이동 ➡ $+2$

05 (3) $\left(-\dfrac{5}{2}\right)\times\left(-\dfrac{4}{3}\right)=+\left(\dfrac{5}{\underset{1}{2}}\times\overset{2}{\dfrac{4}{3}}\right)=+\dfrac{10}{3}$

(4) $\left(-\dfrac{1}{8}\right)\times\left(-\dfrac{4}{7}\right)=+\left(\dfrac{1}{\underset{2}{8}}\times\overset{1}{\dfrac{4}{7}}\right)=+\dfrac{1}{14}$

06 (1) $(-8)\times(-3)=+(8\times3)=+24$

(2) $(-4)\times(-4)=+(4\times4)=+16$

(3) $\left(-\dfrac{1}{4}\right)\times(-12)=+\left(\dfrac{1}{\underset{1}{4}}\times\overset{3}{12}\right)=+3$

(4) $\left(-\dfrac{1}{5}\right)\times(-10)=+\left(\dfrac{1}{\underset{1}{5}}\times\overset{2}{10}\right)=+2$

(5) $\left(-\dfrac{3}{2}\right)\times\left(-\dfrac{2}{7}\right)=+\left(\dfrac{3}{\underset{1}{2}}\times\overset{1}{\dfrac{2}{7}}\right)=+\dfrac{3}{7}$

(6) $\left(-\dfrac{5}{3}\right)\times\left(-\dfrac{9}{8}\right)=+\left(\dfrac{5}{\underset{1}{3}}\times\overset{3}{\dfrac{9}{8}}\right)=+\dfrac{15}{8}$

25 부호가 다른 유리수의 곱셈 060~061쪽

01 (1) -2 (2) -4

02 (1) $-$, 3, $-$, 18 (2) $-$, 2, $-$, 8
(3) $-$, $\dfrac{5}{3}$, $-$, $\dfrac{10}{7}$ (4) $-$, $\dfrac{4}{9}$, $-$, $\dfrac{1}{9}$

03 (1) -16 (2) -9 (3) $-\dfrac{1}{2}$ (4) $-\dfrac{3}{4}$
(5) -4 (6) -10

04 (1) -4 (2) -2

05 (1) $-$, 9, $-$, 72 (2) $-$, 6, $-$, 24
(3) $-$, $\dfrac{8}{3}$, $-$, $\dfrac{16}{5}$ (4) $-$, $\dfrac{1}{12}$, $-$, $\dfrac{1}{15}$

06 (1) -32 (2) -35 (3) $-\dfrac{2}{5}$ (4) $-\dfrac{2}{3}$
(5) -0.08 (6) -1.8

01 (1) 오른쪽으로 1만큼을 방향을 바꿔서 왼쪽으로 1만큼씩 2번 이동 ➡ -2
(2) 오른쪽으로 1만큼을 방향을 바꿔서 왼쪽으로 1만큼씩 4번 이동 ➡ -4

02 (3) $\left(+\dfrac{6}{7}\right)\times\left(-\dfrac{5}{3}\right)=-\left(\dfrac{\overset{2}{6}}{7}\times\dfrac{5}{\underset{1}{3}}\right)=-\dfrac{10}{7}$
(4) $\left(+\dfrac{1}{4}\right)\times\left(-\dfrac{4}{9}\right)=-\left(\dfrac{1}{\underset{1}{4}}\times\dfrac{\overset{1}{4}}{9}\right)=-\dfrac{1}{9}$

03 (1) $(+2)\times(-8)=-(2\times8)=-16$
(2) $(+3)\times(-3)=-(3\times3)=-9$
(3) $\left(+\dfrac{2}{7}\right)\times\left(-\dfrac{7}{4}\right)=-\left(\dfrac{\overset{1}{2}}{7}\times\dfrac{\overset{1}{7}}{4}\right)=-\dfrac{1}{2}$
(4) $\left(+\dfrac{2}{5}\right)\times\left(-\dfrac{15}{8}\right)=-\left(\dfrac{\overset{1}{2}}{5}\times\dfrac{\overset{3}{15}}{\underset{4}{8}}\right)=-\dfrac{3}{4}$
(5) $(+0.8)\times(-5)=-(0.8\times5)=-4$
(6) $(+2.5)\times(-4)=-(2.5\times4)=-10$

04 (1) 왼쪽으로 2만큼씩 2번 이동 ➡ -4
(2) 왼쪽으로 1만큼씩 2번 이동 ➡ -2

05 (3) $\left(-\dfrac{6}{5}\right)\times\left(+\dfrac{8}{3}\right)=-\left(\dfrac{\overset{2}{6}}{5}\times\dfrac{8}{\underset{1}{3}}\right)=-\dfrac{16}{5}$
(4) $\left(-\dfrac{4}{5}\right)\times\left(+\dfrac{1}{12}\right)=-\left(\dfrac{\overset{1}{4}}{5}\times\dfrac{1}{\underset{3}{12}}\right)=-\dfrac{1}{15}$

06 (1) $(-4)\times(+8)=-(4\times8)=-32$
(2) $(-5)\times(+7)=-(5\times7)=-35$
(3) $\left(-\dfrac{1}{6}\right)\times\left(+\dfrac{12}{5}\right)=-\left(\dfrac{1}{\underset{1}{6}}\times\dfrac{\overset{2}{12}}{5}\right)=-\dfrac{2}{5}$
(4) $\left(-\dfrac{8}{9}\right)\times\left(+\dfrac{3}{4}\right)=-\left(\dfrac{\overset{2}{8}}{\underset{3}{9}}\times\dfrac{\overset{1}{3}}{\underset{1}{4}}\right)=-\dfrac{2}{3}$
(5) $(-0.2)\times(+0.4)=-(0.2\times0.4)=-0.08$
(6) $(-1.2)\times(+1.5)=-(1.2\times1.5)=-1.8$

26 곱셈의 교환법칙, 결합법칙 062~063쪽

01 (1) -9 (2) $+6$

02 (1) ① -18 ② -18 (2) ① $+14$ ② $+14$
(3) ① -20 ② -20 (4) ① $+24$ ② $+24$

03 (1) ① -9 ② -9 (2) ① $+\dfrac{1}{5}$ ② $+\dfrac{1}{5}$
(3) ① $+0.6$ ② $+0.6$ (4) ① -8.4 ② -8.4

04 (1) 교환, 결합 (2) 교환, 결합

05 $(-25)\times(+6)\times(-4)$
$=(-25)\times(-4)\times(+6)$
$=\{(-25)\times(-4)\}\times(+6)$
$=(+100)\times(+6)=+600$

06 (1) $-\dfrac{3}{2}$ (2) -28

01 (1) $(+2)\times(-9)=-18$
$(-9)\times(+2)=-18$
(2) $(-4)\times(+6)=-24$
$(+6)\times(-4)=-24$

02 (1) $(-6)\times(+3)=-(6\times3)=-18$
$(+3)\times(-6)=-(3\times6)=-18$ 〕같다.
(2) $(-2)\times(-7)=+(2\times7)=+14$
$(-7)\times(-2)=+(7\times2)=+14$ 〕같다.
(3) $(+4)\times(-5)=-(4\times5)=-20$
$(-5)\times(+4)=-(5\times4)=-20$ 〕같다.
(4) $(+8)\times(+3)=+(8\times3)=+24$
$(+3)\times(+8)=+(3\times8)=+24$ 〕같다.

03 (1) $(+4)\times\left(-\dfrac{9}{4}\right)=-\left(\overset{1}{4}\times\dfrac{9}{\underset{1}{4}}\right)=-9$
$\left(-\dfrac{9}{4}\right)\times(+4)=-\left(\dfrac{9}{\underset{1}{4}}\times\overset{1}{4}\right)=-9$ 〕같다.
(2) $\left(+\dfrac{1}{3}\right)\times\left(+\dfrac{3}{5}\right)=+\left(\dfrac{1}{\underset{1}{3}}\times\dfrac{\overset{1}{3}}{5}\right)=+\dfrac{1}{5}$
$\left(+\dfrac{3}{5}\right)\times\left(+\dfrac{1}{3}\right)=+\left(\dfrac{\overset{1}{3}}{5}\times\dfrac{1}{\underset{1}{3}}\right)=+\dfrac{1}{5}$ 〕같다.
(3) $(-2)\times(-0.3)=+(2\times0.3)=+0.6$
$(-0.3)\times(-2)=+(0.3\times2)=+0.6$ 〕같다.
(4) $(-7)\times(+1.2)=-(7\times1.2)=-8.4$
$(+1.2)\times(-7)=-(1.2\times7)=-8.4$ 〕같다.

06 (1) $\left(-\dfrac{5}{7}\right)\times(-3)\times\left(-\dfrac{7}{10}\right)$ 곱셈의 교환법칙
$=(-3)\times\left(-\dfrac{5}{7}\right)\times\left(-\dfrac{7}{10}\right)$ 곱셈의 결합법칙
$=(-3)\times\left\{\left(-\dfrac{5}{\underset{1}{7}}\right)\times\left(-\dfrac{\overset{1}{7}}{\underset{2}{10}}\right)\right\}$
$=(-3)\times\left(+\dfrac{1}{2}\right)=-\dfrac{3}{2}$

(2) $\left(+\dfrac{8}{3}\right)\times(-7)\times\left(+\dfrac{3}{2}\right)$

$=\left(+\dfrac{8}{3}\right)\times\left(+\dfrac{3}{2}\right)\times(-7)$ 곱셈의 교환법칙

$=\left\{\left(+\dfrac{\overset{4}{8}}{3}\right)\times\left(+\dfrac{3}{\underset{1}{2}}\right)\right\}\times(-7)$ 곱셈의 결합법칙

$=(+4)\times(-7)=-28$

---

27 세 수 이상의 곱셈

064~065쪽

01 (1) $\dfrac{3}{14}$ (2) $\dfrac{7}{30}$ (3) $\dfrac{1}{80}$ (4) $\dfrac{3}{28}$

02 (1) $-,\ -,\ 36$ (2) $+,\ +,\ 72$
     (3) $-,\ -,\ 48$ (4) $-,\ -,\ 210$

03 (1) $+,\ +,\ \dfrac{3}{8}$ (2) $-,\ -,\ 12$

04 (1) -140 (2) -60 (3) $+54$ (4) -120

05 (1) $+\dfrac{2}{15}$ (2) $+\dfrac{1}{21}$ (3) -2
     (4) $-\dfrac{1}{12}$ (5) $-\dfrac{10}{3}$ (6) -12

06 (1) $-6,\ -4$ (2) $-7,\ -3$

---

01 (1) $\dfrac{1}{2}\times\dfrac{3}{5}\times\dfrac{1}{\underset{1}{5}}{7}=\dfrac{3}{14}$

(2) $\dfrac{\overset{1}{2}}{5}\times\dfrac{1}{\underset{2}{4}}\times\dfrac{7}{3}=\dfrac{7}{30}$

(3) $\dfrac{1}{\underset{2}{6}}\times\dfrac{1}{5}\times\dfrac{3}{8}=\dfrac{1}{80}$

(4) $1\dfrac{2}{7}\times\dfrac{5}{6}\times\dfrac{1}{10}=\dfrac{\overset{3}{9}}{7}\times\dfrac{\overset{1}{5}}{\underset{2}{6}}\times\dfrac{1}{\underset{2}{10}}=\dfrac{3}{28}$

02 (1) 부호: 음수가 1개 ➡ $-$
     절댓값의 곱: $2\times3\times6=36$

(2) 부호: 음수가 2개 ➡ $+$
     절댓값의 곱: $4\times2\times9=72$

(3) 부호: 음수가 3개 ➡ $-$
     절댓값의 곱: $2\times4\times3\times2=48$

(4) 부호: 음수가 3개 ➡ $-$
     절댓값의 곱: $3\times7\times2\times5=210$

03 (1) 부호: 음수가 2개 ➡ $+$
     절댓값의 곱: $\dfrac{3}{5}\times\dfrac{\overset{1}{7}}{4}\times\dfrac{\overset{1}{5}}{\underset{2}{14}}=\dfrac{3}{8}$

(2) 부호: 음수가 3개 ➡ $-$
     절댓값의 곱: $\dfrac{1}{\underset{1}{6}}\times\overset{2}{12}\times\dfrac{3}{\underset{1}{5}}\times\overset{2}{10}=12$

---

04 (1) $(+7)\times(+5)\times(-4)$
     $=-(7\times5\times4)$
     $=-140$

(2) $(+2)\times(+6)\times(-5)$
     $=-(2\times6\times5)$
     $=-60$

(3) $(+3)\times(-1)\times(+9)\times(-2)$
     $=+(3\times1\times9\times2)$
     $=+54$

(4) $(+4)\times(-2)\times(-5)\times(-3)$
     $=-(4\times2\times5\times3)$
     $=-120$

05 (1) $\left(-\dfrac{1}{2}\right)\times\left(+\dfrac{4}{5}\right)\times\left(-\dfrac{1}{3}\right)$

$=+\left(\dfrac{1}{\underset{1}{2}}\times\dfrac{\overset{2}{4}}{5}\times\dfrac{1}{3}\right)=+\dfrac{2}{15}$

(2) $\left(-\dfrac{1}{7}\right)\times\left(-\dfrac{4}{9}\right)\times\left(+\dfrac{3}{4}\right)$

$=+\left(\dfrac{1}{7}\times\dfrac{\overset{1}{4}}{\underset{3}{9}}\times\dfrac{\overset{1}{3}}{\underset{1}{4}}\right)=+\dfrac{1}{21}$

(3) $\left(+\dfrac{1}{5}\right)\times\left(-\dfrac{5}{6}\right)\times(+12)$

$=-\left(\dfrac{1}{\underset{1}{5}}\times\dfrac{\overset{1}{5}}{\underset{1}{6}}\times\overset{2}{12}\right)=-2$

(4) $\left(-\dfrac{1}{8}\right)\times\left(-\dfrac{2}{9}\right)\times(-3)$

$=-\left(\dfrac{1}{\underset{4}{8}}\times\dfrac{\overset{1}{2}}{\underset{3}{9}}\times\overset{1}{3}\right)=-\dfrac{1}{12}$

(5) $(+8)\times\left(-\dfrac{1}{4}\right)\times(-3)\times\left(-\dfrac{5}{9}\right)$

$=-\left(\overset{2}{8}\times\dfrac{1}{\underset{1}{4}}\times\overset{1}{3}\times\dfrac{5}{\underset{3}{9}}\right)=-\dfrac{10}{3}$

(6) $(+4)\times\left(-\dfrac{1}{7}\right)\times(+5)\times\left(+\dfrac{21}{5}\right)$

$=-\left(4\times\dfrac{1}{\underset{1}{7}}\times\dfrac{1}{\underset{1}{5}}\times\dfrac{\overset{3}{21}}{\underset{5}{5}}\right)=-12$

06 (1) 음수를 두 개 뽑아야 양수가 된다.

➡ $\underset{양수}{(+2)}\times\underbrace{\underset{}{(-4)\times(-6)}}_{음수}$

     $\underset{양수}{(+5)}\times\underbrace{\underset{}{(-6)\times(-4)}}_{음수}$

(2) 음수를 두 개 뽑아야 양수가 된다.

➡ $\underset{음수}{(-3)}\times\underset{양수}{(+8)}\times\underset{음수}{(-7)}$

     $\underset{음수}{(-7)}\times\underset{양수}{\left(+\dfrac{1}{4}\right)}\times\underset{음수}{(-3)}$

28 거듭제곱의 계산

066~067쪽

01 (1) 2, 5　(2) 3, 2　(3) 10, 3　(4) $\dfrac{1}{5}$, 2

02 (1) $+1$　(2) $+16$　(3) $+\dfrac{1}{2}$, $+\dfrac{1}{8}$　(4) $+\dfrac{1}{3}$, $+\dfrac{1}{9}$

03 (1) $+8$　(2) $+25$

04 (1) -8　(2) $+16$　(3) -1　(4) -8

　　(5) -25　(6) $+1$

05 (1) -1　(2) $+1$　(3) $+\dfrac{1}{9}$　(4) $-\dfrac{1}{4}$

　　(5) $+49$　(6) $+\dfrac{1}{16}$

06 ②

---

01 (1) 2^5 ← 지수　　　　(2) 3^2 ← 지수

　　　↑ 밑　　　　　　　　　↑ 밑

　(3) 10^3 ← 지수　　　(4) $\left(\dfrac{1}{5}\right)^2$ ← 지수

　　　↑ 밑　　　　　　　　　↑ 밑

03 (1) $(+2)^3 = (+2)\times(+2)\times(+2) = +8$

　(2) $(+5)^2 = (+5)\times(+5) = +25$

05 (1) $(-1)^{홀수} = -1$

　(2) $(-1)^{짝수} = +1$

　(3) $\left(-\dfrac{1}{3}\right)^2 = \left(-\dfrac{1}{3}\right)\times\left(-\dfrac{1}{3}\right) = +\dfrac{1}{9}$

　(4) $-\left(-\dfrac{1}{2}\right)^2 = -\left\{\left(-\dfrac{1}{2}\right)\times\left(-\dfrac{1}{2}\right)\right\}$

　　　　　　$= -\left(+\dfrac{1}{4}\right) = -\dfrac{1}{4}$

　(5) $(-7)^2 = (-7)\times(-7) = +49$

　(6) $\left(-\dfrac{1}{2}\right)^4 = \left(-\dfrac{1}{2}\right)\times\left(-\dfrac{1}{2}\right)\times\left(-\dfrac{1}{2}\right)\times\left(-\dfrac{1}{2}\right)$

　　　　　　$= +\dfrac{1}{16}$

06 ① $\left(-\dfrac{1}{5}\right)^2 = \left(-\dfrac{1}{5}\right)\times\left(-\dfrac{1}{5}\right) = +\dfrac{1}{25}$

　② $(-5)^2 = (-5)\times(-5) = +25$

　③ $-5^2 = -(5\times5) = -25$

　④ $-(-3)^2 = -(-3)\times(-3) = -9$

　⑤ $3^3 = 3\times3\times3 = 27$

---

29 분배법칙

068~069쪽

01 (1) -2, -200, -202　(2) 8, 32, 832

02 (1) 490　(2) -618　(3) 13　(4) -2

03 ③

04 (1) 15, 15, 10, 150　(2) 49, 100, -300

05 (1) 300　(2) -270　(3) -2　(4) 9

　　(5) 52　(6) -1300

06 ①

---

02 (1) $5\times(100-2) = 5\times100 - 5\times2$

　　　　　　　$= 500 - 10$

　　　　　　　$= 490$

　(2) $(-6)\times(100+3) = (-6)\times100 + (-6)\times3$

　　　　　　　$= (-600) + (-18)$

　　　　　　　$= -618$

　(3) $\left(\dfrac{1}{4}+\dfrac{2}{5}\right)\times20 = \dfrac{1}{4}\times\overset{5}{20} + \dfrac{2}{5}\times\overset{4}{20}$

　　　　　　　$= 5 + 8$

　　　　　　　$= 13$

　(4) $\left\{\dfrac{2}{3}+\left(-\dfrac{5}{6}\right)\right\}\times12 = \dfrac{2}{3}\times\overset{4}{12} + \left(-\dfrac{5}{6}\right)\times\overset{2}{12}$

　　　　　　　$= 8 + (-10)$

　　　　　　　$= -2$

03 $a\times(b+c) = a\times b + a\times c$

　　　　　　　$= (-3) + (+7)$

　　　　　　　$= +(7-3)$

　　　　　　　$= +4$

05 (1) $3\times25 + 3\times75 = 3\times(25+75)$

　　공통으로 곱하는 수　　$= 3\times100$

　　　　　　　$= 300$

　(2) $(-27)\times6 + (-27)\times4 = (-27)\times(6+4)$

　　공통으로 곱하는 수　　$= (-27)\times10$

　　　　　　　$= -270$

　(3) $(-7)\times\dfrac{1}{2} + 3\times\dfrac{1}{2} = (-7+3)\times\dfrac{1}{2}$

　　공통으로 곱하는 수　$= (\overset{2}{-4})\times\dfrac{1}{\underset{1}{2}}$

　　　　　　　$= -2$

　(4) $9\times0.4 + 9\times0.6 = 9\times(0.4+0.6)$

　　공통으로 곱하는 수　　$= 9\times1$

　　　　　　　$= 9$

　(5) $5.2\times12 - 5.2\times2 = 5.2\times(12-2)$

　　공통으로 곱하는 수　　$= 5.2\times10$

　　　　　　　$= 52$

　(6) $64\times(-13) + 36\times(-13) = (64+36)\times(-13)$

　　공통으로 곱하는 수　　$= 100\times(-13)$

　　　　　　　$= -1300$

06 $27\times(-5) + 73\times(-5) = (27+73)\times(-5)$

　　공통으로 곱하는 수　　$= 100\times(-5)$

　　　　　　　$= -500$

따라서 $a=100$, $b=-500$이므로

$a+b = 100 + (-500)$

　　　$= -(500-100)$

　　　$= -400$

01 +, 4, +, 32　　**02** +, 7, +, 35

03 +, $\dfrac{5}{2}$, +, $\dfrac{5}{12}$　　**04** −, $\dfrac{1}{2}$, −, $\dfrac{3}{14}$

05 −, $\dfrac{9}{8}$, −, $\dfrac{9}{10}$　　**06** +18

07 −12　　**08** +$\dfrac{1}{7}$　　**09** −$\dfrac{1}{12}$

10 −$\dfrac{1}{6}$　　**11** ① −24 ② −24

12 ① −$\dfrac{7}{2}$ ② −$\dfrac{7}{2}$

13 ㉠ 곱셈의 교환법칙, ㉡ 곱셈의 결합법칙

14 +5, +5, −10, −190

15 −$\dfrac{15}{4}$, −$\dfrac{15}{4}$, +6, −36

16 +, +, 84　**17** −, −, $\dfrac{1}{42}$　**18** −96

19 −120　**20** +10　**21** +2, +, 4

22 −4, −4, −, 64　**23** +1

24 −4　　**25** +$\dfrac{1}{16}$

26 7, 7, 700, 42, 742　　**27** 35, 100, 500

28 2346　**29** −8　**30** −3

---

01 $(+8)\times(+4)=+(8\times4)=+32$

02 $(-5)\times(-7)=+(5\times7)=+35$

03 $\left(+\dfrac{1}{6}\right)\times\left(+\dfrac{5}{2}\right)=+\left(\dfrac{1}{6}\times\dfrac{5}{2}\right)=+\dfrac{5}{12}$

04 $\left(+\dfrac{3}{7}\right)\times\left(-\dfrac{1}{2}\right)=-\left(\dfrac{3}{7}\times\dfrac{1}{2}\right)=-\dfrac{3}{14}$

05 $\left(-\dfrac{4}{5}\right)\times\left(+\dfrac{9}{8}\right)=-\left(\dfrac{\overset{1}{4}}{5}\times\dfrac{9}{\underset{2}{8}}\right)=-\dfrac{9}{10}$

06 $(-2)\times(-9)=+(2\times9)=+18$

07 $(-4)\times(+3)=-(4\times3)=-12$

08 $\left(+\dfrac{5}{7}\right)\times\left(+\dfrac{1}{5}\right)=+\left(\dfrac{\overset{1}{5}}{7}\times\dfrac{1}{\underset{1}{5}}\right)=+\dfrac{1}{7}$

09 $\left(+\dfrac{1}{9}\right)\times\left(-\dfrac{3}{4}\right)=-\left(\dfrac{1}{\underset{3}{9}}\times\dfrac{3}{4}\right)=-\dfrac{1}{12}$

10 $\left(-\dfrac{1}{4}\right)\times\left(+\dfrac{2}{3}\right)=-\left(\dfrac{1}{\underset{2}{4}}\times\dfrac{\overset{1}{2}}{3}\right)=-\dfrac{1}{6}$

11 $(-4)\times(+6)=-(4\times6)=-24$
　　$(+6)\times(-4)=-(6\times4)=-24$

12 $(+5)\times\left(-\dfrac{7}{10}\right)=-\left(\dfrac{\overset{1}{5}}\times\dfrac{7}{\underset{2}{10}}\right)=-\dfrac{7}{2}$

　　$\left(-\dfrac{7}{10}\right)\times(+5)=-\left(\dfrac{7}{\underset{2}{10}}\times\dfrac{\overset{1}{5}}\right)=-\dfrac{7}{2}$

15 $\left(-\dfrac{15}{4}\right)\times(-6)\times\left(-\dfrac{8}{5}\right)$

　　$=(-6)\times\left(-\dfrac{15}{4}\right)\times\left(-\dfrac{8}{5}\right)$ ｝곱셈의 교환법칙

　　$=(-6)\times\left\{\left(-\dfrac{\overset{3}{15}}{4}\right)\times\left(-\dfrac{8}{\underset{1}{5}}\right)\right\}$ ｝곱셈의 결합법칙

　　$=(-6)\times(+6)$

　　$=-36$

16 부호: 음수가 2개 ➡ +
　　절댓값의 곱: $4\times3\times7=84$

17 부호: 음수가 3개 ➡ −
　　절댓값의 곱: $\dfrac{\overset{1}{4}}{\underset{3}{9}}\times\dfrac{1}{\underset{2}{8}}\times\dfrac{3}{7}=\dfrac{1}{42}$

18 $(+2)\times(-6)\times(+8)$
　　$=-(2\times6\times8)=-96$

19 $(-2)\times(-3)\times(-5)\times(+4)$
　　$=-(2\times3\times5\times4)=-120$

20 $\left(-\dfrac{1}{2}\right)\times(+4)\times\left(+\dfrac{5}{3}\right)\times(-3)$

　　$=+\left(\dfrac{1}{\underset{1}{2}}\times\overset{2}{4}\times\dfrac{5}{3}\times\overset{1}{3}\right)$

　　$=+10$

23 $(+1)^5=(+1)\times(+1)\times(+1)\times(+1)\times(+1)$
　　　　$=+1$

24 $-(-2)^2=-\{(-2)\times(-2)\}$
　　　　$=-(+4)=-4$

25 $\left(-\dfrac{1}{4}\right)^2=\left(-\dfrac{1}{4}\right)\times\left(-\dfrac{1}{4}\right)=+\dfrac{1}{16}$

28 $23\times(100+2)$
　　$=23\times100+23\times2$
　　$=2300+46$
　　$=2346$

29 $(-15)\times\left(\dfrac{1}{3}+\dfrac{1}{5}\right)$

　　$=(-\overset{5}{15})\times\dfrac{1}{\underset{1}{3}}+(-\overset{3}{15})\times\dfrac{1}{\underset{1}{5}}$

　　$=(-5)+(-3)$

　　$=-(5+3)$

　　$=-8$

30 $8\times(-0.3)+2\times(-0.3)$
　　$=(8+2)\times(-0.3)$
　　$=10\times(-0.3)$
　　$=-3$

31 정수의 나눗셈

01 (1) $+$, 5, $+$, 2 (2) $+$, 2, $+$, 7

02 (1) $+9$ (2) $+6$ (3) $+3$ (4) $+5$
　 (5) $+5$ (6) $+9$

03 ②

04 (1) $-$, 4, $-$, 6 (2) $-$, 6, $-$, 8

05 (1) -13 (2) -2 (3) -11 (4) -6
　 (5) -5 (6) -8

06 (1) $-\dfrac{3}{4}$ (2) $+\dfrac{4}{5}$ (3) $+\dfrac{2}{9}$

07 ④

---

02 (1) $(+36) \div (+4) = +(36 \div 4) = +9$

(2) $(+42) \div (+7) = +(42 \div 7) = +6$

(3) $(-24) \div (-8) = +(24 \div 8) = +3$

(4) $(-45) \div (-9) = +(45 \div 9) = +5$

(5) $(+30) \div (+6) = +(30 \div 6) = +5$

(6) $(-27) \div (-3) = +(27 \div 3) = +9$

03 ① $(+20) \div (+2) = +(20 \div 2) = +10$

② $(-16) \div (-8) = +(16 \div 8) = +2$

③ $(-24) \div (-4) = +(24 \div 4) = +6$

④ $(+36) \div (+9) = +(36 \div 9) = +4$

⑤ $(-35) \div (-5) = +(35 \div 5) = +7$

따라서 계산 결과가 가장 작은 것은 ②이다.

05 (1) $(+39) \div (-3) = -(39 \div 3) = -13$

(2) $(+16) \div (-8) = -(16 \div 8) = -2$

(3) $(-22) \div (+2) = -(22 \div 2) = -11$

(4) $(-54) \div (+9) = -(54 \div 9) = -6$

(5) $(+35) \div (-7) = -(35 \div 7) = -5$

(6) $(-40) \div (+5) = -(40 \div 5) = -8$

06 (1) $(-3) \div (+4) = -(3 \div 4)$
$$= -\dfrac{3}{4}$$

(2) $(+4) \div (+5) = +(4 \div 5)$
$$= +\dfrac{4}{5}$$

(3) $(-2) \div (-9) = +(2 \div 9)$
$$= +\dfrac{2}{9}$$

잠깐만 나눗셈의 몫이 정수로 나오지 않는 경우 분수로 나타낸다.

07 ④ $(+54) \div (-6) = -(54 \div 6) = -9$

---

32 유리수의 나눗셈

01 (1) 1, $-\dfrac{4}{3}$, $-\dfrac{3}{4}$ (2) 1, $+\dfrac{7}{2}$, $+\dfrac{2}{7}$

02 (1) $\dfrac{6}{5}$ (2) $-\dfrac{1}{3}$ (3) $\dfrac{1}{5}$ (4) $\dfrac{10}{9}$

03 (1) $-\dfrac{1}{8}$ (2) $\dfrac{7}{5}$ (3) $-\dfrac{4}{7}$
　 (4) $\dfrac{10}{7}$ (5) $\dfrac{10}{3}$ (6) $-\dfrac{10}{19}$

04 ②

05 (1) $+$, $\dfrac{8}{5}$, $\dfrac{8}{5}$, $+$, 64 (2) $+$, $\dfrac{3}{2}$, $\dfrac{3}{2}$, $-$, $\dfrac{6}{5}$

06 (1) -15 (2) $+20$ (3) $+9$ (4) -35
　 (5) $+\dfrac{1}{21}$ (6) $-\dfrac{1}{14}$

07 (1) $+\dfrac{4}{3}$ (2) $+\dfrac{1}{6}$ (3) $-\dfrac{6}{5}$ (4) $-\dfrac{3}{4}$

---

01 (1) $\left(-\dfrac{3}{4}\right) \times \left(-\dfrac{4}{3}\right) = 1$ (역수)

(2) $\left(+\dfrac{2}{7}\right) \times \left(+\dfrac{7}{2}\right) = 1$ (역수)

03 (1) $-8\left(=-\dfrac{8}{1}\right)$의 역수: $-\dfrac{1}{8}$

(2) $\dfrac{5}{7}$의 역수: $\dfrac{7}{5}$

(3) $-1\dfrac{3}{4}\left(=-\dfrac{7}{4}\right)$의 역수: $-\dfrac{4}{7}$

(4) $0.7\left(=\dfrac{7}{10}\right)$의 역수: $\dfrac{10}{7}$

(5) $0.3\left(=\dfrac{3}{10}\right)$의 역수: $\dfrac{10}{3}$

(6) $-1.9\left(=-\dfrac{19}{10}\right)$의 역수: $-\dfrac{10}{19}$

04 $\dfrac{4}{9} \times \dfrac{9}{4} = 1$이므로 $a = \dfrac{9}{4}$, $-9 \times \left(-\dfrac{1}{9}\right) = 1$이므로

$b = -\dfrac{1}{9}$

➡ $a \times b = \dfrac{9}{4} \times \left(-\dfrac{1}{9}\right) = -\left(\dfrac{\overset{1}{9}}{4} \times \dfrac{1}{\underset{1}{9}}\right) = -\dfrac{1}{4}$

05 (1) $(+40) \div \left(+\dfrac{5}{8}\right) = (+40) \times \left(+\dfrac{8}{5}\right)$
$$= +\left(\overset{8}{40} \times \dfrac{8}{\underset{1}{5}}\right) = +64$$

(2) $\left(-\dfrac{4}{5}\right) \div \left(+\dfrac{2}{3}\right) = \left(-\dfrac{4}{5}\right) \times \left(+\dfrac{3}{2}\right)$
$$= -\left(\dfrac{\overset{2}{4}}{5} \times \dfrac{3}{\underset{1}{2}}\right) = -\dfrac{6}{5}$$

06 (1) $(-6) \div \left(+\dfrac{2}{5}\right) = (-6) \times \left(+\dfrac{5}{2}\right)$
$$= -\left(\overset{3}{6} \times \dfrac{5}{\underset{1}{2}}\right) = -15$$

(2) $(-14) \div \left(-\dfrac{7}{10}\right) = (-14) \times \left(-\dfrac{10}{7}\right)$
$$= +\left(\overset{2}{14} \times \dfrac{10}{\underset{1}{7}}\right) = +20$$

(3) $(+8) \div \left(+\dfrac{8}{9}\right) = (+8) \times \left(+\dfrac{9}{8}\right)$

$\qquad = +\left(\overset{1}{8} \times \dfrac{9}{\underset{1}{8}}\right) = +9$

(4) $(-21) \div \left(+\dfrac{3}{5}\right) = (-21) \times \left(+\dfrac{5}{3}\right)$

$\qquad = -\left(\overset{7}{21} \times \dfrac{5}{\underset{1}{3}}\right) = -35$

(5) $\left(-\dfrac{2}{7}\right) \div (-6) = \left(-\dfrac{2}{7}\right) \times \left(-\dfrac{1}{6}\right)$

$\qquad = +\left(\dfrac{\overset{1}{2}}{7} \times \dfrac{1}{\underset{3}{6}}\right) = +\dfrac{1}{21}$

(6) $\left(+\dfrac{4}{7}\right) \div (-8) = \left(+\dfrac{4}{7}\right) \times \left(-\dfrac{1}{8}\right)$

$\qquad = -\left(\dfrac{\overset{1}{4}}{7} \times \dfrac{1}{\underset{2}{8}}\right) = -\dfrac{1}{14}$

07 (1) $\left(+\dfrac{4}{5}\right) \div \left(+\dfrac{3}{5}\right) = \left(+\dfrac{4}{5}\right) \times \left(+\dfrac{5}{3}\right)$

$\qquad = +\left(\dfrac{4}{5} \times \dfrac{\overset{1}{5}}{3}\right) = +\dfrac{4}{3}$

(2) $\left(-\dfrac{5}{9}\right) \div \left(-\dfrac{10}{3}\right) = \left(-\dfrac{5}{9}\right) \times \left(-\dfrac{3}{10}\right)$

$\qquad = +\left(\dfrac{\overset{1}{5}}{9} \times \dfrac{\overset{1}{3}}{10}\right) = +\dfrac{1}{6}$

(3) $\left(+\dfrac{1}{2}\right) \div \left(-\dfrac{5}{12}\right) = \left(+\dfrac{1}{2}\right) \times \left(-\dfrac{12}{5}\right)$

$\qquad = -\left(\dfrac{1}{2} \times \dfrac{\overset{6}{12}}{5}\right) = -\dfrac{6}{5}$

(4) $\left(-\dfrac{2}{5}\right) \div \left(+\dfrac{8}{15}\right) = \left(-\dfrac{2}{5}\right) \times \left(+\dfrac{15}{8}\right)$

$\qquad = -\left(\dfrac{\overset{1}{2}}{5} \times \dfrac{\overset{3}{15}}{\underset{4}{8}}\right) = -\dfrac{3}{4}$

---

33 유리수의 곱셈과 나눗셈의 혼합 계산 [078~079쪽]

01 $-\dfrac{1}{6}, \ \dfrac{1}{6}, \ -\dfrac{1}{12}$

02 (1) -18 (2) $-\dfrac{16}{3}$ (3) $+25$ (4) $-\dfrac{4}{7}$

03 (1) $+\dfrac{9}{7}$ (2) $+25$ (3) $+15$

　　(4) $-\dfrac{3}{4}$ (5) $+\dfrac{1}{12}$ (6) $-\dfrac{8}{15}$

04 (1) $+4, \ +4, \ -\dfrac{1}{5}, \ 4, \ \dfrac{1}{5}, \ -8$

　　(2) $+\dfrac{1}{9}, \ +\dfrac{1}{9}, \ -9, \ \dfrac{1}{9}, \ 9, \ -2$

05 (1) $-\dfrac{1}{12}$ (2) $+\dfrac{64}{3}$ (3) $-\dfrac{2}{3}$

　　(4) $-\dfrac{4}{7}$ (5) $-\dfrac{10}{3}$ (6) $+\dfrac{5}{36}$

---

01 $\left(+\dfrac{2}{3}\right) \times \left(+\dfrac{3}{4}\right) \div (-6)$

$\quad = \left(+\dfrac{2}{3}\right) \times \left(+\dfrac{3}{4}\right) \times \left(-\dfrac{1}{6}\right)$

$\quad = -\left(\dfrac{\overset{1}{2}}{\underset{1}{3}} \times \dfrac{\overset{1}{3}}{\underset{2}{4}} \times \dfrac{1}{6}\right) = -\dfrac{1}{12}$

02 (1) $(-4) \times (+9) \div (+2) = (-4) \times (+9) \times \left(+\dfrac{1}{2}\right)$

$\qquad = -\left(\overset{2}{4} \times 9 \times \dfrac{1}{\underset{1}{2}}\right) = -18$

(2) $(-16) \div (+12) \times (+4) = (-16) \times \left(+\dfrac{1}{12}\right) \times (+4)$

$\qquad = -\left(16 \times \dfrac{1}{\underset{3}{12}} \times \overset{1}{4}\right) = -\dfrac{16}{3}$

(3) $(+30) \times (-5) \div (-6) = (+30) \times (-5) \times \left(-\dfrac{1}{6}\right)$

$\qquad = +\left(\overset{5}{30} \times 5 \times \dfrac{1}{\underset{1}{6}}\right) = +25$

(4) $(-20) \div (-7) \div (-5) = (-20) \times \left(-\dfrac{1}{7}\right) \times \left(-\dfrac{1}{5}\right)$

$\qquad = -\left(\overset{4}{20} \times \dfrac{1}{7} \times \dfrac{1}{\underset{1}{5}}\right) = -\dfrac{4}{7}$

03 (1) $\left(-\dfrac{6}{7}\right) \div (-2) \times (+3)$

$\quad = \left(-\dfrac{6}{7}\right) \times \left(-\dfrac{1}{2}\right) \times (+3)$

$\quad = +\left(\dfrac{\overset{3}{6}}{7} \times \dfrac{1}{\underset{1}{2}} \times 3\right) = +\dfrac{9}{7}$

(2) $(+5) \times (-3) \div \left(-\dfrac{3}{5}\right)$

$\quad = (+5) \times (-3) \times \left(-\dfrac{5}{3}\right)$

$\quad = +\left(5 \times \overset{1}{3} \times \dfrac{5}{\underset{1}{3}}\right) = +25$

(3) $\left(-\dfrac{9}{2}\right) \div \left(-\dfrac{3}{2}\right) \times (+5)$

$\quad = \left(-\dfrac{9}{2}\right) \times \left(-\dfrac{2}{3}\right) \times (+5)$

$\quad = +\left(\dfrac{\overset{3}{9}}{2} \times \dfrac{\overset{1}{2}}{\underset{1}{3}} \times 5\right) = +15$

(4) $(-5) \times \left(-\dfrac{7}{10}\right) \div \left(-\dfrac{14}{3}\right)$

$\quad = (-5) \times \left(-\dfrac{7}{10}\right) \times \left(-\dfrac{3}{14}\right)$

$\quad = -\left(\overset{1}{5} \times \dfrac{\overset{1}{7}}{\underset{2}{10}} \times \dfrac{3}{\underset{2}{14}}\right) = -\dfrac{3}{4}$

(5) $\left(+\dfrac{1}{15}\right) \times \left(-\dfrac{5}{8}\right) \div \left(-\dfrac{1}{2}\right)$

$\quad = \left(+\dfrac{1}{15}\right) \times \left(-\dfrac{5}{8}\right) \times (-2)$

$\quad = +\left(\dfrac{1}{\underset{3}{15}} \times \dfrac{\overset{1}{5}}{\underset{4}{8}} \times \overset{1}{2}\right) = +\dfrac{1}{12}$

(6) $\left(+\dfrac{2}{15}\right)\div\left(+\dfrac{3}{4}\right)\div\left(-\dfrac{1}{3}\right)$

$=\left(+\dfrac{2}{15}\right)\times\left(+\dfrac{4}{3}\right)\times(-3)$

$=-\left(\dfrac{2}{15}\times\dfrac{4}{3}\times\overset{1}{3}\right)=-\dfrac{8}{15}$

05 (1) $(-1)^3\times\left(+\dfrac{1}{2}\right)\div(+6)$

$=(-1)\times\left(+\dfrac{1}{2}\right)\div(+6)$

$=(-1)\times\left(+\dfrac{1}{2}\right)\times\left(+\dfrac{1}{6}\right)$

$=-\left(1\times\dfrac{1}{2}\times\dfrac{1}{6}\right)=-\dfrac{1}{12}$

(2) $(-2)^2\div\left(-\dfrac{9}{16}\right)\times(-3)$

$=(+4)\div\left(-\dfrac{9}{16}\right)\times(-3)$

$=(+4)\times\left(-\dfrac{16}{9}\right)\times(-3)$

$=+\left(4\times\dfrac{16}{9}\times\overset{1}{3}\right)=+\dfrac{64}{3}$

(3) $\left(-\dfrac{5}{4}\right)\times(+2)^2\div\left(+\dfrac{15}{2}\right)$

$=\left(-\dfrac{5}{4}\right)\times(+4)\times\left(+\dfrac{2}{15}\right)$

$=-\left(\dfrac{\overset{1}{5}}{\underset{1}{4}}\times\overset{1}{4}\times\dfrac{2}{\underset{3}{15}}\right)=-\dfrac{2}{3}$

(4) $\left(-\dfrac{1}{2}\right)^2\div\left(-\dfrac{7}{2}\right)\times(+8)$

$=\left(+\dfrac{1}{4}\right)\div\left(-\dfrac{7}{2}\right)\times(+8)$

$=\left(+\dfrac{1}{4}\right)\times\left(-\dfrac{2}{7}\right)\times(+8)$

$=-\left(\dfrac{1}{\underset{1}{4}}\times\dfrac{2}{7}\times\overset{2}{8}\right)=-\dfrac{4}{7}$

(5) $\left(-\dfrac{3}{2}\right)^2\div\left(+\dfrac{9}{8}\right)\times\left(-\dfrac{5}{3}\right)$

$=\left(+\dfrac{9}{4}\right)\div\left(+\dfrac{9}{8}\right)\times\left(-\dfrac{5}{3}\right)$

$=\left(+\dfrac{9}{4}\right)\times\left(+\dfrac{8}{9}\right)\times\left(-\dfrac{5}{3}\right)$

$=-\left(\dfrac{\overset{1}{9}}{\underset{1}{4}}\times\dfrac{\overset{2}{8}}{\underset{1}{9}}\times\dfrac{5}{3}\right)$

$=-\dfrac{10}{3}$

(6) $\left(+\dfrac{3}{4}\right)\div\left(+\dfrac{3}{5}\right)\times\left(-\dfrac{1}{3}\right)^2$

$=\left(+\dfrac{3}{4}\right)\div\left(+\dfrac{3}{5}\right)\times\left(+\dfrac{1}{9}\right)$

$=\left(+\dfrac{3}{4}\right)\times\left(+\dfrac{5}{3}\right)\times\left(+\dfrac{1}{9}\right)$

$=+\left(\dfrac{\overset{1}{3}}{4}\times\dfrac{5}{\underset{1}{3}}\times\dfrac{1}{9}\right)$

$=+\dfrac{5}{36}$

---

34 괄호가 없는 정수 혼합 계산 | 080~081쪽

01 (1) ㉡, ㉠, ㉢ (2) ㉠, ㉡, ㉢

02 (1) 3, -2 (2) 27, 20 (3) 45, 9, -7

(4) 8, 2, -4 (5) 8, 2, 6, -1

(6) 9, 9, 60, 9, 5, 4

03 ㉣

04 (1) -1 (2) -23 (3) -2

(4) -36 (5) -28 (6) -30

05 (1) -14 (2) -6 (3) -29

(4) -8 (5) 39 (6) 22

06 ④

---

01 (1) $-4+6\times2^2-3=-4+6\times4-3$

$=-4+24-3$

$=20-3$

$=17$

(2) $9\times4\div6+3^3=9\times4\div6+27$

$=36\div6+27$

$=6+27$

$=33$

03 ㉣ $25\div5+4^2-10=25\div5+16-10$

$=5+16-10$

$=21-10$

$=11$

04 (1) $11-2\times6=11-12$

$=-1$

(2) $-32\div4-15=-8-15$

$=-23$

(3) $33\div3-26\div2=11-13$

$=-2$

(4) $-6-12\times5\div2=-6-60\div2$

$=-6-30$

$=-36$

(5) $-4\times9+12\div4+5=-36+12\div4+5$

$=-36+3+5$

$=-33+5$

$=-28$

(6) $3-10\times5\div2-8=3-50\div2-8$

$=3-25-8$

$=-22-8$

$=-30$

05

(1) $6-2^2\times5=6-4\times5$
$\quad\quad\quad\quad=6-20$
$\quad\quad\quad\quad=-14$

(2) $81\div3^2-15=81\div9-15$
$\quad\quad\quad\quad=9-15$
$\quad\quad\quad\quad=-6$

(3) $-5^2-24\div6=-25-24\div6$
$\quad\quad\quad\quad=-25-4$
$\quad\quad\quad\quad=-29$

(4) $-2^2-24\div3\div2=-4-24\div3\div2$
$\quad\quad\quad\quad=-4-8\div2$
$\quad\quad\quad\quad=-4-4$
$\quad\quad\quad\quad=-8$

(5) $4^2\times3\div12+5\times7=16\times3\div12+5\times7$
$\quad\quad\quad\quad=48\div12+5\times7$
$\quad\quad\quad\quad=4+5\times7$
$\quad\quad\quad\quad=4+35$
$\quad\quad\quad\quad=39$

(6) $-7+2^3\times3+40\div8=-7+8\times3+40\div8$
$\quad\quad\quad\quad=-7+24+40\div8$
$\quad\quad\quad\quad=-7+24+5$
$\quad\quad\quad\quad=17+5$
$\quad\quad\quad\quad=22$

06

① $4\times6\div2-3\times5=\overset{2}{4}\times6\times\dfrac{1}{\underset{1}{2}}-3\times5$
$\quad\quad\quad\quad=12-15$
$\quad\quad\quad\quad=-3$

② $-8-16\div4=-8-4$
$\quad\quad\quad\quad=-12$

③ $-2^2+8\times3\div2=-4+12$
$\quad\quad\quad\quad=8$

④ $20\div2^2+7\times2=20\div4+7\times2$
$\quad\quad\quad\quad=5+14$
$\quad\quad\quad\quad=19$

⑤ $-2+3^2+12\div2\div3=-2+9+12\div2\div3$
$\quad\quad\quad\quad=-2+9+2$
$\quad\quad\quad\quad=9$

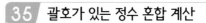

35 괄호가 있는 정수 혼합 계산

01 (1) $3-7$에 ○표   (2) $1-6$에 ○표

02 (번호 순서대로)

(1) -27, 3, -24 / -24 (2) -2, -40, 38 / 38

(3) 21, 3, 3, 2 / 2 (4) -2, -12, -60, -15 / -15

(5) 9, 7, -42 / -42 (6) -8, -4, -2 / -2

03 (1) $(7-5)\times(-3)^2=18$

(2) $7+\{(2-8)\div3\}\times4=-1$

(3) $\{(-2)^3\times3+4\}\div(-5)=4$

(4) $2\times\{(-3)^3-(1+2)\}=-60$

04 (1) -5 (2) -8 (3) 19 (4) 18

05 (1) 26 (2) 5 (3) 19 (4) 2

---

01 ( )가 있는 식에서는 ( ) 안을 먼저 계산한다.

03 (1) $(7-5)\times(-3)^2=(7-5)\times9$
$\quad\quad\quad\quad=2\times9=18$

(2) $7+\{(2-8)\div3\}\times4=7+\{(-6)\div3\}\times4$
$\quad\quad\quad\quad=7+(-2)\times4$
$\quad\quad\quad\quad=7+(-8)$
$\quad\quad\quad\quad=-1$

(3) $\{(-2)^3\times3+4\}\div(-5)=\{(-8)\times3+4\}\div(-5)$
$\quad\quad\quad\quad=\{(-24)+4\}\div(-5)$
$\quad\quad\quad\quad=(-20)\div(-5)$
$\quad\quad\quad\quad=4$

(4) $2\times\{(-3)^3-(1+2)\}=2\times\{(-27)-(1+2)\}$
$\quad\quad\quad\quad=2\times\{(-27)-3\}$
$\quad\quad\quad\quad=2\times(-30)$
$\quad\quad\quad\quad=-60$

04 (1) $35\div(-5-2)=35\div(-7)$
$\quad\quad\quad\quad=-5$

(2) $(-64)\div(4\times2)=(-64)\div8$
$\quad\quad\quad\quad=-8$

(3) $(-4)^2-(-26+5)\div7=16-(-26+5)\div7$
　　　　　　　　　$=16-(-21)\div7$
　　　　　　　　　$=16-(-3)$
　　　　　　　　　$=16+(+3)=19$

(4) $5+(-1)^2\times9-12\div(3-6)$
　　$=5+1\times9-12\div(3-6)$
　　$=5+9-12\div(-3)$
　　$=5+9-(-4)$
　　$=14+(+4)=18$

05 (1) $4+2\times\{9-12\div(-6)\}$
　　$=4+2\times\{9-(-2)\}$
　　$=4+2\times\{9+(+2)\}$
　　$=4+2\times11$
　　$=4+22=26$

(2) $-2+\{(-3)\times(-4)-(+5)\}$
　　$=-2+\{12-(+5)\}$
　　$=-2+7=5$

(3) $15-\{3\times(4-7)+(-1)^2\}\div2$
　　$=15-\{3\times(-3)+1\}\div2$
　　$=15-(-9+1)\div2$
　　$=15-(-8)\div2$
　　$=15-(-4)=19$

(4) $10-4\times\{(-1)^3+6\div(4-2)\}$
　　$=10-4\times\{(-1)+6\div2\}$
　　$=10-4\times(-1+3)$
　　$=10-4\times2$
　　$=10-8=2$

---

36 괄호가 없는 유리수 혼합 계산　084~085쪽

01 (1) ㉠, ㉣, ㉡, ㉢　(2) ㉠, ㉡, ㉢

02 (1) $\dfrac{2}{3}$, $-\dfrac{2}{3}$　(2) $-\dfrac{1}{6}$, 1

　　(3) -15, -15, 6, -9　(4) 16, 2, $-\dfrac{3}{2}$

　　(5) 25, 40, 40, -2　(6) 9, 2, 2, 4

03 민재

04 (1) $\dfrac{5}{7}$　(2) $-\dfrac{3}{5}$　(3) $-\dfrac{4}{3}$　(4) 2

05 (1) $\dfrac{13}{9}$　(2) 11　(3) $\dfrac{23}{14}$　(4) $\dfrac{19}{3}$

06 ③

---

01 (1) $3^2-8+\dfrac{5}{6}\times\dfrac{12}{5}=9-8+\dfrac{\overset{1}{5}}{6}\times\dfrac{\overset{2}{12}}{\underset{1}{5}}$
　　　　　　　　　　　$=9-8+2$
　　　　　　　　　　　$=1+2=3$

(2) $5^2\div\dfrac{1}{2}-6\times\dfrac{2}{3}=25\div\dfrac{1}{2}-6\times\dfrac{2}{3}$
　　　　　　　　　　$=25\times2-\overset{2}{6}\times\dfrac{2}{\underset{1}{3}}$
　　　　　　　　　　$=50-4=46$

02 (1) $-\dfrac{4}{3}+\dfrac{1}{\underset{1}{5}}\times\dfrac{\overset{2}{10}}{3}=-\dfrac{4}{3}+\dfrac{2}{3}=-\dfrac{2}{3}$

(2) $-\dfrac{5}{8}\div\dfrac{15}{4}+\dfrac{7}{6}=-\dfrac{\overset{1}{5}}{\underset{2}{8}}\times\dfrac{\overset{1}{4}}{\underset{3}{15}}+\dfrac{7}{6}$
　　　　　　　$=-\dfrac{1}{6}+\dfrac{7}{6}$
　　　　　　　$=\dfrac{6}{6}=1$

(3) $-\dfrac{5}{\underset{1}{2}}\times\overset{3}{6}+\dfrac{1}{2}\div\dfrac{1}{12}=-15+\dfrac{1}{2}\div\dfrac{1}{12}$
　　　　　　　　$=-15+\dfrac{1}{\underset{1}{2}}\times\overset{6}{12}$
　　　　　　　　$=-15+6=-9$

(4) $\dfrac{1}{2}-4^2\times\dfrac{1}{8}=\dfrac{1}{2}-\overset{2}{16}\times\dfrac{1}{\underset{1}{8}}=\dfrac{1}{2}-2$
　　　　　　　$=\dfrac{1}{2}-\dfrac{4}{2}=-\dfrac{3}{2}$

(5) $5^2\div\dfrac{5}{8}-7\times6=25\div\dfrac{5}{8}-7\times6$
　　　　　　　$=\overset{5}{25}\times\dfrac{8}{\underset{1}{5}}-7\times6=40-7\times6$
　　　　　　　$=40-42=-2$

(6) $3^2\div\dfrac{9}{2}+\dfrac{14}{3}\times\dfrac{3}{7}=9\div\dfrac{9}{2}+\dfrac{14}{3}\times\dfrac{3}{7}$
　　　　　　　$=\overset{1}{9}\times\dfrac{2}{\underset{1}{9}}+\dfrac{14}{3}\times\dfrac{3}{7}$
　　　　　　　$=2+\dfrac{\overset{2}{14}}{\underset{1}{3}}\times\dfrac{\overset{1}{3}}{\underset{1}{7}}$
　　　　　　　$=2+2=4$

03 $\dfrac{7}{3} \div \dfrac{1}{6} - \dfrac{3}{5} \times 5 = \dfrac{7}{3} \times \overset{2}{6} - \dfrac{3}{5} \times \overset{1}{5}$
$= 14 - 3$
$= 11$

04 (1) $\dfrac{3}{7} + \dfrac{2}{5} \times \dfrac{10}{14} = \dfrac{3}{7} + \dfrac{2}{7} = \dfrac{5}{7}$

(2) $\dfrac{9}{5} \div \dfrac{9}{8} - \dfrac{11}{5} = \dfrac{9}{5} \times \dfrac{8}{9} - \dfrac{11}{5}$
$= \dfrac{8}{5} - \dfrac{11}{5} = -\dfrac{3}{5}$

(3) $\dfrac{2}{3} \div \dfrac{1}{5} - \dfrac{7}{5} \times \dfrac{10}{3} = \dfrac{2}{3} \times 5 - \dfrac{7}{5} \times \dfrac{10}{3}$
$= \dfrac{10}{3} - \dfrac{14}{3} = -\dfrac{4}{3}$

(4) $-\dfrac{1}{2} \div \dfrac{1}{3} + \dfrac{7}{8} \times 4 = -\dfrac{1}{2} \times 3 + \dfrac{7}{8} \times 4$
$= -\dfrac{3}{2} + \dfrac{7}{2} = \dfrac{4}{2} = 2$

05 (1) $2^2 \div \dfrac{9}{2} + \dfrac{4}{9} \times \dfrac{5}{4} = 4 \div \dfrac{9}{2} + \dfrac{4}{9} \times \dfrac{5}{4}$
$= 4 \times \dfrac{2}{9} + \dfrac{4}{9} \times \dfrac{5}{4}$
$= \dfrac{8}{9} + \dfrac{5}{9} = \dfrac{13}{9}$

(2) $\dfrac{5}{6} \times \dfrac{12}{5} + 3^2 = \dfrac{5}{6} \times \dfrac{12}{5} + 9 = 2 + 9 = 11$

(3) $4^2 \times \dfrac{1}{8} - \dfrac{3}{7} \div \dfrac{6}{5} = 16 \times \dfrac{1}{8} - \dfrac{3}{7} \div \dfrac{6}{5}$
$= 2 - \dfrac{3}{7} \times \dfrac{5}{6} = 2 - \dfrac{5}{14}$
$= \dfrac{28}{14} - \dfrac{5}{14} = \dfrac{23}{14}$

(4) $-\dfrac{1}{3} + 2^2 \times \dfrac{1}{9} \times 15 = -\dfrac{1}{3} + 4 \times \dfrac{1}{9} \times 15$
$= -\dfrac{1}{3} + \dfrac{20}{3} = \dfrac{19}{3}$

06 ① $35 \times \dfrac{1}{5} - 3^2 \times 2 = 35 \times \dfrac{1}{5} - 9 \times 2$
$= 7 - 18 = -11$

② $\dfrac{3}{2} \times 2^2 - 8 \div 2 = \dfrac{3}{2} \times 4 - 8 \div 2 = 6 - 8 \times \dfrac{1}{2} = 6 - 4 = 2$

③ $\dfrac{1}{2} - \dfrac{15}{4} \div \dfrac{1}{7} \times \dfrac{2}{5} = \dfrac{1}{2} - \dfrac{15}{4} \times 7 \times \dfrac{2}{5}$
$= \dfrac{1}{2} - \dfrac{21}{2} = -\dfrac{20}{2} = -10$

④ $\dfrac{4}{9} \times \dfrac{1}{12} + \dfrac{1}{3} = \dfrac{1}{27} + \dfrac{1}{3} = \dfrac{1}{27} + \dfrac{9}{27} = \dfrac{10}{27}$

⑤ $\dfrac{1}{7} \times \dfrac{5}{2} \div \dfrac{1}{2} - \dfrac{3}{7} = \dfrac{1}{7} \times \dfrac{5}{2} \times 2 - \dfrac{3}{7}$
$= \dfrac{5}{7} - \dfrac{3}{7} = \dfrac{2}{7}$

---

37 괄호가 있는 유리수 혼합 계산
086~087쪽

01 ㄹ, ㄴ, ㅁ, ㄱ

02 (번호 순서대로)

(1) 25, 15, 21 / 21 (2) $-\dfrac{1}{2}$, $\dfrac{3}{2}$, -2 / -2

03 ㄴ

04 (1) $\left(\dfrac{1}{2} + \dfrac{1}{3}\right) \div \left(-\dfrac{5}{12}\right) = -2$

(2) $1 + \left(\dfrac{3}{2}\right)^2 \times \left(1 - \dfrac{1}{2}\right) = \dfrac{17}{8}$

(3) $2 - \left\{\left(-1 + \dfrac{5}{6}\right) \div \dfrac{3}{2}\right\} \times 3 = \dfrac{7}{3}$

(4) $8 \times \left\{\left(-\dfrac{1}{2}\right)^3 \div \left(\dfrac{3}{4} - 1\right) + 2\right\} = 20$

05 (1) -3 (2) -1 (3) -4 (4) $\dfrac{8}{5}$ (5) $-\dfrac{23}{10}$ (6) 2

06 ⑤

---

01 $-3 + \left\{\dfrac{2}{5} - (-2)^3 \times \dfrac{1}{12}\right\} \div \dfrac{8}{5}$

$= -3 + \left\{\dfrac{2}{5} - (-8) \times \dfrac{1}{12}\right\} \div \dfrac{8}{5}$

$= -3 + \left\{\dfrac{2}{5} - \left(-\dfrac{2}{3}\right)\right\} \div \dfrac{8}{5} = -3 + \dfrac{16}{15} \times \dfrac{5}{8}$

$= -3 + \dfrac{2}{3} = -\dfrac{9}{3} + \dfrac{2}{3} = -\dfrac{7}{3}$

03 $5 + \left\{1 - \dfrac{2}{5} \div \left(-\dfrac{8}{15}\right)\right\} \times 2$

$= 5 + \left\{1 - \dfrac{2}{5} \times \left(-\dfrac{15}{8}\right)\right\} \times 2$

$= 5 + \left\{1 - \left(-\dfrac{3}{4}\right)\right\} \times 2$

$= 5 + \dfrac{7}{4} \times 2 = 5 + \dfrac{7}{2} = \dfrac{17}{2}$

04
(1) $\left(\dfrac{1}{2}+\dfrac{1}{3}\right)\div\left(-\dfrac{5}{12}\right)=\dfrac{5}{6}\div\left(-\dfrac{5}{12}\right)$
$=\dfrac{\overset{1}{5}}{\overset{6}{6}}\times\left(-\dfrac{\overset{2}{12}}{\overset{5}{5}}\right)$
$=-2$

(2) $1+\left(\dfrac{3}{2}\right)^2\times\left(1-\dfrac{1}{2}\right)=1+\dfrac{9}{4}\times\left(1-\dfrac{1}{2}\right)$
$=1+\dfrac{9}{4}\times\dfrac{1}{2}=1+\dfrac{9}{8}$
$=\dfrac{8}{8}+\dfrac{9}{8}=\dfrac{17}{8}$

(3) $2-\left\{\left(-1+\dfrac{5}{6}\right)\div\dfrac{3}{2}\right\}\times3$
$=2-\left\{\left(-\dfrac{1}{6}\right)\times\dfrac{2}{3}\right\}\times3$
$=2-\left(-\dfrac{1}{9}\right)\times3=2-\left(-\dfrac{1}{3}\right)=2+\dfrac{1}{3}$
$=\dfrac{6}{3}+\dfrac{1}{3}=\dfrac{7}{3}$

(4) $8\times\left\{\left(-\dfrac{1}{2}\right)^3\div\left(\dfrac{3}{4}-1\right)+2\right\}$
$=8\times\left\{\left(-\dfrac{1}{8}\right)\div\left(-\dfrac{1}{4}\right)+2\right\}$
$=8\times\left\{\left(-\dfrac{1}{8}\right)\times(-4)+2\right\}$
$=8\times\left(\dfrac{1}{2}+2\right)=8\times\left(\dfrac{1}{2}+\dfrac{4}{2}\right)$
$=\overset{4}{8}\times\dfrac{5}{2}=20$

05
(1) $5\div\left\{(-1)+\dfrac{2}{3}\times(-6)\right\}-2$
$=5\div\{(-1)+(-4)\}-2$
$=5\div(-5)-2$
$=-1-2=-3$

(2) $\left(-\dfrac{1}{2}\right)^2\times4+\dfrac{6}{5}\div\left(-\dfrac{3}{5}\right)$
$=\dfrac{1}{4}\times4+\dfrac{6}{5}\times\left(-\dfrac{5}{3}\right)$
$=1+(-2)=-1$

(3) $3-\left\{\dfrac{4}{7}-\left(-\dfrac{6}{7}\right)\div2\right\}\times7$
$=3-\left\{\dfrac{4}{7}-\left(-\dfrac{6}{7}\right)\times\dfrac{1}{2}\right\}\times7$
$=3-\left\{\dfrac{4}{7}-\left(-\dfrac{3}{7}\right)\right\}\times7$
$=3-1\times7=3-7=-4$

(4) $\dfrac{7}{5}-\left\{(-10)\times\left(-\dfrac{1}{5}\right)^2+\dfrac{1}{5}\right\}$
$=\dfrac{7}{5}-\left\{(-10)\times\dfrac{1}{25}+\dfrac{1}{5}\right\}$
$=\dfrac{7}{5}-\left\{\left(-\dfrac{2}{5}\right)+\dfrac{1}{5}\right\}$
$=\dfrac{7}{5}-\left(-\dfrac{1}{5}\right)=\dfrac{8}{5}$

(5) $\left(\dfrac{1}{2}\right)^2\div\dfrac{5}{4}-\left\{(-3)^2\times\dfrac{1}{6}+1\right\}$
$=\dfrac{1}{4}\div\dfrac{5}{4}-\left(\dfrac{9}{6}\times\dfrac{1}{6}+1\right)=\dfrac{1}{4}\times\dfrac{4}{5}-\left(\dfrac{3}{2}+1\right)$
$=\dfrac{1}{5}-\dfrac{5}{2}=\dfrac{2}{10}-\dfrac{25}{10}=-\dfrac{23}{10}$

(6) $\dfrac{7}{2}\times\left\{\left(-\dfrac{3}{4}\right)\div\left(\dfrac{9}{4}-\dfrac{1}{2}\right)\right\}+(-2)^2\times\dfrac{7}{8}$
$=\dfrac{7}{2}\times\left\{\left(-\dfrac{3}{4}\right)\div\left(\dfrac{9}{4}-\dfrac{1}{2}\right)\right\}+4\times\dfrac{7}{8}$
$=\dfrac{7}{2}\times\left\{\left(-\dfrac{3}{4}\right)\div\dfrac{7}{4}\right\}+4\times\dfrac{7}{8}$
$=\dfrac{7}{2}\times\left(-\dfrac{3}{7}\right)+4\times\dfrac{7}{8}=-\dfrac{3}{2}+\dfrac{7}{2}=\dfrac{4}{2}=2$

06 $\left\{\dfrac{1}{3}\times(-2)^2-\dfrac{10}{9}\div\dfrac{5}{3}\right\}-\dfrac{1}{3}$
$=\left(\dfrac{1}{3}\times4-\dfrac{10}{9}\div\dfrac{5}{3}\right)-\dfrac{1}{3}$
$=\left(\dfrac{4}{3}-\dfrac{10}{9}\times\dfrac{3}{5}\right)-\dfrac{1}{3}$
$=\left(\dfrac{4}{3}-\dfrac{2}{3}\right)-\dfrac{1}{3}=\dfrac{2}{3}-\dfrac{1}{3}=\dfrac{1}{3}$

38 실력 확인 TEST　088~090쪽

01 $+$, 2, $+$, 6　**02** $-$, 7, $-$, 8　**03** $+9$
04 -7　**05** $+\dfrac{2}{7}$　**06** $-\dfrac{1}{8}$
07 $\dfrac{12}{5}$　**08** $-$, $\dfrac{5}{4}$, $\dfrac{5}{4}$, $-$, $\dfrac{11}{12}$
09 $+\dfrac{2}{5}$　**10** $-\dfrac{1}{10}$　**11** $+\dfrac{1}{7}$, $\dfrac{1}{7}$, $+10$
12 $+\dfrac{12}{7}$, $\dfrac{12}{7}$, $+\dfrac{10}{7}$　**13** $+\dfrac{35}{2}$
14 $-\dfrac{4}{3}$　**15** $+48$　**16** ㉢, ㉡, ㉠, ㉣
17 ㉢, ㉣, ㉡, ㉠
18 (번호 순서대로) -1, -9, 3, -12 / -12
19 -3　**20** 5　**21** $\dfrac{6}{5}$, $-\dfrac{2}{5}$
22 $\dfrac{1}{5}$, $-\dfrac{2}{15}$　**23** $\dfrac{3}{8}$　**24** $\dfrac{1}{2}$
25 -4　**26** ㉡, ㉣, ㉢, ㉤, ㉠
27 ㉣, ㉢, ㉡, ㉠, ㉤
28 $\dfrac{1}{3}$　**29** -56　**30** -1

01 $(+12) \div (+2) = +(12 \div 2) = +6$

02 $(-56) \div (+7) = -(56 \div 7) = -8$

03 $(-81) \div (-9) = +(81 \div 9) = +9$

04 $(+42) \div (-6) = -(42 \div 6) = -7$

05 $(+2) \div (+7) = +(2 \div 7) = +\dfrac{2}{7}$

06 $(-8) \times \left(-\dfrac{1}{8}\right) = 1 \;\Rightarrow\; -8$의 역수: $-\dfrac{1}{8}$

07 $\dfrac{5}{12} \times \dfrac{12}{5} = 1 \;\Rightarrow\; \dfrac{5}{12}$의 역수: $\dfrac{12}{5}$

08 $\left(+\dfrac{11}{15}\right) \div \left(-\dfrac{4}{5}\right) = \left(+\dfrac{11}{15}\right) \times \left(-\dfrac{5}{4}\right)$
$$= -\left(\dfrac{11}{\overset{}{15}} \times \dfrac{\overset{1}{5}}{4}\right) = -\dfrac{11}{12}$$

09 $\left(+\dfrac{1}{5}\right) \div \left(+\dfrac{1}{2}\right) = \left(+\dfrac{1}{5}\right) \times (+2)$
$$= +\left(\dfrac{1}{5} \times 2\right) = +\dfrac{2}{5}$$

10 $\left(-\dfrac{3}{5}\right) \div (+6) = \left(-\dfrac{3}{5}\right) \times \left(+\dfrac{1}{6}\right)$
$$= -\left(\dfrac{3}{5} \times \dfrac{\overset{1}{1}}{\underset{2}{6}}\right) = -\dfrac{1}{10}$$

13 $(+5) \times (-3) \div \left(-\dfrac{6}{7}\right)$
$$= (+5) \times (-3) \times \left(-\dfrac{7}{6}\right)$$
$$= +\left(5 \times \overset{1}{3} \times \dfrac{7}{\underset{2}{6}}\right) = +\dfrac{35}{2}$$

14 $(+16) \times \left(-\dfrac{1}{2}\right)^2 \div (-3)$
$$= (+16) \times \left(+\dfrac{1}{4}\right) \div (-3)$$
$$= (+16) \times \left(+\dfrac{1}{4}\right) \times \left(-\dfrac{1}{3}\right)$$
$$= -\left(\overset{4}{16} \times \dfrac{1}{\underset{1}{4}} \times \dfrac{1}{3}\right) = -\dfrac{4}{3}$$

15 $(+2) \div \left(+\dfrac{3}{8}\right) \times (-3)^2$
$$= (+2) \div \left(+\dfrac{3}{8}\right) \times (+9)$$
$$= (+2) \times \left(+\dfrac{8}{3}\right) \times (+9)$$
$$= +\left(2 \times \dfrac{8}{\underset{1}{3}} \times \overset{3}{9}\right)$$
$$= +48$$

19 $12 - (5-10) \times (-3)$
$$= 12 - (-5) \times (-3)$$
$$= 12 - 15$$
$$= -3$$

20 $\{1 + 2^2 \times (-4)\} \div (-3)$
$$= \{1 + 4 \times (-4)\} \div (-3)$$
$$= \{1 + (-16)\} \div (-3)$$
$$= (-15) \div (-3) = 5$$

21 $\dfrac{9}{5} \div \dfrac{3}{2} - \dfrac{8}{5} = \dfrac{\overset{3}{9}}{5} \times \dfrac{2}{\underset{1}{3}} - \dfrac{8}{5}$
$$= \dfrac{6}{5} - \dfrac{8}{5} = -\dfrac{2}{5}$$

22 $-\dfrac{1}{3} + \dfrac{1}{6} \times \dfrac{\overset{1}{6}}{5} = -\dfrac{1}{3} + \dfrac{1}{5}$
$$= -\dfrac{5}{15} + \dfrac{3}{15} = -\dfrac{2}{15}$$

23 $\dfrac{5}{\underset{2}{6}} \times \dfrac{\overset{1}{3}}{4} - \dfrac{1}{4} = \dfrac{5}{8} - \dfrac{1}{4} = \dfrac{5}{8} - \dfrac{2}{8} = \dfrac{3}{8}$

24 $2^2 \div \dfrac{8}{3} - 1 = \overset{1}{4} \times \dfrac{3}{\underset{2}{8}} - 1$
$$= \dfrac{3}{2} - 1 = \dfrac{3}{2} - \dfrac{2}{2} = \dfrac{1}{2}$$

25 $3^2 \times \dfrac{1}{2} \times 8 - 2^2 \times 10$
$$= 9 \times \dfrac{1}{\underset{1}{2}} \times \overset{4}{8} - 4 \times 10$$
$$= 36 - 40 = -4$$

28 $\left(-\dfrac{1}{2}\right)^2 \times \left(2 - \dfrac{2}{3}\right) = \dfrac{1}{4} \times \left(2 - \dfrac{2}{3}\right)$
$$= \dfrac{1}{\underset{1}{4}} \times \dfrac{\overset{1}{4}}{3} = \dfrac{1}{3}$$

29 $12 - 4 \times \left\{3 + (-2)^2 \div \dfrac{2}{7}\right\}$
$$= 12 - 4 \times \left(3 + 4 \div \dfrac{2}{7}\right)$$
$$= 12 - 4 \times \left(3 + \overset{2}{4} \times \dfrac{7}{\underset{1}{2}}\right)$$
$$= 12 - 4 \times (3 + 14)$$
$$= 12 - 4 \times 17 = 12 - 68 = -56$$

30 $\dfrac{1}{8} \times \left\{10 \times \left(-\dfrac{2}{5}\right) - (-3)^3 \div \dfrac{3}{4}\right\} - 5$
$$= \dfrac{1}{8} \times \left\{10 \times \left(-\dfrac{2}{5}\right) - (-27) \div \dfrac{3}{4}\right\} - 5$$
$$= \dfrac{1}{8} \times \left\{\overset{2}{10} \times \left(-\dfrac{2}{\underset{1}{5}}\right) - \left(-\overset{9}{27}\right) \times \dfrac{4}{\underset{1}{3}}\right\} - 5$$
$$= \dfrac{1}{8} \times \{(-4) - (-36)\} - 5$$
$$= \dfrac{1}{8} \times (-4 + 36) - 5$$
$$= \dfrac{1}{\underset{1}{8}} \times \overset{4}{32} - 5 = 4 - 5 = -1$$

6단계 성취도 확인 평가 091~103쪽

39 성취도 확인 평가 **1회** 092~094쪽

01 ⑤	**02** $+4$	**03** $-\dfrac{1}{3}$
04 ④	**05** $<$	**06** $+11$
07 $+3$	**08** $+\dfrac{7}{4}$	**09** ②
10 ④	**11** -1	**12** $-\dfrac{3}{8}$
13 $+3, +\dfrac{9}{4}, -2, -\dfrac{2}{3}$		**14** -8
15 $-\dfrac{17}{10}$	**16** -32	**17** $-\dfrac{2}{5}$
18 $+\dfrac{1}{12}$	**19** ④	
20 100, 5, 115, 2415		**21** $-\dfrac{5}{7}$
22 $+\dfrac{2}{3}$	**23** ②	**24** ③
25 ④		

01 ⑤ 해발 100 m ➡ $+100$ m

02 0보다 4만큼 큰 수: $\boxed{+}4$

03 0보다 $\dfrac{1}{3}$만큼 작은 수: $\boxed{-}\dfrac{1}{3}$

04 ① A: -3 　② B: $-\dfrac{7}{3}\left(=-2\dfrac{1}{3}\right)$

③ C: $-\dfrac{3}{2}\left(=-1\dfrac{1}{2}\right)$ 　⑤ E: $+\dfrac{11}{4}\left(=+2\dfrac{3}{4}\right)$

05 양수는 음수보다 크므로 $-1.5<+2$이다.

06 $(+3)+(+8)=+(3+8)=+11$

07 $(-2)+(+5)=+(5-2)=+3$

08 $\left(+\dfrac{5}{2}\right)+\left(-\dfrac{3}{4}\right)=\left(+\dfrac{10}{4}\right)+\left(-\dfrac{3}{4}\right)$
$=+\left(\dfrac{10}{4}-\dfrac{3}{4}\right)=+\dfrac{7}{4}$

09 ① $(+9)+(+3)=+(9+3)=+12$
③ $(+4)+(-6)=-(6-4)=-2$
④ $\left(-\dfrac{1}{2}\right)+\left(+\dfrac{2}{7}\right)=\left(-\dfrac{7}{14}\right)+\left(+\dfrac{4}{14}\right)$
$=-\left(\dfrac{7}{14}-\dfrac{4}{14}\right)=-\dfrac{3}{14}$
⑤ $(-1)+(-10)=-(1+10)=-11$

10 $(+4.3)+(-7.6)+(+5.5)$ ← 덧셈의 교환법칙
$=(+4.3)+(+5.5)+(-7.6)$ ← 덧셈의 결합법칙
$=\{(+4.3)+(+5.5)\}+(-7.6)$
$=(+9.8)+(-7.6)$
$=+(9.8-7.6)=+2.2$

11 $(-7)-(-6)=(-7)+(+6)=-(7-6)=-1$

12 $\left(-\dfrac{1}{4}\right)-\left(+\dfrac{1}{8}\right)=\left(-\dfrac{1}{4}\right)+\left(-\dfrac{1}{8}\right)$
$=\left(-\dfrac{2}{8}\right)+\left(-\dfrac{1}{8}\right)$
$=-\left(\dfrac{2}{8}+\dfrac{1}{8}\right)=-\dfrac{3}{8}$

13 $|-2|=2,\ \left|+\dfrac{9}{4}\right|=\dfrac{9}{4},\ |+3|=3,\ \left|-\dfrac{2}{3}\right|=\dfrac{2}{3}$
따라서 절댓값이 큰 수부터 차례로 쓰면
$+3,\ +\dfrac{9}{4},\ -2,\ -\dfrac{2}{3}$이다.

14 $(+4)+(-3)-(+9)$
$=(+4)+(-3)+(-9)$
$=(+4)+\{(-3)+(-9)\}$
$=(+4)+(-12)=-8$

15 $\left(+\dfrac{1}{5}\right)-\left(+\dfrac{5}{2}\right)+\left(+\dfrac{3}{5}\right)$
$=\left(+\dfrac{1}{5}\right)+\left(-\dfrac{5}{2}\right)+\left(+\dfrac{3}{5}\right)$
$=\left\{\left(+\dfrac{1}{5}\right)+\left(+\dfrac{3}{5}\right)\right\}+\left(-\dfrac{5}{2}\right)$
$=\left(+\dfrac{4}{5}\right)+\left(-\dfrac{5}{2}\right)$
$=\left(+\dfrac{8}{10}\right)+\left(-\dfrac{25}{10}\right)$
$=-\left(\dfrac{25}{10}-\dfrac{8}{10}\right)=-\dfrac{17}{10}$

16 $(-8)\times(+4)=-(8\times4)=-32$

17 $\left(+\dfrac{4}{5}\right)\times\left(-\dfrac{1}{2}\right)=-\left(\dfrac{\overset{2}{4}}{5}\times\dfrac{1}{\underset{1}{2}}\right)=-\dfrac{2}{5}$

18 $\left(-\dfrac{3}{8}\right)\times\left(-\dfrac{2}{9}\right)=+\left(\dfrac{\overset{1}{3}}{\underset{4}{8}}\times\dfrac{\overset{1}{2}}{\underset{3}{9}}\right)=+\dfrac{1}{12}$

19 ① $(+3)\times(+2)=+6$
② $(-4)\times(-5)=+20$
③ $(+6)\times(+5)=+30$
④ $(+9)\times(-8)=-72$
⑤ $(-7)\times(-3)=+21$
따라서 계산 결과가 음수인 것은 ④이다.

21 $\left(+\dfrac{15}{7}\right)\div(-3)=\left(+\dfrac{15}{7}\right)\times\left(-\dfrac{1}{3}\right)$
$=-\left(\dfrac{\overset{5}{15}}{7}\times\dfrac{1}{\underset{1}{3}}\right)=-\dfrac{5}{7}$

22 $\left(-\dfrac{2}{9}\right)\div\left(-\dfrac{1}{3}\right)=\left(-\dfrac{2}{9}\right)\times(-3)$
$=+\left(\dfrac{2}{\underset{3}{9}}\times\overset{1}{3}\right)=+\dfrac{2}{3}$

23 서로 역수인 두 수의 곱은 1이다.
② $\left(+\dfrac{3}{7}\right)\times\left(-\dfrac{7}{3}\right)=-\left(\dfrac{\overset{1}{3}}{\underset{1}{7}}\times\dfrac{\overset{1}{7}}{\underset{1}{3}}\right)$
$=-1$

24

$$-3+\left\{2+(-1)^3\times\left(-\dfrac{1}{2}\right)\right\}\div5$$

$$=-3+\left\{2+(-1)\times\left(-\dfrac{1}{2}\right)\right\}\div5$$

$$=-3+\left(2+\dfrac{1}{2}\right)\div5$$

$$=-3+\dfrac{5}{2}\div5=-3+\dfrac{5}{2}\times\dfrac{1}{\underset{1}{5}}$$

$$=-3+\dfrac{1}{2}=-\dfrac{6}{2}+\dfrac{1}{2}=-\dfrac{5}{2}$$

25

$$\left(-\dfrac{1}{5}\right)\times\left\{(-5)+\dfrac{16}{3}\times\left(-\dfrac{3}{4}\right)^2\right\}$$

$$=\left(-\dfrac{1}{5}\right)\times\left\{(-5)+\dfrac{\overset{1}{16}}{\underset{1}{3}}\times\dfrac{\overset{3}{9}}{\underset{1}{16}}\right\}$$

$$=\left(-\dfrac{1}{5}\right)\times\{(-5)+3\}$$

$$=\left(-\dfrac{1}{5}\right)\times(-2)=+\dfrac{2}{5}$$

---

40 **성취도 확인 평가 2회** | 095~097쪽 |

01 ② **02** $|-6|=6$ **03** $\left|-\dfrac{2}{11}\right|=\dfrac{2}{11}$

04 ⑤ **05** $-1\le a<7$ **06** ①

07 -8 **08** $+5$

09 ㉠ 덧셈의 교환법칙, ㉡ 덧셈의 결합법칙

10 ③ **11** $+\dfrac{1}{4}$ **12** -3.2

13 $-\dfrac{5}{21}$ **14** -1.7 **15** $+\dfrac{1}{9}$

16 $+4$, -4, -4, -4, $+7$ **17** -45

18 $+\dfrac{35}{4}$ **19** $+\dfrac{1}{6}$ **20** ②

21 ④ **22** $-\dfrac{9}{4}$, -63

23 ③ **24** 13 **25** 4

---

01 ① $+4$, 5의 2개

② -1의 1개

③ $+4$, $+\dfrac{8}{9}$, 5, 0.7의 4개

④ -1, $-\dfrac{1}{2}$의 2개

⑤ $-\dfrac{1}{2}$, $+\dfrac{8}{9}$, 0.7의 3개

04 ① $|-5|=5$ ② $|-3|=3$ ③ $|+6|=6$

④ $|+2|=2$ ⑤ $|+1|=1$

➡ $1<2<3<5<6$이므로 절댓값이 가장 작은 수는 $+1$이다.

05 a는 -1 이상이고 ➡ $a\ge-1$

a는 7보다 작다. ➡ $a<7$

06 오른쪽으로 6만큼 이동한 다음 왼쪽으로 2만큼 이동

➡ 오른쪽으로 4만큼 이동한 것과 같다.

07 $(-1)+(-7)=-(1+7)=-8$

08 $(+9)+(-4)=+(9-4)=+5$

10 ① $\left(+\dfrac{1}{3}\right)+\left(-\dfrac{1}{5}\right)=\left(+\dfrac{5}{15}\right)+\left(-\dfrac{3}{15}\right)$

$$=+\left(\dfrac{5}{15}-\dfrac{3}{15}\right)=+\dfrac{2}{15}$$

② $\left(+\dfrac{1}{15}\right)+\left(+\dfrac{1}{15}\right)=+\left(\dfrac{1}{15}+\dfrac{1}{15}\right)=+\dfrac{2}{15}$

③ $\left(-\dfrac{2}{5}\right)+\left(-\dfrac{1}{15}\right)=\left(-\dfrac{6}{15}\right)+\left(-\dfrac{1}{15}\right)$

$$=-\left(\dfrac{6}{15}+\dfrac{1}{15}\right)=-\dfrac{7}{15}$$

④ $\left(-\dfrac{6}{5}\right)+\left(+\dfrac{4}{3}\right)=\left(-\dfrac{18}{15}\right)+\left(+\dfrac{20}{15}\right)$

$$=+\left(\dfrac{20}{15}-\dfrac{18}{15}\right)=+\dfrac{2}{15}$$

⑤ $\left(+\dfrac{4}{15}\right)+\left(-\dfrac{2}{15}\right)=+\left(\dfrac{4}{15}-\dfrac{2}{15}\right)=+\dfrac{2}{15}$

11 $\left(-\dfrac{1}{2}\right)-\left(-\dfrac{3}{4}\right)=\left(-\dfrac{1}{2}\right)+\left(+\dfrac{3}{4}\right)$

$$=\left(-\dfrac{2}{4}\right)+\left(+\dfrac{3}{4}\right)$$

$$=+\left(\dfrac{3}{4}-\dfrac{2}{4}\right)=+\dfrac{1}{4}$$

12 $(+1.3)-(+4.5)=(+1.3)+(-4.5)$

$$=-(4.5-1.3)=-3.2$$

13 $\left(-\dfrac{4}{7}\right)-\left(-\dfrac{1}{3}\right)=\left(-\dfrac{4}{7}\right)+\left(+\dfrac{1}{3}\right)$

$$=\left(-\dfrac{12}{21}\right)+\left(+\dfrac{7}{21}\right)$$

$$=-\left(\dfrac{12}{21}-\dfrac{7}{21}\right)=-\dfrac{5}{21}$$

14 $(+5.1)+(-2.2)-(+4.6)$

$$=(+5.1)+(-2.2)+(-4.6)$$

$$=(+5.1)+\{(-2.2)+(-4.6)\}$$

$$=(+5.1)+(-6.8)$$

$$=-(6.8-5.1)=-1.7$$

15 $\left(-\frac{7}{9}\right)+(+1)-\left(+\frac{1}{9}\right)$

$=\left(-\frac{7}{9}\right)+(+1)+\left(-\frac{1}{9}\right)$

$=\left(-\frac{7}{9}\right)+\left(-\frac{1}{9}\right)+(+1)$

$=\left\{\left(-\frac{7}{9}\right)+\left(-\frac{1}{9}\right)\right\}+(+1)$

$=\left(-\frac{8}{9}\right)+(+1)=+\frac{1}{9}$

17 $(-5)\times(+9)=-(5\times9)=-45$

18 $\left(+\frac{7}{6}\right)\times\left(+\frac{15}{2}\right)=+\left(\frac{7}{\underset{2}{6}}\times\frac{\overset{5}{15}}{2}\right)=+\frac{35}{4}$

19 $\left(-\frac{3}{4}\right)\times\left(-\frac{2}{9}\right)=+\left(\frac{\overset{1}{3}}{4}\times\frac{\overset{1}{2}}{\underset{3}{9}}\right)=+\frac{1}{6}$

20 ① $-2^3=-8$　　② $(-2)^2=+4$　　③ $-1^3=-1$

④ $(+1)^4=+1$　　⑤ $-(-2)^2=-4$

따라서 가장 큰 수는 ②이다.

21 $\left(-\frac{1}{7}\right)\times\left(+\frac{8}{3}\right)\times\left(-\frac{15}{4}\right)=+\left(\frac{1}{7}\times\frac{\overset{2}{8}}{\underset{1}{3}}\times\frac{\overset{5}{15}}{\underset{1}{4}}\right)$

$=+\frac{10}{7}$

22 나누는 수의 역수를 이용하여 나눗셈을 곱셈으로 고쳐서 계산한다.

23 ③ $(+36)\div(-4)=-(36\div4)=-9$

24 $2\times\left\{\left(-\frac{25}{2}\right)\div5+(-3)^2\right\}$

(밑줄 표시: ②, ①, ③, ④)

$=2\times\left\{\left(-\frac{25}{2}\right)\times\frac{1}{\underset{1}{5}}+9\right\}$

$=2\times\left\{\left(-\frac{5}{2}\right)+9\right\}$

$=2\times\left\{\left(-\frac{5}{2}\right)+\frac{18}{2}\right\}$

$=\overset{1}{2}\times\frac{13}{\underset{1}{2}}=13$

25 $3-\left\{\frac{9}{2}\div3+(-2)^2\times\frac{1}{3}\times\left(-\frac{15}{8}\right)\right\}$

(밑줄 표시: ②, ①, ③, ④, ⑤, ⑥)

$=3-\left\{\frac{\overset{3}{9}}{2}\times\frac{1}{\underset{1}{3}}+\overset{1}{4}\times\frac{1}{3}\times\left(-\frac{15}{\underset{1}{8}}\right)\right\}$

$=3-\left\{\frac{3}{2}+\left(-\frac{5}{2}\right)\right\}=3-\left(-\frac{2}{2}\right)$

$=3-(-1)=4$

---

41 성취도 확인 평가 **3**회 098~100쪽

01 ④　　　　**02** $+8$　　　　**03** $-\frac{5}{6}$

04 17　　　　**05** $-1, 0, +1, +2$

06 $-2, -1, 0$　　**07** ②　　　**08** $-\frac{13}{16}$

09 $+5.5$　　　**10** -4　　　**11** $-\frac{17}{9}$

12 $+\frac{1}{15}$　　　**13** $-\frac{27}{10}$　　　**14** -11

15 ⑤　　　　**16** $+63$　　　**17** $+\frac{2}{5}$

18 $+\frac{4}{9}$　　　**19** -36　　　**20** -40

21 ②　　　　　　**22** $+32$

23 $16, 2, 2, \frac{1}{6}, \frac{11}{6}$

24 $\left(-\frac{1}{2}\right)^2\times4-3\div\frac{1}{2}=-5$ (밑줄 표시: ①, ②, ③, ④)　　　**25** $\frac{1}{2}$

---

01 □ 안의 수는 정수가 아닌 유리수에 해당한다.

정수: $-4, -\frac{6}{2}(=-3), 0, +7$

정수가 아닌 유리수: $+\frac{9}{5}$

02 $|-3|=3,\ |+8|=8$ ➡ $3<8$ ➡ $|-3|<|+8|$

03 $\left|-\frac{5}{6}\right|=\frac{5}{6},\ \left|+\frac{1}{6}\right|=\frac{1}{6}$ ➡ $\frac{5}{6}>\frac{1}{6}$ ➡ $\left|-\frac{5}{6}\right|>\left|+\frac{1}{6}\right|$

04 $a=|-10|=10$

$b=|+7|=7$

➡ $a+b=10+7=17$

05 $-\frac{3}{2}(=-1.5)<a\leq+2$이므로

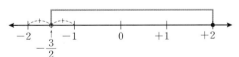

➡ 구하는 정수는 $-1, 0, +1, +2$이다.

06 $-\frac{11}{5}(=-2.2)<a<+1$이므로

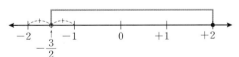

➡ 구하는 정수는 $-2, -1, 0$이다.

07 ② $(-4.8)+(-0.5)=-(4.8+0.5)=-5.3$

08 $\left(-\frac{3}{4}\right)+\left(-\frac{1}{16}\right)=\left(-\frac{12}{16}\right)+\left(-\frac{1}{16}\right)$

$=-\left(\frac{12}{16}+\frac{1}{16}\right)=-\frac{13}{16}$

09 $(+3.8)+(+1.7)=+(3.8+1.7)=+5.5$

10 $(+0.8)+(-5)+(+0.2)$
$=(+0.8)+(+0.2)+(-5)$ ⎫ 덧셈의 교환법칙
$=\{(+0.8)+(+0.2)\}+(-5)$ ⎭ 덧셈의 결합법칙
$=(+1)+(-5)$
$=-(5-1)=-4$

11 $\left(-\dfrac{5}{3}\right)-\left(+\dfrac{2}{9}\right)=\left(-\dfrac{5}{3}\right)+\left(-\dfrac{2}{9}\right)$
$=\left(-\dfrac{15}{9}\right)+\left(-\dfrac{2}{9}\right)$
$=-\left(\dfrac{15}{9}+\dfrac{2}{9}\right)=-\dfrac{17}{9}$

12 $\left(+\dfrac{2}{5}\right)-\left(+\dfrac{1}{3}\right)=\left(+\dfrac{2}{5}\right)+\left(-\dfrac{1}{3}\right)$
$=\left(+\dfrac{6}{15}\right)+\left(-\dfrac{5}{15}\right)$
$=+\left(\dfrac{6}{15}-\dfrac{5}{15}\right)=+\dfrac{1}{15}$

13 $a=(-7)-(-5)$
$=(-7)+(+5)$
$=-(7-5)=-2$
$b=\left(-\dfrac{1}{2}\right)-\left(+\dfrac{1}{5}\right)$
$=\left(-\dfrac{1}{2}\right)+\left(-\dfrac{1}{5}\right)$
$=\left(-\dfrac{5}{10}\right)+\left(-\dfrac{2}{10}\right)$
$=-\left(\dfrac{5}{10}+\dfrac{2}{10}\right)=-\dfrac{7}{10}$
➡ $a+b=(-2)+\left(-\dfrac{7}{10}\right)$
$=\left(-\dfrac{20}{10}\right)+\left(-\dfrac{7}{10}\right)$
$=-\left(\dfrac{20}{10}+\dfrac{7}{10}\right)=-\dfrac{27}{10}$

14 $-4-15+8=(-4)-(+15)+(+8)$
$=(-4)+(-15)+(+8)$
$=\{(-4)+(-15)\}+(+8)$
$=(-19)+(+8)=-11$

15 $\dfrac{5}{7}-\dfrac{1}{3}+\dfrac{2}{21}=\left(+\dfrac{5}{7}\right)-\left(+\dfrac{1}{3}\right)+\left(+\dfrac{2}{21}\right)$
$=\left(+\dfrac{5}{7}\right)+\left(-\dfrac{1}{3}\right)+\left(+\dfrac{2}{21}\right)$
$=\left(+\dfrac{15}{21}\right)+\left(-\dfrac{7}{21}\right)+\left(+\dfrac{2}{21}\right)$
$=\left\{\left(+\dfrac{15}{21}\right)+\left(+\dfrac{2}{21}\right)\right\}+\left(-\dfrac{7}{21}\right)$
$=\left(+\dfrac{17}{21}\right)+\left(-\dfrac{7}{21}\right)=+\dfrac{10}{21}$

16 $\left(+\dfrac{7}{3}\right)\times(+27)=+\left(\dfrac{7}{\cancel{3}_{1}}\times\cancel{27}^{9}\right)=+63$

17 $\left(-\dfrac{12}{25}\right)\times\left(-\dfrac{5}{6}\right)=+\left(\dfrac{\cancel{12}^{2}}{\cancel{25}_{5}}\times\dfrac{\cancel{5}^{1}}{\cancel{6}_{1}}\right)=+\dfrac{2}{5}$

18 $\left(-\dfrac{2}{3}\right)^{2}=\left(-\dfrac{2}{3}\right)\times\left(-\dfrac{2}{3}\right)=+\left(\dfrac{2}{3}\times\dfrac{2}{3}\right)=+\dfrac{4}{9}$

19 $-6^{2}=-(6\times6)=-36$

20 큰 수부터 차례로 쓰면
$+10,\ +6,\ +\dfrac{1}{4},\ -3.5,\ -4$이므로
가장 큰 수는 $+10$, 가장 작은 수는 -4이다.
➡ $(+10)\times(-4)=-(10\times4)=-40$

21 $2\dfrac{1}{4}\times\dfrac{4}{9}=1$이므로 $a=\dfrac{4}{9}$,
$-4\times\left(-\dfrac{1}{4}\right)=1$이므로 $b=-\dfrac{1}{4}$
➡ $a\times b=\dfrac{4}{9}\times\left(-\dfrac{1}{4}\right)=-\left(\dfrac{4}{9}\times\dfrac{\cancel{1}}{\cancel{4}_{1}}\right)=-\dfrac{1}{9}$

22 $\left(-\dfrac{8}{9}\right)\div\left(-\dfrac{1}{36}\right)=\left(-\dfrac{8}{9}\right)\times(-36)$
$=+\left(\dfrac{8}{\cancel{9}_{1}}\times\cancel{36}^{4}\right)=+32$

24 $\left(-\dfrac{1}{2}\right)^{2}\times4-3\div\dfrac{1}{2}=\dfrac{1}{4}\times\cancel{4}^{1}-3\div\dfrac{1}{2}$
$=1-3\times2$
$=1-6=-5$

25 $\left\{(8-3)\times\left(-\dfrac{1}{10}\right)+2^{2}\right\}\div7$

$=\left\{\dfrac{1}{\cancel{5}}\times\left(-\dfrac{1}{\cancel{10}_{2}}\right)+4\right\}\div7$
$=\left(-\dfrac{1}{2}+4\right)\div7=\dfrac{7}{2}\times\dfrac{1}{\cancel{7}_{1}}=\dfrac{1}{2}$

101~103쪽

42 성취도 확인 평가 4회

01 ⑤   **02** 11   **03** 2
04 ③   **05** ②   **06** ㉡
07 $+1$ **08** $-\dfrac{13}{18}$ **09** $+\dfrac{19}{20}$
10 ⑤   **11** -10 **12** $-\dfrac{20}{21}$
13 ⑤   **14** ④   **15** -6
16 $+\dfrac{5}{6}$
17 ㉠ 곱셈의 교환법칙, ㉡ 곱셈의 결합법칙
18 ④   **19** ③   **20** -20
21 $+\dfrac{3}{2}$ **22** -38 **23** 1
24 2   **25** -54

01 ① 0은 정수이다.

② 모든 자연수는 양의 정수이다.

③ $+3.5$는 정수가 아닌 유리수이다.

④ 유리수는 양의 유리수, 0, 음의 유리수로 이루어져 있다.

02 $|+8|+|-3|=8+3=11$

03 $|+11|-|-9|=11-9=2$

04 주어진 수들을 수직선 위에 나타내면 다음과 같다.

따라서 오른쪽에서 두 번째에 있는 것은 두 번째로 큰 수인 $+\dfrac{5}{2}$이다.

05 ② 음수끼리는 절댓값이 작을수록 크다.

$|-3|=3$, $|-2|=2$ ➡ $-3<-2$

06 ㉡ a는 -5보다 크지 않다. ➡ $a\le -5$

07 $(-8)+(+9)=+(9-8)=+1$

08 $\left(-\dfrac{1}{2}\right)+\left(-\dfrac{2}{9}\right)=\left(-\dfrac{9}{18}\right)+\left(-\dfrac{4}{18}\right)$

$\qquad\qquad\qquad =-\left(\dfrac{9}{18}+\dfrac{4}{18}\right)=-\dfrac{13}{18}$

09 $\left(+\dfrac{3}{4}\right)-\left(-\dfrac{1}{5}\right)=\left(+\dfrac{3}{4}\right)+\left(+\dfrac{1}{5}\right)$

$\qquad\qquad\qquad =\left(+\dfrac{15}{20}\right)+\left(+\dfrac{4}{20}\right)=+\dfrac{19}{20}$

10 $a=5+1=6$

$b=(-6)-(-2)=(-6)+(+2)=-4$

➡ $a-b=6-(-4)=6+(+4)$

$\qquad\qquad =10$

11 $(-13)-(+2)+(+5)$

$=(-13)+(-2)+(+5)$

$=\{(-13)+(-2)\}+(+5)$

$=(-15)+(+5)$

$=-10$

12 $\left(-\dfrac{1}{7}\right)-\left(-\dfrac{1}{3}\right)+\left(-\dfrac{8}{7}\right)$

$=\left(-\dfrac{1}{7}\right)+\left(+\dfrac{1}{3}\right)+\left(-\dfrac{8}{7}\right)$

$=\left\{\left(-\dfrac{1}{7}\right)+\left(-\dfrac{8}{7}\right)\right\}+\left(+\dfrac{1}{3}\right)$

$=\left(-\dfrac{9}{7}\right)+\left(+\dfrac{1}{3}\right)=\left(-\dfrac{27}{21}\right)+\left(+\dfrac{7}{21}\right)$

$=-\dfrac{20}{21}$

13 $(+7)-(+3)-(-8)+(-2)$

$=(+7)+(-3)+(+8)+(-2)$

$=\{(+7)+(+8)\}+\{(-3)+(-2)\}$

$=(+15)+(-5)$

$=+10$

14 ① -3　　② -4　　③ 0　　④ 3　　⑤ -2.9

따라서 계산 결과가 가장 큰 것은 ④이다.

15 $(-21)\times\left(+\dfrac{2}{7}\right)=-\left(\overset{3}{\cancel{21}}\times\dfrac{2}{\cancel{7}}\right)=-6$

16 $\left(+\dfrac{5}{14}\right)\times\left(+\dfrac{7}{3}\right)=+\left(\dfrac{5}{\underset{2}{\cancel{14}}}\times\dfrac{\cancel{7}}{3}\right)=+\dfrac{5}{6}$

18 $(-8)\times\left(+\dfrac{2}{7}\right)\times\left(-\dfrac{7}{4}\right)=+\left(\overset{2}{\cancel{8}}\times\dfrac{2}{\cancel{7}}\times\dfrac{\cancel{7}}{\cancel{4}}\right)=+4$

19 ③ $-\left(-\dfrac{1}{2}\right)^2=-\left\{\left(-\dfrac{1}{2}\right)\times\left(-\dfrac{1}{2}\right)\right\}$

$\qquad\qquad\qquad =-\left(+\dfrac{1}{4}\right)=-\dfrac{1}{4}$

20 $(-10)\div\left(+\dfrac{1}{2}\right)=(-10)\times(+2)=-20$

21 $\left(+\dfrac{9}{4}\right)\div\left(+\dfrac{3}{2}\right)=\left(+\dfrac{9}{4}\right)\times\left(+\dfrac{2}{3}\right)$

$\qquad\qquad\qquad =+\left(\dfrac{\overset{3}{\cancel{9}}}{\underset{2}{\cancel{4}}}\times\dfrac{\cancel{2}}{\cancel{3}}\right)=+\dfrac{3}{2}$

22 $6+8\times(-5)-(-2)^2=6+8\times(-5)-4$

$\qquad\qquad\qquad\qquad\quad =6+(-40)-4$

$\qquad\qquad\qquad\qquad\quad =-34-4=-38$

23 $\dfrac{1}{2}\div\dfrac{1}{8}-9\times\dfrac{1}{3}=\dfrac{1}{\cancel{2}}\times\overset{4}{\cancel{8}}-9\times\dfrac{1}{3}$

$\qquad\qquad\qquad\qquad =4-\overset{3}{\cancel{9}}\times\dfrac{1}{\cancel{3}}$

$\qquad\qquad\qquad\qquad =4-3=1$

24 $7-\left\{(-3)^2\times\dfrac{4}{9}+6\right\}\div 2=7-\left(\overset{1}{\cancel{9}}\times\dfrac{4}{\cancel{9}}+6\right)\div 2$

$\qquad\qquad\qquad\qquad\qquad =7-(4+6)\div 2$

$\qquad\qquad\qquad\qquad\qquad =7-10\div 2$

$\qquad\qquad\qquad\qquad\qquad =7-5=2$

25 $A=(-12)\times\left(-\dfrac{1}{2}\right)^2\div\left(+\dfrac{1}{3}\right)$

$\quad =(-12)\times\dfrac{1}{4}\times(+3)$

$\quad =-\left(\overset{3}{\cancel{12}}\times\dfrac{1}{\cancel{4}}\times 3\right)=-9$

$B=\left(-\dfrac{1}{3}\right)^2\div\left(-\dfrac{1}{9}\right)\times(-6)$

$\quad =\dfrac{1}{9}\times(-9)\times(-6)$

$\quad =+\left(\dfrac{1}{\cancel{9}}\times\overset{1}{\cancel{9}}\times 6\right)=6$

➡ $A\times B=(-9)\times 6=-(9\times 6)=-54$

초고필

유리수의 사칙연산

정답 및 풀이

기본에 강한
중학 수학 시리즈

동아출판

기초 계산력 연산으로 강해지는 수학

쉬운 개념과 반복 연산으로 실력 향상!

- 비주얼 연산으로 개념을 쉽게!
- 10분 연산 테스트로 빠르고 정확한 계산
- 실전문제로 수학 점수 UP!

개정판

개념 기본서 빨리 이해하는 수학

탄탄한 개념에 코칭을 더한!

- 개념 학습을 위한 첫 번째 선행 학습용으로 추천!
- 10종 교과서에서 선별한 창의 융합 문제 수록
- 전문 강사의 비법이 담긴 개념별 코칭 동영상(QR) 제공

고난도 문제서 절대등급 중학 수학

최상위의 절대 기준

- 전국 우수 학군 중학교 선생님 집필
- 신경향 기출 문제와 교과서 심화 문항 엄선
- 3단계 집중 학습으로 내신 만점 도전!

기출 문제서 특급기출 중학 수학

학교 시험 완벽 대비!

- 수학 10종 교과서 완벽 분석
- 출제율 높은 최신 기출 문제로 전체 문항 구성
- 전국 1,000개 중학교 기출 문제 완벽 분석!

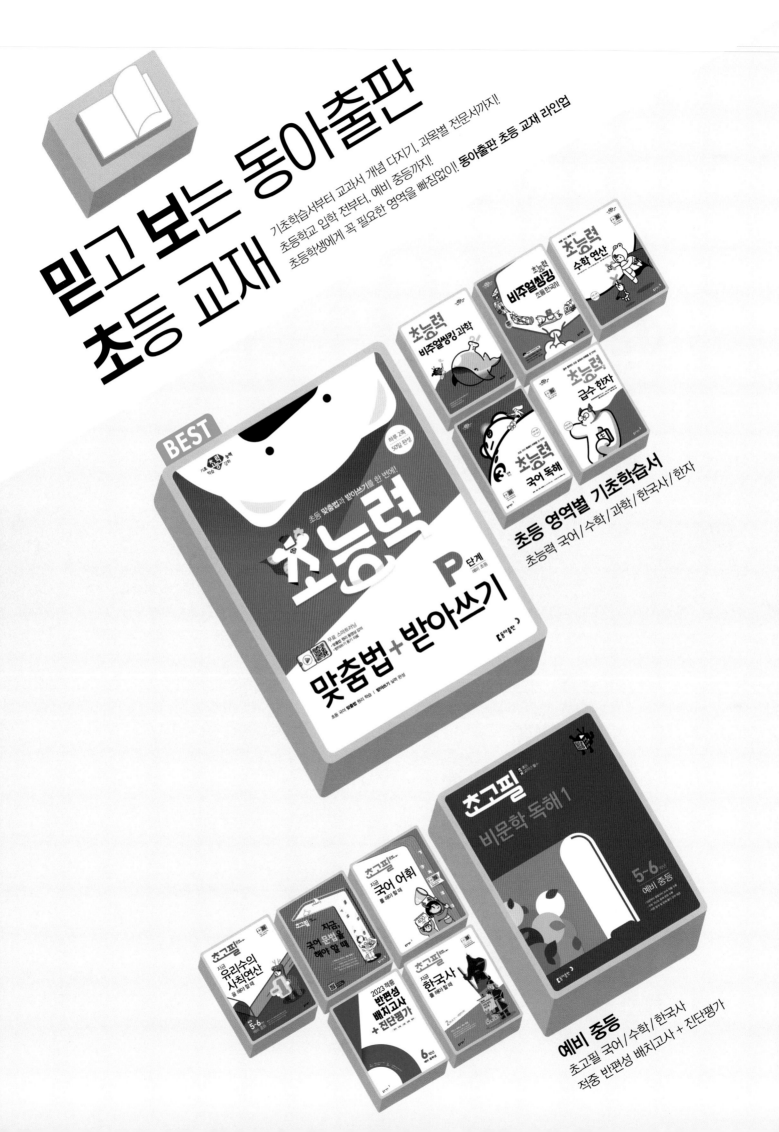